Mercosur:
Integración y crecimiento

ROBERTO BOUZAS

JOSÉ MARÍA FANELLI

MERCOSUR:
INTEGRACIÓN Y
CRECIMIENTO

Diseño interior: Cutral
Diseño de tapa: Gustavo Albisu

ISBN: 987-9423-98-4

Impreso en la argentina
Printed in Argentina

Este libro fue preparado para ser utilizado como material de apoyo en los cursos de capacitación interna de OSDE. Por esa razón hemos puesto especial cuidado en los aspectos pedagógicos y en la provisión de información básica, apuntando a ayudar a una comprensión adecuada del tema por parte del lector no especializado.

No obstante este propósito original, hemos pensado que un texto de estas características puede también resultar de interés para aquellos que deseen tener una mirada panorámica y analítica del proceso de integración más importante del que ha participado la Argentina a lo largo de su historia contemporánea.

Roberto Bouzas
José María Fanelli

Introducción

Ha transcurrido más de una década de la firma del Tratado de Asunción que dio nacimiento al Mercado Común del Sur (Mercosur). Es un momento que invita a la reflexión y a aportar elementos para un balance de logros y flaquezas que permita una comprensión más profunda del proceso de integración. En realidad, un ejercicio de esta naturaleza parece imprescindible. El proyecto Mercosur representa una de las líneas de acción estratégica fundamentales de nuestro país en el plano internacional. Y, además, el momento parece adecuado por otra razón: luego de un período de gran dinamismo, en la actual coyuntura el Mercosur enfrenta obstáculos que no son menores.

Sin lugar a dudas, hay elementos muy positivos para el balance. En los últimos diez años se registró un sustancial incremento del comercio intrabloque, al tiempo que la inversión extranjera directa mostró una marcada tendencia ascendente. Sin embargo, el aumento de la inestabilidad en la región a partir de la crisis rusa de 1998, abrió un período de incertidumbres y, en algunos casos puntuales, de retrocesos. En ese contexto, se notó una cierta inercia y falta de creatividad en las respuestas a los desafíos planteados por la integración. En el último año y, sobre todo a partir de la reciente declaración de Buenos Aires, se han realizado intentos por reactivar el proceso y "relanzar" el Mercosur. Sin embargo, más allá de lo oportuno de estas acciones es razonable anticipar que en el futuro inmediato se requerirá de una gran actividad y creatividad en las iniciativas. Esta hipótesis se fundamenta en dos hechos. Primero, el contexto internacional actual es muy fluido y el Mercosur necesita de una estrategia clara frente a otras alternativas de integración en la economía internacional; el mejor ejemplo de las urgencias que plantea la situación actual es el anuncio de los Estados Unidos sobre el comienzo de las negociaciones para una zona de libre comercio con Chile. Segundo, las dos economías de mayor tamaño han pasado por períodos de turbulencia macroeconómica y la Argentina aún se encuentra en la tarea de lograr un mínimo de estabilidad. Una tasa de crecimiento razonable y sostenida en el tiempo sería una gran ayuda no sólo por razones de bienestar sino, también, para despejar las dudas de los inversores sobre la sustentabilidad de la región.

Esto último implica que los elementos que se aporten para el balance y la evaluación de la integración deberían ser de utilidad para contestar dos preguntas básicas. Primera: ¿es el Mercosur una herramienta adecuada para integrarse en la economía global? Segunda: ¿puede el Mercosur contribuir a acelerar el crecimiento en el largo plazo?

El propósito de este libro es realizar un aporte para aclarar estos dos interrogantes. Por ello hemos elegido como título "Mercosur: integración y crecimiento". Obviamente, el libro no tiene la pretensión de dar una respuesta acabada a estas cuestiones. Su objetivo, más modesto, es brindar las herramientas de análisis económico y la información que se necesitan para una mejor comprensión del problema y para una evaluación con criterio propio de los debates y trabajos que se ocupan del proceso de integración.

El trabajo fue estructurado y escrito con un criterio que privilegia los aspectos pedagógicos. El texto está dirigido, básicamente, a un público no especializado que se desempeña en el ámbito de la empresa, de la política y de las organizaciones no gubernamentales. Este objetivo responde a que, cuando se trata de comprender razonable y actualizadamente lo que está ocurriendo y las perspectivas del Mercosur, se encuentran dos obstáculos: en primer lugar, los trabajos suelen tratar temas específicos de la problemática regional y están escritos para especialistas; y, en segundo lugar, no cuentan con una formación en teoría de las relaciones económicas internacionales mínima que les permita comprender los conceptos que se utilizan en los análisis. Este libro se propone contribuir a solucionar estos inconvenientes brindando tanto una visión global del proceso de integración como las herramientas analíticas de la teoría del comercio internacional, que son necesarias para entender las cuestiones económicas implicadas.

Hemos invertido esfuerzo para que el texto sea accesible desde el punto de vista analítico a un público no especializado. Para ello, hemos puesto un especial cuidado en cuanto a la claridad expositiva y a los aspectos pedagógicos en general. Asimismo, hemos tratado de dar al lector toda la información relevante sobre la evolución, estructura y situación actual del acuerdo regional, tanto en lo económico como en lo institucional, y enfatizamos las perspectivas y desafíos que se abren a partir del diagnóstico que se desarrolla en el libro. Esto último obedece a que somos conscientes de que la toma de decisiones en el ámbito de las organizaciones es un proceso complejo y con incertidumbre en el cual los elementos prospectivos suelen ser críticos.

En función de las líneas de trabajo que acabamos de explicitar, el libro está dividido en dos partes. La primera está organizada en tres capítulos (capítulos 1 a 3) y aborda las cuestiones analíticas. La segunda consta de cinco capítulos (capítulos 4 a 8) y se ocupa específicamente del Mercosur. El desarrollo de los conceptos de economía internacional en la Parte I se hace de manera sistemática y está autocontenido, en el sentido de que no se necesitan conocimientos previos de economía internacional para comprenderlo. El objetivo central que persiguen los conceptos que se presentan es contestar a la pregunta: ¿por qué los países participan en procesos de integración? La Parte II se ocupa específicamente del Mercosur y está organizada según tres grandes líneas. En primer lugar, se estudia la génesis, evolución y estructura del acuerdo en los aspectos referidos a negociaciones, acuerdos principales, instituciones y organización. En segundo lugar, se examinan los resultados económicos con énfasis en los aspectos de comercio, pero sin dejar de lado el papel de la inversión y los factores macroeconómicos. Por último, se evalúan los dos desafíos que enfrenta el Mercosur en función de las dos preguntas explicitadas más arriba. Los desafíos son: el de la integración en la economía global y el de crecer de manera sostenida.

Para elaborar este libro contamos con la valiosa colaboración de un conjunto de personas que nos ayudaron muchísimo y con las cuales resultó muy agradable trabajar: el equipo de capacitación de la Fundación OSDE, nuestro amable corrector Domingo Tavarone y nuestros ayudantes de investigación en el CEDES y FLACSO, Juan José Pradelli y Hernán Soltz. A todos ellos les agradecemos profundamente.

PARTE I

¿POR QUÉ LOS PAÍSES PARTICIPAN EN PROCESOS DE INTEGRACIÓN?

PART I

INTRODUCCIÓN

Sería muy difícil comprender los objetivos que se buscan con el Mercosur y los problemas que enfrenta su proceso de formación, sin contar con los elementos analíticos que se requieren para contestar la pregunta: ¿por qué los países participan en procesos de integración? Por ello hemos incluido esta sección, que está enteramente dedicada a presentar y explicar los conceptos de economía internacional que son necesarios para abordar esa pregunta. La tarea no es sencilla pues la teoría de la integración utiliza de manera intensiva conceptos de teoría del comercio internacional de bienes, servicios y factores, que tienen un cierto nivel de complejidad.

La estrategia que hemos elegido para encarar este desafío tiene dos características. En primer lugar, hemos tratado de presentar el tema de la forma más simple posible, tratando en todo momento de privilegiar los aspectos didácticos; aunque sin descuidar la rigurosidad analítica. Los argumentos pueden seguirse prácticamente sin conocimientos previos sobre economía internacional, debido a que están autocontenidos en el texto, por lo que pueden ser comprendidos siguiendo exclusivamente las cadenas de razonamientos que aparecen en cada capítulo de la sección. En segundo lugar, hemos organizado la exposición teniendo presente en todo momento que la meta no es realizar un tratamiento sistemático de los temas de economía internacional (que el lector con suficiente tiempo e interés puede encontrar en un buen manual sobre el tema) sino desarrollar las herramientas analíticas requeridas para comprender el proceso de integración en el ámbito del Mercosur.

Para llevar a la práctica esta estrategia pedagógica nos pareció que era muy importante encontrar un hilo conductor, un tema que actuara como guía para que el lector pudiera distinguir qué es fundamental y qué accesorio. En realidad, la búsqueda de ese *leit-motiv* fue una de las cuestiones pedagógicas más difíciles que tuvimos que resolver.

Hay dos dimensiones del actual proceso de integración que son clave para comprender su papel económico en nuestra región: el Mercosur como parte de la estrategia de integración en la economía global y como medio para acelerar el crecimiento económico. En relación con ambas dimensiones *la productividad* aparece en el centro de la escena. Una economía que se integra exitosamente en la economía global es una economía competitiva y el motor de la competitividad es la productividad. Asimismo, la productividad es un determinante crítico del crecimiento. Esto implica que para evaluar el Mercosur hay que entender cómo la integración regional puede afectar la productividad. Este hecho simple es el que resolvió el problema pedagógico de qué hilo conductor utilizar para organizar nuestra exposición sobre economía internacional e integración regional. El lector encontrará que la productividad es el vínculo que une todos los capítulos de esta primera parte y, asimismo, podrá corroborar que al aplicar los conceptos de economía internacional al estudio del Mercosur, en la segunda parte, nuestra preocupación constante es también la productividad.

La Parte I está organizada en tres capítulos temáticos divididos, a su vez, en secciones o puntos. Cada uno de ellos está dedicado a desarrollar un tema específico. Recomendamos que la lectura se haga de manera secuencial pues los contenidos de cada parte y capítulo suponen la lectura y comprensión de lo anterior. El capítulo 1 se ocupa de explicar los fundamentos de las relaciones económicas internacionales, y es el más extenso. Aun cuando tuvimos que sacrificar el tan estético principio de mantener la simetría en el tamaño de cada capítulo, decidimos que era mejor tratar todos los temas más abstractos y analíticos de economía internacional en uno solo, para privilegiar la coherencia y la síntesis. En función de nuestro *leit-motiv*, no es sorprendente que este capítulo comience con dos secciones que tratan de responder a la pregunta acerca de por qué el comercio y los mercados de capital importan para la productividad. Una vez aclarados esos puntos, las secciones siguientes se ocupan de las causas y consecuencias económicas del comercio internacional de bienes, servicios y factores de la producción. El capítulo termina introduciendo los factores macroeconómicos en el análisis y mostrando las relaciones entre esos factores y la competitividad internacional.

El capítulo 2 aborda lo que constituye el núcleo de nuestro interés analítico con vistas a entender el Mercosur: la integración regional y sus razones. La integración regional supone la construcción de un espacio económico común entre países determinados. En buena medida, ello implica que esos países deciden tratarse de manera preferencial, lo cual se relaciona con las barreras al comercio. En función de esto, el capítulo comienza explicando por qué existen tales barreras y seguidamente identifica los diferentes tipos de acuerdo regional que los países pueden realizar. Una vez aclarados esos puntos, el capítulo concluye con dos secciones dedicadas al estudio de los efectos económicos, tanto estáticos como dinámicos, de los acuerdos regionales. Estas dos secciones constituyen su núcleo y en ellas se enfatiza particularmente la cuestión del crecimiento económico y la productividad.

El capítulo 3 no presenta elementos analíticos nuevos. Tiene un doble propósito. Por un lado, aplicar algunos de los conceptos de los capítulos 1 y 2 a una breve revisión de la experiencia internacional comparada. Por otro, se propone mostrar dos experiencias de integración regional que son fundamentales (la Unión Europea y el Tratado de Libre Comercio de América del Norte) y que actualmente aparecen como paradigmas o modelos alternativos a seguir.

Capítulo 1

Los fundamentos de las relaciones económicas internacionales

1. Introducción

El propósito fundamental de la actividad económica es mejorar el bienestar de la población. Para que ello ocurra es necesario que la cantidad de bienes y servicios a disposición de la sociedad aumente. La medida más usual del nivel de bienestar es el PBI o valor agregado. De ahí la importancia asignada en la actualidad al crecimiento de esa variable. El crecimiento económico tiene dos determinantes básicos: la proporción de personas que trabaja y el nivel de productividad con que lo hacen. La razón por la cual importa la proporción de la población que trabaja es obvia: los que trabajan deben mantener a los que no lo hacen. La productividad, por su parte, es relevante porque mide la eficiencia con la cual utilizan los recursos disponibles los que trabajan. Aunque la productividad no es fácil de medir, la forma más usual de hacerlo es a través de la cantidad de valor que un trabajador le adiciona a los insumos que tiene a su disposición. Cuanto mayor el valor agregado generado por cada trabajador, mayor será su productividad y el nivel de bienestar de la sociedad. La acumulación de capital (físico y humano), los descubrimientos de recursos naturales y las innovaciones tecnológicas permiten aumentar el valor agregado por cada trabajador. De ahí que estos factores sean considerados elementos críticos para el crecimiento y, por ende, para el incremento sostenido del bienestar de la población. Es fácil concluir, entonces, que si las relaciones económicas internacionales son decisivas para el bienestar, deben provocar consecuencias favorables o bien sobre la proporción de gente que trabaja o bien sobre los elementos que mejoran la productividad. Las consecuencias sobre proporción de gente que trabaja operan básicamente a través de la movilidad del trabajo. Aunque en el desarrollo del texto haremos referencia a esta cuestión, no la enfatizaremos particularmente pues la movilidad del trabajo entre países es reducida y, el Mercosur en particular, está aún lejos de contemplarla. Nos concentraremos, por lo tanto, en los efectos sobre la productividad. Este primer capítulo está enteramente dedicado a examinar cómo y bajo qué condiciones esos efectos se verifican.

Una forma sencilla de aproximarse a esta cuestión es pensar en lo que pasaría en una economía autárquica y separada del mundo: dependería exclusivamente de su propio esfuerzo para aumentar su nivel de vida. Sólo podría contar con los recursos naturales y los trabajadores de su territorio, su capacidad de acumular capital físico estaría en todo momento limitada por el ahorro interno disponible y no tendría acceso a lo que fuera creado en los laboratorios de otros países. Pero si esa economía decidiera abrirse, su capacidad productiva se vería incrementada al tener acceso a los productos, los factores productivos y los avances tecnológicos del resto del mundo. La integración en la economía internacional potenciaría así la productividad y permitiría generar más valor agregado con la dotación de recursos existente.

Quizá al lector le resulte mucho más fácil coincidir con el argumento de que la participación laboral y la productividad son favorables al crecimiento, que aceptar que lo mismo ocurre con la integración en la economía mundial. Uno podría argüir que si bien es cierto que la integración en el mundo tiene los efectos positivos ya marcados, también habría que tomar en cuenta que implica costos. Una economía abierta nos obliga a competir con el resto del planeta: ¿quién nos asegura que vamos a ser competitivos en algo?; ¿no podría ocurrir que siempre haya un país que haga las cosas mejor que nosotros? Y, si nuestra competitividad es débil, ¿no exportaríamos muy poco al tiempo que las importaciones estarían arruinando nuestras industrias?; ¿no sería erróneo esperar que aumente nuestra productividad en tales condiciones?; ¿no es equivocado esperar que nuestras industrias y nuestros ingenieros aprovechen los avances tecnológicos al estar agobiados por los bajos precios del exterior?; si nuestras industrias no pueden competir, ¿qué otra cosa que desempleo y bajos salarios puede resultar de la apertura? Está claro que si éste fuera el caso, habría una razón adicional por la cual estaríamos en un aprieto. Para importar bienes y tecnología hay que contar con las divisas necesarias y ellas sólo pueden conseguirse exportando o pidiendo prestado. Si las exportaciones son escasas, la única opción para aprovechar las ventajas que ofrece el mercado internacional sería la de endeudarse. Pero un país no puede endeudarse eternamente, pues en algún momento los acreedores dejarán de prestar y querrán recuperar su dinero. ¿Y cómo les vamos a pagar sin exportar o sustituir importaciones? ¿No es esto, justamente, lo que explica que se produzcan periódicamente crisis de pagos en los países en desarrollo, cuya productividad es menor que la de los desarrollados? ¿No sería el proteccionismo antes que el librecambio la solución para los problemas del crecimiento?

Una de las razones por las cuales surgen interrogantes comunes entre la gente, es que los efectos favorables de las relaciones comerciales y financieras internacionales sobre la economía nacional son muchas veces difíciles de percibir, ya que suelen distribuirse entre un conjunto disperso de agentes y ser evidentes sólo a largo plazo. Por ello, estos efectos son menos impactantes que las consecuencias que la competencia externa tiene a corto plazo sobre las industrias y habilidades específicas que convierte en obsoletas. Algunos economistas consideran que esta asimetría es la única explicación válida de por qué la gente percibe al resto del mundo como una amenaza y no como lo que es: una oportunidad. Aun cuando esta explicación es correcta y coincidimos con ella, sería erróneo descartar las dudas antes expuestas. La conclusión de que es beneficioso integrarse al mundo no nos dice cómo es que hay que hacerlo. Conocer el objetivo no es lo mismo que saber qué camino seguir para lograrlo. En este sentido, algunas de las preguntas anteriores son incorrectas, pero otras son muy válidas, sobre todo las referidas a cómo diseñar el proceso de integración y apertura al mundo.

Entre las razones que convierten al cómo en un problema cabe mencionar las siguientes:

1. La ya mencionada asimetría. Las economías tardan en ajustarse a los cambios y, por ende, hay grandes diferencias entre los costos y beneficios a corto y largo plazo.

2. El vehículo básico de las relaciones internacionales son los mercados y, a veces, éstos no funcionan correctamente. Cuando existen fallas de mercado puede haber excepciones válidas al librecambio en algunos sectores.

3. Los procesos de apertura generan importantes redistribuciones del ingreso entre los distintos segmentos sociales y económicos. Este hecho debe ser tenido muy en cuenta pues la apertura al mundo genera ganadores y perdedores. Los desequilibrios regionales y el desempleo son extremadamente importantes en relación con esto.

4. No todos los sectores económicos están expuestos a la competencia internacional y puede ocurrir que sea inconsistente pretender ganar competitividad confiando exclusivamente en los efectos de la apertura.

5. El comercio internacional genera ventajas mutuas pero en los procesos de liberalización los países más poderosos están en condiciones de sacar mejores ventajas.

Por estas causas, a lo largo de toda la historia del pensamiento económico se han producido enardecidas controversias respecto de si existen en realidad los beneficios de abrirse al intercambio con el mundo y sobre cuál es el mejor camino para apropiarse de ellos. En esos debates se mezclaron a menudo las cuestiones analíticas con los intereses económicos concretos de los grupos que se beneficiaban o perjudicaban con el libre comercio de bienes, servicios y factores. En el plano de la política económica las controversias no fueron menos apasionadas. Y, por supuesto, nuestro país no ha sido en absoluto ajeno a las mismas. La oposición entre librecambistas y proteccionistas tiene entre nosotros una larga tradición y, en este sentido, la cuestión de si es conveniente o no realizar acuerdos preferenciales de comercio con los vecinos, como en el Mercosur, no ha escapado al debate: ¿es mejor realizar ese tipo de acuerdo regional que abrirse unilateralmente?; ¿no será tal vez mejor realizar negociaciones multilaterales en foros internacionales que abarquen a todos los países simultáneamente como la OMC (Organización Mundial del Comercio)?

Más allá del debate sobre cuál es el punto de equilibrio óptimo entre proteccionismo y librecambio, lo cierto es que estas últimas preguntas son de alta relevancia pues no existe una única estrategia para integrarse al resto del mundo en lo económico. Las estrategias que podrían seguirse son básicamente tres: el *unilateralismo*, el *multilateralismo* y el *regionalismo*.

El *unilateralismo* es la más sencilla de implementar. Implica, simplemente, eliminar las barreras al comercio con otros países por iniciativa propia. Esta estrategia asume que la apertura comercial es beneficiosa *per se* y, por lo tanto, debe ser llevada a cabo independientemente de lo que haga el resto de los países. Las dos estrategias restantes, por el contrario, requieren de un proceso de apertura coordinada con el resto de los países y suponen la concesión de ventajas mutuas. Las concesiones se estipulan en acuerdos preferenciales de comercio entre las partes involucradas.

En la estrategia *multilateral* el número de países que participa es muy grande (idealmente todos los países del mundo) y se lleva a cabo en foros internacionales e instituciones especialmente desarrolladas para tal fin. El proceso más importante en este sentido lo constituyeron las sucesivas rondas de negociación en el marco del GATT (Acuerdo General sobre Aranceles y Comercio) que, finalmente, resultó en la constitución de la OMC como un foro permanente para organizar las negociaciones.[1] También tienen importancia otros foros, sobre todo en el plano de la desregulación de los movimientos de capital.

El regionalismo, por último, abarca grupos más reducidos de países. Tí-

[1] La sigla GATT se forma a partir de la denominación inglesa. Para más detalles sobre la OMC y el GATT, véase el capítulo 3.

picamente, aunque no exclusivamente, los países que firman *acuerdos preferenciales* tienen relaciones de vecindad. Como veremos en el capítulo 2, el regionalismo, puede tomar diferentes formas. Ordenadas en grado creciente de profundidad, en la integración esas formas son la zona de libre comercio, la unión aduanera, el mercado común y la unión monetaria.

Todas las estrategias mencionadas pueden ser más o menos graduales. El gradualismo de las iniciativas se calibra en función de tres aspectos. El primero es el ritmo al cual se eliminan las barreras al comercio. Normalmente los países fijan un horizonte temporal para eliminar los aranceles a los productos importados, las cuotas, etc. El segundo es la cantidad de mercados que involucran los acuerdos de liberalización que pueden abarcar tanto los mercados de bienes, como de servicios y factores (capital y trabajo). Típicamente, la apertura se produce como una secuencia. Comienza con los mercados de bienes menos sensibles a la competencia externa para avanzar luego sobre los otros, esto es, sobre los mercados de capital y los servicios. La profundidad de la integración se refiere a la medida en la cual los países que firman acuerdos preferenciales avanzan en la armonización de las normas legales que rigen el comercio (de calidad, compras del gobierno, fitosanitarias, para el ejercicio profesional, etc.). Esta cuestión es de suma importancia pues este tipo de barreras pueden ser mucho más efectivas para impedir el comercio que las barreras arancelarias.

Los problemas que plantean estas cuestiones son complejos. Por ello, un objetivo central de este capítulo es brindar las herramientas analíticas que se requieren para una comprensión más profunda de ellas. Nuestro propósito es estudiar el Mercosur. Es natural, entonces, que el énfasis esté puesto en la explicación de aquellos conceptos de economía internacional que son necesarios para evaluar los acuerdos regionales. En función de nuestros argumentos anteriores sobre el bienestar de la sociedad, está claro esto: lo que debemos entender, en última instancia, es por qué un acuerdo regional puede ayudar al crecimiento económico. El capítulo se organiza en cinco secciones o puntos, además de esta Introducción, y está autocontenida en el sentido de que las nociones que se discuten pueden ser comprendidas siguiendo los argumentos del texto. Comenzamos con una pregunta elemental pero clave: ¿por qué el comercio (en general, no sólo el internacional) es beneficioso para la productividad y por ende para el crecimiento? Los puntos 2 y 3 abordan esta cuestión. El primero se ocupa de los mercados de bienes y servicios y el segundo de los mercados de capital. El punto 4 explica por qué el comercio internacional y los movimientos de capital constituyen un objeto específico de estudio para la economía. El punto 5 entra de lleno en las cuestiones de economía internaçional y constituye el núcleo del capítulo. La pregunta básica que trata de contestar es cuáles son los determinantes de la especialización en el comercio y qué explica los movimientos de factores (trabajo y capital) entre los países. El punto 6 analiza los vínculos entre macroeconomía y economía internacional, enfatizando el papel de la competitividad.

2. ¿POR QUÉ EL COMERCIO IMPORTA PARA LA PRODUCTIVIDAD?

El intercambio de bienes y servicios tiene valor económico porque genera ventajas mutuas a las partes intervinientes. En cada momento, los recursos son poseídos por alguien. Sin embargo, no necesariamente lo que cada unidad económica posee es lo que desea con mayor intensidad o lo que le resulta más útil en la tarea de producción, dados los precios existentes. El comercio permite que los agentes económicos puedan trocar, al precio de mercado, lo que no les brinda suficiente utilidad por aquello que sí desean o se adapta mejor a las necesidades técnicas de la producción. Esto implica que el comercio es un instrumento idóneo para mejorar la asignación de los recursos y, si éstos son mejor asignados, se logrará un mayor bienestar aun cuando la cantidad de recursos esté predeterminada. La capacidad del comercio para mejorar el bienestar y, por ende, para crear valor se hace evidente en dos hechos. El primero es que los intercambios comerciales son voluntarios. Nadie está obligado a realizar una transacción si no lo desea. La segunda es que, en general, organizar las transacciones tiene un costo. El intercambio en los mercados debe ser organizado. Si los agentes incurren en esos costos de transacción es razonable asumir que los beneficios de las partes superan a esos costos.

Los beneficios del intercambio de bienes para el consumo son bastante obvios. Dada nuestra preocupación por el vínculo entre comercio y productividad, vale la pena centrarse en las consecuencias sobre la eficiencia de la producción. La principal razón por la que tal vínculo existe es que el intercambio posibilita la especialización de las unidades económicas y esta especialización hace que los individuos aprendan a realizar las tareas productivas con mayor eficacia. Una de las contribuciones más importantes de Adam Smith[2], el padre de la economía, fue justamente llamar la atención sobre el hecho de que el intercambio en los mercados mejora la productividad vía los efectos positivos sobre la división del trabajo.

[2] Sobre este punto ver Smith, A. (1996) *La riqueza de las naciones*. Barcelona. Folio (primera edición en 1776), vol. 1, cap. 1.

Es obvio que es posible organizar la división del trabajo sin hacer uso del mecanismo de mercado. Se conocen muchas sociedades primitivas con una cierta sofisticación en la división del trabajo, en las que no existía comercio o bien existía en escala muy reducida. Asimismo, en las sociedades modernas es posible observar que hay organizaciones que dividen sus tareas sin coordinarlas a través del mercado. Ello ocurre, por ejemplo, en el seno del hogar, que es una unidad productiva de primera importancia. En este sentido, la virtud esencial que Smith vio en el mercado no fue sólo la de posibilitar la división del trabajo sino la de hacerlo en una escala desconocida en la historia. La virtud específica del mercado es posibilitar intercambios de gran magnitud incurriendo en costos de transacción muy reducidos. Para Smith el mercado es, antes que nada, una forma de organizar el trabajo social sin necesidad de recurrir a costosos mecanismos de coordinación e información. Es una mano invisible que, a través del mecanismo de los precios, brinda información a los agentes sobre qué y cómo producir para que sus actividades estén coordinadas con las del resto.

En buena medida, la historia de la economía es la historia del esfuerzo de muchos autores posteriores por desarrollar las implicancias de esta visión de Smith respecto de la relación entre división del trabajo y economía de mercado. En particular, autores como Ricardo, Marx, Knight y Schumpeter[3] llamaron la atención sobre el hecho de que la división del trabajo que posibilita el mercado no sólo permite dividir las tareas en la producción concreta de un determinado tipo de bien o servicio, sino que también incentiva la organización del trabajo de acuerdo con especializaciones funcionales o de roles generales. En este sentido, la división funcional más importante en la organización del proceso productivo es la que existe entre el empresario (que organiza la producción y toma riesgos), el rentista (que aporta el capital y los recursos naturales) y el trabajador. Esta especialización funcional es posible, en gran medida, por la existencia de mercados en los cuales no sólo se intercambian bienes y servicios sino, también, factores de la producción. En una economía de mercado moderna se pueden comprar y vender los servicios del trabajo, el capital y los

---

[3] Para una visión más amplia de este tema consultar: Ricardo, D. (1959). *Principios de economía política y tributación*. México. Fondo de Cultura Económica (primera edición en 1817), cap. 7; Marx, K. (1997). *El Capital*. Barcelona. Folio (primera edición en 1867), vol. 1, cap. 6; Knight, F. (1921). *Risk, Uncertainty and Profit*. New York. Houghton Mifflin Co., cap. 8; Schumpeter, J. A. (1996). *Capitalismo, socialismo y democracia*. Barcelona. Folio (primera edición 1942), vol. 1, cap. 7.

recursos naturales. Esto permite que el empresario tome a su cargo la organización de la producción comprando los servicios que necesita en los mercados de factores. Esta división funcional aumenta la eficiencia en la medida en que algunos individuos (los empresarios) se especializan en buscar las mejores oportunidades para invertir los recursos de la sociedad y organizar la producción. De esta forma, encontramos otro canal por el cual el intercambio favorece la productividad y, por ende, el crecimiento económico.

También hay otros canales que vinculan el intercambio de mercado con la productividad y que los economistas fueron identificando a través del tiempo. Buena parte de ellos operan a través de los incentivos que la competencia genera para que los recursos sean utilizados de la manera más eficiente. Hay dos resultados que queremos mencionar por su importancia para la teoría del comercio internacional. El primero es que la competencia tiende a eliminar la llamada "ineficiencia X"[4,] o sea, el uso de los recursos con un nivel de eficiencia menor que el máximo posible: el mercado se encarga de eliminar el mal uso de los factores. Si dos agentes tienen igual tecnología pero uno la usa mal y el otro bien, este último desplazará al primero en la producción.

El segundo resultado es el siguiente: el mercado es una fuerza poderosa al servicio de la difusión de las innovaciones tecnológicas y de la organización. Por la vía de la competencia en los mercados, los aumentos de productividad que se producen en una determinada unidad productiva, en una rama específica o en una localización geográfica particular tienden a expandirse a toda la economía. Un par de ejemplos serán útiles para aclarar esta cuestión. Supongamos que un empresario emprendedor descubre cómo utilizar el trabajo de mejor forma para producir textiles. Ello implicará que con las mismas unidades de trabajo y capital productivo estará en condiciones de producir la misma cantidad de, digamos, camisas o que con la misma cantidad de horas de trabajo y capital generará un mayor número. Ello le permitirá ganar más dinero que la competencia ya que sus costos serán menores en tanto tendrá que pagar menos horas de trabajo por camisa elaborada; estará en condiciones de reducir sus precios para que sus productos ganen mercados y, además, atraerá capital y trabajo ya que podrá pagar mejores salarios y dividendos. Consecuentemente, los productores ineficientes no podrán competir y serán desplazados del negocio; sólo quedarán los productores de camisas que sean capaces

---

[4]   Sobre este concepto ver Leibenstein, H. (1980). *Beyond Economic Man.* Cambridge. Harvard University Press.

de manejar la nueva tecnología y de esa forma las ganancias de productividad se difundirán por toda la economía; luego, la sociedad estará en condiciones de producir camisas utilizando menos recursos, lo que se reflejará en bajas de precios y aumentos de salarios y dividendos reales.

Llegaríamos al mismo resultado si supusiéramos que el mejoramiento de la productividad se verifica en una determinada zona geográfica. Por ejemplo, supongamos que se descubre un nuevo recurso natural que es mucho más eficiente como insumo. Los empresarios de todo el país aumentarán la demanda por ese producto incrementando los ingresos de la región de que se trate. El capital y el trabajo serán atraídos hacia allí, mientras que las zonas que producen el insumo ineficiente verán disminuir su capital y emigrar a sus trabajadores. Nuevamente, en este caso la sociedad en su conjunto se favorece pues los recursos son atraídos hacia el lugar en que su uso tiene mayor productividad. Pues el mercado se encarga de que las ganancias de productividad se difundan más o menos rápidamente en toda la economía. Obviamente, esto tiene un costo ya que los productores y regiones geográficas que son desplazados deben dedicarse a otra cosa y sus máquinas y conocimientos devienen obsoletos: son los perdedores. Está claro, no obstante, que las pérdidas de estos últimos son menores que los beneficios de los ganadores, debido a que los ganadores que desplazan a los perdedores poseen mayor productividad. Mostrando su gran capacidad de síntesis Schumpeter llamó a este proceso "destrucción creativa".

De los argumentos anteriores surge claramente que el mercado es una potente fuerza de homogeneización de la economía. En efecto, en un contexto en que los productores ineficientes son desplazados y los factores se mueven libremente en busca del lucro máximo, una vez que se realizaron todos los ajustes (es decir, en el "largo plazo"), la economía mostrará niveles de productividad muy homogéneos en todos sus segmentos, tanto si miramos la geografía como las firmas y sectores. Esto es, no será posible observar que:

1. el mismo producto se elabore con tecnologías de diferente eficiencia;
2. un mismo factor —por ejemplo, el trabajo— se utilice con productividad (marginal) diferente en dos usos alternativos;
3. dicho factor se utilice con diferente productividad (marginal) en dos localidades distintas.

Cuando estos resultados no se verifican y aún en el largo plazo subsisten segmentos con niveles de eficiencia muy diferentes, se dice que la economía es dual (ver Box 1.1.). En una economía de este tipo es posible generar valor agregado adicional reasignando el trabajo entre los distintos segmentos, pues un mismo trabajador tendrá una productividad más baja en una actividad que en otra. En una economía homogénea ello no es posible. Nótese, no obstante, que la homogeneidad es una condición de largo plazo. Paradójicamente, en el corto plazo, tanto una economía muy dinámica como una dual mostrarán disparidades en la productividad con que usan los factores. En una economía en crecimiento las innovaciones tardarán en difundirse por toda la economía y será posible encontrar disparidades en la eficiencia con la que se usan los recursos. La diferencia específica con la economía dual es que en esta última las disparidades tienden a perpetuarse. Esta cuestión tiene importancia en las discusiones sobre economía internacional. Cuando una economía se abre al comercio y a los flujos de capital, se espera que habrá reasignaciones de recursos, innovaciones tecnológicas y efectos distributivos. Pero en la práctica es muy difícil distinguir si un aumento en la tasa de desempleo se debe a que la apertura está acelerando el cambio técnico con el efecto colateral de un aumento transitorio en la desocupación o, si por el contrario, la apertura está contribuyendo a ahondar más la dualidad y la brecha entre la economía tradicional y la de punta.

Box 1.1.
Productividad marginal, eficiencia y dualidad

Aunque no lo aclaramos cada vez para no recargar el texto con cuestiones excesivamente técnicas, en general cuando nos referimos a la productividad deberíamos agregar "marginal". Vale la pena, entonces, detenernos brevemente en esta cuestión. Para calcular la productividad marginal de un factor se mide cuánto valor agregó al total del producto la última unidad de ese factor que fue incorporada al proceso de producción. Así, si tomamos como ejemplo el trabajo, la productividad marginal de este factor será el valor agregado por el último trabajador que la firma decidió emplear. Si el capital productivo no aumenta, es lógico pensar que a medida que se incorporan trabajadores adicionales, el valor agregado por cada uno de ellos irá disminuyendo, ya que son más personas las que deberán arreglarse con las mismas máquinas, el mismo edificio, etcétera.

¿Por qué es importante la productividad marginal? Lo es porque determina cuántos trabajadores utilizará la empresa. La razón es simple. La firma paga un salario de mercado que ella no puede determinar a su gusto, pues compite con otras firmas. Bajo esas circunstancias, el salario de mercado es un dato para la firma. Por lo tanto, a la misma le convendrá incorporar trabajadores a lo sumo hasta el punto en que el último que incorpore agregue a la producción un valor igual a su salario. Esto es, la empresa incorpora gente hasta que el valor de la productividad marginal del trabajo sea igual al salario. Es razonable pensar que los primeros trabajadores que incorpore le dejarán mucho excedente y que ese excedente irá decayendo junto con la productividad marginal hasta igualarse con el salario. Obviamente, si el valor de la productividad del primer trabajador a incorporar es menor al salario, la empresa no es viable y la cantidad óptima de trabajo a emplear es cero. Nótese, en este sentido, que esto es justamente lo que le pasa a las empresas que no son competitivas y deben salir del mercado.

Veamos un ejemplo. Supongamos que para hacer una camisa el empleado marginal de la firma A necesita una hora y que ese empleado gana diez pesos por hora. Entonces, como mínimo, para recuperar costos, la firma A debe vender la prenda a 10 pesos. Supongamos que la firma competidora B descubre una tecnología más barata para producir camisas de forma tal que su empleado marginal sólo necesite media hora para producirlas. Entonces, la firma B podría invertir capital en adoptar la nueva tecnología y, aprovechando la ventaja competitiva que le daría dicha tecnología, podría bajar el precio de las camisas con el objeto de ganarle mercado a la firma A. Imaginemos que baja el precio a 8 pesos por camisa. Está claro que si la firma A no invierte para incorporar la tecnología nueva deberá salir del mercado. Por supuesto que para bajar costos A podría tratar de bajar los salarios. Pero como el mercado de trabajo de las dos firmas es el mismo, sus trabajadores emigrarían a la firma B. Nótese que si la firma B contrata trabajo al salario de 10 pesos, dado que el trabajador marginal produce dos camisas, tal trabajador le deja todavía un beneficio neto de seis pesos. O sea que, en realidad, la firma B podría aumentar los salarios hasta 16 pesos y, aun así, no perder dinero. Es evidente que si A no invierte, le convendría dejar de producir mientras que a B le convendría seguir empleando trabajadores en el margen. De esta forma, el aumento de productividad se expande en la economía porque más y más trabajadores trabajan con la nueva tecnología, que es de mayor eficiencia.

No hay que perder de vista, sin embargo, que para que los ajustes comentados ocurran deben darse una serie de condiciones. Para nuestros propósitos, tres son relevantes. Primero, debe haber competencia en el mercado de trabajo. Si la firma A está en una zona muy alejada no sería tan fácil para los trabajadores ir a emplearse a la firma B. Deberían mudarse, adaptarse a otro entorno, etc. Esto lleva tiempo. Por ello la firma A, quizás, tendría una chance de bajar salarios y seguir compitiendo aún con la vieja tecnología. Los trabajadores sabrían que en B se gana más y, seguramente, terminarán por mudarse. Pero está claro que los costos de traslado harían el proceso más lento. Segundo, la nueva tecnología debe poder ser manejada por los trabajadores que manejaban la vieja. Si los salarios que paga B son superiores pero los trabajadores de A no saben utilizar la tecnología nueva, quizá también acepten ganar menos en A. O quizás queden desempleados un tiempo para aprender a trabajar con la nueva tecnología y reciclarse. O, la peor alternativa, A cierra, los trabajadores no cuentan con los recursos para reciclarse y quedan desempleados durante un largo período hasta encontrar una ocupación menos calificada. Tercero, para cambiar tecnologías se necesita realizar inversiones en bienes de capital físico y humano. Tanto la firma A, como la B, como el trabajador que se recicla, necesitan un mercado de capitales que funcione. De lo contrario, sólo podrán confiar en sus limitados fondos propios para llevar adelante las inversiones y la adquisición de nuevas habilidades. En definitiva, la falta de financiamiento y las fallas en los mercados constituyen obstáculos que impiden o reducen la velocidad a la que se reasignan los recursos y se difunde el cambio técnico.

El ejemplo pone de manifiesto que los mercados son un arma poderosa para mejorar la productividad pero que no hay que dar por descontado que los mercados estarán allí cuando los necesitemos. Los mercados son instituciones creadas por la sociedad y no un producto de la naturaleza. Es razonable esperar, entonces, que sociedades con instituciones débiles tendrán, también, mercados débiles. Bajo tales circunstancias los mercados no harían su trabajo y se violarían las condiciones del texto sobre una economía eficiente: tendríamos el mismo producto (camisas) elaborado mediante tecnologías de eficiencia diferente, un mismo factor (el trabajo) con dos remuneraciones distintas y dos localidades con diferente productividad. Como productividad diferente implica ingresos diferentes, habrá sensibles disparidades entre regiones, sectores o categorías de trabajadores. Se consolidaría, así, una *economía "dual"* en la cual convivirían sectores atrasados y de punta. Una economía dual tiende a ser más ineficiente que una "homogénea", a difundir más lentamente el cambio técnico y a generar una distribución del ingreso desigual.

3. ¿Por qué existe un vínculo entre mercados de capital y productividad?

Las ventajas mutuas del comercio no se limitan sólo al intercambio de bienes y servicios. También existen los mercados de capital en los cuales se intercambian "papeles" que consisten, básicamente, en contratos de pago diferido o a futuro. Estos contratos generan ventajas del comercio porque hacen posible elegir en qué momento consumir y manejar los riesgos que son intrínsecos a la actividad económica. Uno de los rasgos distintivos del actual proceso de globalización es la creciente sofisticación e importancia de las relaciones financieras entre los países. Por ello, algunos aspectos críticos de la economía internacional actual y de los procesos de integración no podrían entenderse haciendo caso omiso de los mercados de capital. En función de ello vale la pena que le dediquemos un desarrollo en el texto.

Empecemos con la elección del momento de consumir. Los agentes económicos tratan de distribuir en el tiempo el consumo de sus recursos para adaptarlos mejor a sus preferencias. En la jerga de los economistas a esta cuestión se la estudia bajo el pomposo nombre de "asignación intertemporal de los recursos". El ejemplo de libro de texto es un náufrago solitario que recoge cocos de lunes a sábado por encima de sus necesidades de cada día para poder descansar el domingo: ahorra de lunes a sábado y "desahorra" el domingo. El náufrago está realizando una asignación intertemporal. Consume "de menos" un día para "consumir de más" en otro ¿En qué sentido pueden aparecer ventajas mutuas del comercio entre las partes en este proceso? Nótese que en este ejemplo, independientemente de la asignación temporal del consumo, el náufrago primero debe trabajar para consumir luego. Claramente, el primer día en la isla pasará hambre. Pero ¿qué ocurre si existe otro náufrago que llegó dos días antes? Este primer náufrago quizás ya juntó cocos de más y podría prestárselos al segundo. La ventaja para este último es obvia. Podría alimentarse en su primer día y para ello sólo debería comprometerse a devolver los cocos en el futuro. Esto es, comprometer un pago diferido ¿Y cuál es la ventaja para el primero? Bueno, por ejemplo, no tener que gastar esfuerzo en mantener un inventario de cocos. Guardar una promesa no ocupa lugar y guardar cocos sí. Obviamente, ambos deberán ponerse de acuerdo en el precio al que intercambiarán cocos "presentes" por cocos "futuros". Si lo que gana el segundo náufrago "adelantando" su consumo hoy es superior a lo que ahorra el primero en costos de inventario, seguramente los cocos presentes serán más caros que los cocos prometidos a futuro. Habrá que entregar más de un coco mañana para conseguir un coco hoy. Sí, claro, esto quiere decir que la tasa de interés de mercado es positiva. Otra forma de ver la tasa de interés es considerarla como el precio del intercambio entre consumo presente y consumo futuro. Por ello, cuando en la sociedad predominan los que quieren consumir por sobre los que quieren ahorrar las tasas de interés tienden a subir.

El hecho de que vivamos en una sociedad compleja y no en una isla no invalida la cuestión simple que acabamos de analizar. Las ventajas mutuas en el comercio intertemporal existen siempre que haya agentes que no desean gastar todo lo que poseen en el momento presente y haya otros que prefieran gastar en el presente por encima de los recursos que poseen. Por ejemplo, quienes invierten sus recursos en un fondo de pensio-

nes o en un banco desean "mandar" poder adquisitivo desde el presente
hacia el futuro y quienes toman prestado esos recursos (por ejemplo vía
una hipoteca o un crédito para consumo) están "adelantando" hacia el presente sus ingresos futuros. En esencia, están cambiando consumo presente por consumo futuro como en el ejemplo de los cocos.

Los sofisticados mercados de capital con que hoy contamos nos permiten, justamente, realizar este tipo de intercambio en gran escala y con
bajos costos de transacción. En otros términos, los activos financieros son
el vehículo del comercio intertemporal. La esencia de todo contrato financiero es que una parte entrega bienes o servicios en el presente a la otra
parte y ésta se compromete a devolverlos en un momento futuro cumpliendo con ciertas condiciones. Los dos contratos básicos son los de deuda (entre deudor y acreedor) y las acciones (entre propietario y gerente o
"emprendedor"). Nótese que este hecho implica una separación entre el
control de los recursos y su propiedad. El propietario o acreedor cede el
control de la cosa al deudor o gerente. Esta separación le da un cierto poder a quien ejerce el control de los recursos pues éstos podrían ser dañados en perjuicio del propietario. Esto incrementa sensiblemente los costos
de transacción en los mercados de capital, pues en los contratos es necesario especificar no sólo el precio (por ejemplo, la tasa de interés o el dividendo) sino, también, en qué condiciones específicas se devolverán los
recursos, cómo deben ser utilizados, etc. Muchas veces estos costos de transacción son tan altos que superan a los beneficios del intercambio y los
mercados de capital desaparecen. Por esta razón, dicho sea de paso, la seguridad jurídica es tan crítica para el desarrollo financiero. Un poder judicial ineficiente y/o corrupto tiene un alto costo económico al impedir la
realización de las ventajas mutuas del comercio. En este sentido, la corrupción y el desarrollo de la economía de mercado son incompatibles.

Tal como vimos en el caso del comercio de bienes, los mercados de
capital no sólo permiten la asignación del consumo (en este caso intertemporal), sino que también afectan de manera muy positiva a la producción. Si los mercados de capital cumplen bien su rol tienen una gran capacidad para aumentar la productividad. La razón principal de esto es, nuevamente, la posibilidad de aumentar la división del trabajo y, por ende, la
especialización. Por la vía de la separación entre propiedad y control de
los recursos, los mercados de capital permiten separar el ahorro y la inversión. Específicamente, permiten que haya agentes (los emprendedores) que
se especialicen en aprender a invertir; es decir, en buscar las mejores oportunidades para colocar los recursos ahorrados por la sociedad. Esto es fundamental pues no necesariamente los propietarios son los que pueden

utilizar mejor sus recursos, sino que quizás les convenga ceder el control para que otro los use con mayor creatividad y recibir un pago a cambio. Si no existieran los mercados de capital, no se podrían realizar préstamos; entonces quienes ahorraran deberían realizar sus propias inversiones independientemente de su capacidad para descubrir oportunidades y quienes tuvieran gran habilidad para descubrirlas, a lo sumo podrían emprender los proyectos que sus recursos le permitieran. Los mercados de capital, justamente, son el "lugar" donde negocian sus contratos quienes tienen capacidad de ahorro pero no oportunidades de inversión con aquéllos a los que les ocurre lo contrario. Es natural imaginar que los prestamistas buscarán afanosamente colocar sus fondos donde la rentabilidad sea mayor y que quienes se encuentren en condiciones de pagar las tasas más altas serán aquéllos que tengan los mejores proyectos. De esta forma, la sociedad estará canalizando sus recursos hacia los usos de mayor productividad. Esto evitaría que muchos emprendedores se vieran obligados a perder oportunidades de inversión con alta rentabilidad.

Hay dos aspectos de este proceso que vale la pena remarcar. Primero, nótese que los mercados de capital actúan como una especie de lubricante acelerando el proceso de homogeneización de los niveles de productividad a que hicimos referencia en la sección precedente. Ello es así porque si existen dos tasas de rentabilidad distintas, los recursos siempre se canalizan hacia donde es mayor. Así, si los capitales se mueven libremente, no estaremos en condiciones de observar una productividad (marginal) del capital diferente entre ramas, firmas y localidades distintas. Segundo, cuanto más completa sea la estructura de mercados financieros más libremente se mueven los capitales. Por lo tanto, cuanto mayor sea el desarrollo financiero, más homogénea resultará la economía. En la jerga económica se dice que una economía con mercados de capital desarrollados tiene un alto nivel de "profundización financiera" (financial deepening). Es por esto que uno esperaría que una economía dual tenga un bajo nivel de profundización financiera. Y ya vimos que una economía dual es, en principio, ineficiente. Esta es otra forma de ver la relación entre productividad y mercados de capital.

Resta, ahora, ocuparnos de la asignación de riesgos. Las actividades económicas toman tiempo y el futuro, por definición, es incierto. En el futuro pueden darse muy distintos "estados de la naturaleza" o eventos que son desconocidos en el momento de tomar decisiones en el presente. En virtud de ello, es necesario aceptar este hecho: toda actividad económica involucra tomar riesgos. Veamos un ejemplo sencillo. Supongamos, por simplicidad, que en el futuro pueden darse dos estados de la naturaleza: "lluvia/sequía".

Si existe un agente que fabrica paraguas, sus beneficios serán altos si el estado de la naturaleza es "lluvia" y serán bajos en el caso contrario. Para un agente que fabrica mangueras la situación será la opuesta. Si estos agentes tienen la aversión al riesgo que nos es natural, seguramente estarían contentos si encontraran la forma de ganar lo mismo, independientemente de qué estado de la naturaleza se observe. Es mucho mejor comer bien todos los días que alternar entre el hambre y los banquetes.

La ventaja mutua del intercambio aparece justamente por esta razón. Los productores de mangueras y paraguas podrían reasignar sus ganancias entre estados de la naturaleza firmando un contrato según el cual reparten las ganancias conjuntas de los dos negocios. Así, el productor de mangueras le pagaría un "subsidio" al de paraguas en caso de sequía mientras que lo recibiría de éste en caso de lluvia. Intercambiando riesgos ambos estarían mejor, pues estabilizarían sus ingresos cualquiera fuera el estado de la naturaleza. En realidad, esto es en esencia lo que ocurre en los mercados de acciones cuando una persona, en vez de "poner todos los huevos en la misma canasta" opta por diversificar el riesgo comprando papeles de firmas en distintas ramas y, también, es lo que hace un banco cuando evita prestarle todo su dinero a un solo tipo de deudor. Esta reasignación entre "estados de la naturaleza" es también relevante para la productividad, pues al permitir la diversificación y el manejo de los riesgos hace posible que los emprendedores de las firmas puedan asumir los riesgos propios de la producción, sin por eso tener que soportar ellos solos sobre sus espaldas todos los riesgos del negocio. Por esta razón, una sociedad en la cual los riesgos no pueden intercambiarse desarrollará una cierta tendencia al conservadurismo en sus proyectos de inversión, lo cual resultará muy dañino para el crecimiento. Como Knight y Schumpeter lo hicieran notar, la toma de riesgos está en la base de la dinámica capitalista.

4. La problemática de las relaciones económicas internacionales

Ahora estamos en condiciones de aplicar nuestro análisis del vínculo comercio/productividad a la problemática de la economía internacional. Empecemos por sintetizar nuestras conclusiones. El intercambio a través de los mercados promueve la productividad porque:

- Incentiva la división del trabajo y de las funciones organizativas en la firma.
- Las mejoras tecnológicas tienden a difundirse rápidamente de for-

ma que la productividad (marginal) en el uso de cada factor tiende a igualarse entre firmas, ramas y localidades.
- La eficiencia en el uso de los factores es máxima al eliminarse la ineficiencia X.
- Facilita el manejo de los riesgos y optimiza el proceso de ahorro/ inversión.

Ahora bien, para que estos resultados se verifiquen, el comercio debe ser totalmente libre: los factores de la producción se deben mover libremente, no deben existir trabas al comercio de bienes y servicios y los contratos financieros tienen que negociarse sin limitaciones en los mercados de capital. En este punto es que aparece el comercio internacional. Si los países comercian entre sí, la escala del mercado se multiplica y lo mismo ocurriría con los efectos benéficos sobre la productividad. La lógica de este razonamiento nos lleva rápidamente a concluir que el proceso de explotar las ventajas mutuas del comercio y la división del trabajo sólo deberían tener como límite el planeta y ese límite únicamente se alcanzaría cuando todos los países comerciaran libremente entre sí. Este es el argumento más fuerte que existe en favor del comercio de bienes, servicios y activos financieros entre las naciones; y es, además, un argumento hermoso pues nos habla de un mundo interdependiente y sin diferencias.

¿Por qué no ocurre esto en la práctica? El obstáculo más importante es que los mercados están muy lejos de funcionar tan perfectamente como se necesitaría, especialmente en las relaciones entre las naciones. Hay tres hechos que son evidentes:
1. La movilidad del factor trabajo entre países está muy restringida por las normas que regulan la inmigración.
2. Segundo, existen trabas naturales al comercio como el costo del transporte y "artificiales" como los aranceles o las cuotas.
3. No todos los países enfrentan las mismas condiciones para el acceso a los mercados internacionales de capital e, incluso, muchos están racionados y directamente no pueden acceder.

La economía internacional como rama especializada de la teoría económica surge, justamente, como un intento de analizar las causas y consecuencias de estos tres hechos.

El potencial del libre comercio para aumentar la productividad y el bienestar parece tan grande que, al menos entre los economistas, hay una fuerte preferencia por incentivar el libre cambio. Sobre todo en el plano de las ideas, esta preferencia del "club de los economistas" ha jugado un papel muy importante en impulsar las negociaciones internacionales en favor de la eliminación de todas las trabas artificiales al comercio. Pero aun cuando se estuviera de acuerdo en el objetivo último, quedan dos cuestiones importantes sobre las cuales las opiniones no son tan unánimes. La primera es cómo avanzar a partir del *statu quo* actual. Ya vimos que hay al menos tres estrategias posibles: el unilateralismo, el multilateralismo y el regionalismo, y diferentes opciones en la gradualidad. La segunda es que existen "fallas de mercado" que no fueron artificialmente creadas sino que son inherentes al funcionamiento de la economía. Bajo tales circunstancias puede ocurrir que algunos de los beneficiosos resultados antes mencionados no se verifiquen. Vale la pena, entonces, tratar de comprender con mayor profundidad las fuerzas básicas que guían el comercio internacional y que determinan la especialización en el comercio.

5. VENTAJAS DEL COMERCIO INTERNACIONAL Y PATRÓN DE ESPECIALIZACIÓN

Una de las ventajas fundamentales de las relaciones económicas con el resto del mundo es que permiten la especialización productiva y financiera. Obviamente, esto implica que cada país hará cosas diferentes. Entonces, una primera pregunta que surge naturalmente es qué determina el patrón de especialización en cada economía; o, en otras palabras, qué factores definen lo que una economía particular exportará e importará. Una segunda es cómo afecta ese patrón al bienestar de la población en general y a sus diferentes estratos. En esta sección estudiaremos los tres determinantes fundamentales del patrón de especialización, a saber:

a. las diferencias tecnológicas,
b. las diferencias en la dotación de recursos, y
c. las diferencias en la escala de la producción.

También comentaremos los efectos distributivos de la especialización y haremos referencia a los aspectos financieros con el objeto de identificar los factores que determinan que un país sea importador o exportador de capitales financieros en un momento dado.

En algunos casos, los argumentos para explicar cómo operan los determinantes de la especialización pueden ser bastante sofisticados. Sin embargo, es importante no perder de vista que detrás de ellos hay siempre un hecho simple; la fuerza que mueve el comercio es la búsqueda de lucro y esa fuerza se guía por una sola regla: vender a un precio superior al de compra o, si se quiere, "comprar barato y vender caro". Para que esta fuerza opere, en el caso del comercio internacional se necesitan dos cosas:

- Primero, que los precios de autarquía (los precios vigentes en cada país antes de que se inicie el comercio) sean distintos.
- Segundo, que exista arbitraje entre mercados.

La primera condición de precios de autarquía distintos para un mismo producto se necesita porque, de lo contrario, no hay ganancias a realizar con el comercio. En efecto, si en autarquía las camisas son caras en el país A y los zapatos son baratos, y en el país B pasa lo contrario, al abrirse el comercio habrá ganancias mutuas a realizar: el espíritu de lucro llevará a los comerciantes a comprar zapatos baratos en A para venderlos caros en B y a comprar camisas en B para venderlas a un mayor precio en A. El arbitraje, justamente, se define como la actividad que realizan los agentes económicos con el propósito de beneficiarse cuando un mismo producto tiene diferentes precios en mercados localizados en lugares distintos y, para aprovechar las ventajas, realizan transacciones simultáneas en varios mercados. La actividad de arbitraje, obviamente, lleva en última instancia a la igualación de los precios. Ello es así porque los arbitrajistas, con su actividad, aumentan la oferta en el lugar en que las cosas son caras y aumentan la demanda donde las cosas son baratas. En función de ello, no nos sorprendería que, luego de abierto el comercio, los precios de zapatos y camisas se igualaran en ambos países. Y, en realidad, uno esperaría que bajo condiciones de libre comercio hubiera una fuerte tendencia a la igualación del precio de los bienes, servicios y factores que son homogéneos entre sí.

5.1. Diferencias de tecnología y movilidad del trabajo

Si dos países cuentan con tecnologías de diferente calidad, en cada uno de ellos una misma unidad de trabajo producirá cantidades distintas de producto. El país con la mejor tecnología mostrará la productividad más alta y, esta disparidad, es una fuente potencial de ventajas mutuas en el comercio. De acuerdo con nuestros argumentos sobre mercados y productividad, tales disparidades no deberían existir en el ámbito de la economía nacional pues la competencia en el mercado las haría desaparecer. Si a nivel internacional hay diferencias, entonces, tienen que existir "fallas" en los mercados internacionales. En el caso que nos ocupa en este apartado, veremos que esa falla es la falta de movilidad de factores entre los países. Para que este punto quede claro, comenzaremos mostrando qué ocurriría en una situación sin trabas al movimiento del trabajo y, luego, estudiaremos las consecuencias de que ello no ocurra.

Tabla 1.1.
Productividad y ventajas absolutas

	Argentina (A)			Brasil (B)			A/B	
	Trabajo (horas)	Salario (US$)	Precio (US$)	Trabajo (horas)	Salario (US$)	Precio (US$)	Trabajo (%)	Precio (%)
Camisa	2	1	2	4	1	4	50	50
Par de zapatos	1	1	1	4	1	4	25	25
Total	3	1	3	8	1	8		

Supongamos lo siguiente. Como se observa en la tabla 1, en la Argentina (país A) hacer una camisa insume dos horas de trabajo y hacer un par de zapatos una hora. En Brasil (país B) se requieren cuatro horas para manufacturar tanto camisas como zapatos. El nivel de vida, evidentemente, debería ser muy inferior en B. Para comprobarlo, sólo basta pensar que en B para tener una camisa y un par de zapatos habría que trabajar ocho horas, mientras que en A sólo habría que trabajar tres. Si los salarios fueran iguales en ambos países, todo sería más caro en B. Si los salarios por hora fueran de un dólar en ambos países, una camisa costaría dos dólares en A y cuatro dólares en B, mientras que un par de zapatos costaría un dólar en A y cuatro dólares en B. Está claro que la razón de esto es que la Argentina, tiene mayor productividad que Brasil, ya que utiliza menos factores (trabajo) por unidad de producto. Cuando ocurre esto se dice que el país A tiene ventajas *absolutas* en relación al país B. Argentina, en este caso, tiene ventajas absolutas en ambos productos.

El vínculo entre comercio y productividad implica que una situación como ésta sólo podría subsistir en el tiempo si existen trabas de relevancia para el intercambio de bienes y factores entre A y B. En efecto, ¿qué ocurriría si el mismo es libre? Si A "vende todo más barato" debería quedarse tanto con los mercados de zapatos como de camisas. Los brasileños dejarían de comprar zapatos y camisas a cuatro dólares en su país para importarlos desde la Argentina a uno y dos dólares respectivamente. Las empresas argentinas, enfrentadas a un exceso de demanda, aumentarían su producción y demandarían más trabajadores. El exceso de demanda de trabajo generaría una incipiente tendencia a la suba en los salarios en la Argentina, mientras que la caída en las ventas en Brasil estaría provocando el efecto contrario. Siendo la movilidad de factores libre, más y más trabajadores brasileños vendrían a trabajar a la Argentina. Si recordamos el razonamiento presentado en el box sobre productividad marginal está claro que, incluso, las empresas argentinas podrían darse el lujo de pagar salarios más altos porque su productividad es mayor. Por ejemplo, los que hacen zapatos podrían aumentar el salario de un dólar a cuatro y, recién entonces, sus costos se igualarían con los brasileños. En ese caso tendrían igual competitividad que las empresas de calzado en Brasil. Nótese, no obstante, que si bien los productores de camisas son también muy competitivos, la diferencia con B no es tan amplia. Esto se refleja en que la competitividad en camisas de A sería igualada por B a un salario de dos dólares y no de cuatro.

Está claro, de cualquier forma, que el fin de esta historia es que B pierde sus dos industrias. Vale la pena remarcar tres conclusiones generales que se siguen lógicamente de este ejemplo *sin limitaciones al comercio y con libre movilidad del factor trabajo*:

- Primera, se igualan los precios de los factores y los productos de los dos países.
- Segunda, el país que goza de *ventajas absolutas* en una rama se queda con toda la producción debido a su superioridad tecnológica.
- Tercera, esto es bueno para las *dos economías* pues ahora utilizan menos trabajo para llevar a cabo la producción: los consumidores de B necesitan tres horas de trabajo para obtener una camisa y un par de zapatos y no ocho. Nótese que los brasileños no sólo no se quedan sin trabajo sino que ahora tienen otro mejor.[5]

Este razonamiento es bastante intuitivo. Pero es importante notar que la verdad de la conclusión depende crucialmente del supuesto de libre movilidad del *trabajo* entre las dos economías. Y, como dijimos más arriba, es obvio que esto no se cumple en la realidad. Los trabajadores no pueden circular libremente entre Argentina y Brasil. En cierto sentido, podríamos decir que la teoría del comercio internacional nació cuando Ricardo tomó en cuenta que aun cuando hay comercio de bienes, no existe plena movilidad de factores entre las naciones y desarrolló el principio de las *ventajas comparativas* para explicar el intercambio internacional. Su trabajo fue publicado a principios del siglo XIX y aún constituye uno de los pilares para explicar el comercio entre las naciones.

Nuestro trabajo previo nos permitirá entender rápidamente el principio de las ventajas comparativas. Supongamos que A y B comercian pero

---

[5]   Está bien, nos olvidamos de comentar un detalle: muchos brasileños deberán vivir en nuestro país y aprender español. Justamente por esta razón los ajustes por la vía de la movilidad de la mano de obra no son tan sencillos como podría sugerirlo el ejemplo.

que no permiten la libre movilidad del trabajo entre ellos. Como todo es
más barato en A, cuando se abre el comercio, habrá exceso de demanda
por los productos de A. Por ejemplo, los zapateros vendrán a Buenos Aires
a comprar zapatos por un dólar para revenderlos en San Pablo a cuatro
dólares. En cada viaje de ida y vuelta ganarán tres dólares. Los camiseros,
a su vez, ganan dos dólares por camisa en cada viaje. Está claro que los
camiseros ganan menos que los zapateros porque la diferencia de productividad con Brasil es mucho más grande en zapatos que en camisas. La
última columna de la tabla 1.1. muestra que la tecnología para hacer zapatos en A necesita un cuarto del trabajo que se usa en B mientras en
camisas necesita la mitad. Así, aun cuando los dos negocios irán "viento
en popa", los emprendedores de A estarán relativamente más interesados
en dedicarse a producir zapatos que camisas. Por ejemplo, en los mercados de capital habrá una tendencia a que los productores de zapatos estén
dispuestos a pagar más por los fondos pues sus ganancias son mayores.
De cualquier forma, como las firmas argentinas tienen ganancias a realizar en ambos productos, demandarán más trabajadores. Como ahora no
hay inmigración de trabajo barato desde B, los salarios en A tenderán a
subir. Esto, obviamente, hará subir los precios en la Argentina: A estaría
perdiendo competitividad y B ganándola. Cuando los salarios llegan a dos
dólares en A, un par de zapatos costará dos dólares, lo que todavía es más
barato que en Brasil. Pero ahora las camisas en la Argentina cuestan cuatro dólares, es decir, lo mismo que en Brasil. Obviamente, esto pasa por la
ya apuntada mayor ventaja relativa de productividad de A sobre B en zapatos que en camisas. La tabla 1.2. muestra la nueva situación.

Tabla 1.2.
Comercio, salario y ventajas comparativas

	Argentina (A)			Brasil (B)			A/B	
	Trabajo (horas)	Salario (US$)	Precio (US$)	Trabajo (horas)	Salario (US$)	Precio (US$)	Trabajo (%)	Precio (%)
Camisa	2	2	4	4	1	4	50	100
Par de Zapatos	1	2	2	4	1	4	25	50
Total	3	2	6	8	1	8		

En esta nueva situación uno esperaría que no hubiera comercio de camisas y sólo se exportaran zapatos de A hacia B: debería haber zapateros
produciendo zapatos a dos pesos en Buenos Aires y vendiéndolos a cuatro en San Pablo. Ricardo, justamente, se dio cuenta de que la historia no

termina ahí. ¿Por qué? Por la existencia de arbitraje. Veamos cómo funcionaría el arbitraje en este caso. Un emprendedor de A que tenga cuatro dólares para hacer negocios, puede producir una camisa o dos pares de zapatos. Si vende en A cualquiera de esos bienes, recupera sus cuatro pesos. Pero si exporta los dos pares de zapatos a Brasil obtiene ocho pesos en vez de cuatro. Es obvio que no habría mucha gente interesada en producir camisas en A: con dos unidades de trabajo, en A se produce una camisa, pero si las usa para producir dos pares de zapatos puede conseguir dos camisas en B. Entonces, a los emprendedores de A les conviene invertir todos sus dólares en hacer zapatos en A e importar todas las camisas de B.

Al emprendedor en B, le ocurre exactamente lo contrario. Con cuatro dólares en Brasil puede producir o una camisa o un par de zapatos. Pero si trae la camisa a Buenos Aires y la vende, en Buenos Aires tendrá poder adquisitivo para comprar dos pares de zapatos. Está claro que esto ocurre porque los zapatos son *relativamente* más caros en B y las camisas *relativamente* más caras en A y que ello se debe a que la productividad de A es comparativamente más alta en zapatos (ver las dos últimas columnas de la tabla 1.2.). Brasil terminará exportando camisas aún cuando su productividad no sea más alta que la Argentina. Ricardo no se sorprendería; diría que aunque el Brasil no tiene ventajas absolutas en textiles sí tiene *ventajas comparativas*. Esto es, la diferencia de productividad con A es menor en textiles y, en consecuencia, le conviene especializarse en camisas e importar zapatos de Argentina. Lo contrario ocurre en nuestro país. Tenemos ventajas absolutas en calzado y en textiles no hay desventaja, lo que implica una ventaja comparativa en calzado. Nos conviene especializarnos en zapatos. La conclusión fundamental de Ricardo fue, entonces, que *el patrón de comercio internacional no es determinado por las ventajas absolutas sino por las comparativas.*

¿Esto quiere decir que tener una tecnología inferior que nos condena a una productividad menor no implica ninguna desventaja? Lamentablemente no. Sigue siendo cierto que es necesario ser más eficiente para vivir mejor. En efecto, a diferencia del ejemplo con libre movilidad del trabajo, ahora los salarios en A y B no se igualan. Es muy importante remarcar que los salarios serán permanentemente más bajos en B que en A. Recordemos que en el ejemplo Brasil sólo deviene competitivo en camisas cuando el salario comienza a subir en Argentina. En el caso de libre movilidad del trabajo, los salarios a ambos lados de la frontera eran iguales y B no podía venderle nada a A. Para estar en condiciones de explotar sus ventajas comparativas, B debe tener salarios más bajos para siempre. El país con menor

R. Bouzas - J. M. Fanelli

productividad sólo puede competir de esa manera. No se pueden tener los salarios de los Estados Unidos con la productividad de la Argentina.

Y entonces, ¿qué gana un país con la explotación de sus ventajas comparativas? El principio de las ventajas comparativas implica que, dado el nivel de productividad en cada país, el comercio ayuda a vivir mejor a través de la especialización en las ramas de la producción en las que somos mejores relativamente, independientemente de cuán eficientes seamos en promedio. Hay un hecho que pone en evidencia de forma nítida las ganancias del intercambio. Recordemos que antes del comercio, en A se necesitaban tres horas para un par de zapatos y una camisa, y en B ocho. En total, once horas. Una vez que se especializan en función de sus ventajas comparativas, en cambio, estos países sólo necesitan diez horas: ocho para fabricar dos camisas en Brasil y dos para fabricar dos pares de zapatos en la Argentina.

¿Y cómo me doy cuenta de que un país es "sólo" comparativamente pero no absolutamente más eficiente que otro? La respuesta es simple y ya la dimos: midiendo los salarios y, más en general, el nivel de ingresos de la población. El país que tiene ventajas absolutas (por ejemplo mejor tecnología y productividad) obtendrá los salarios y los ingresos más altos. Un corolario de esto es que no es posible saber si un país es rico o pobre en función del tipo de productos que exporta. Según el principio de ventajas comparativas, representa un error creer que porque un país importa bienes sofisticados y exporta bienes que lo son menos, es un país atrasado y hace un mal negocio. La única forma de saber cómo le va al país es mirar sus ingresos. Claro que, como veremos, existen otras cuestiones adicionales a tener en cuenta, por las cuales a un país puede convenirle exportar productos sofisticados. Pero esas cuestiones no cambiarán las conclusiones sobre las ventajas comparativas.

Hay una consecuencia adicional que merece destacarse, pues ilustra muy bien la reflexión que hicimos anteriormente respecto de que los beneficios conjuntos del comercio pueden distribuirse de manera bastante inequitativa. En efecto, supongamos que cada trabajador necesita una camisa y un par de zapatos. Si es argentino necesita trabajar dos horas para conseguirlo, pues debe producir dos pares de zapatos: uno para uso propio y el otro para cambiarlo por una camisa en B. Antes necesitaba trabajar tres horas y ahora dos. ¡Con el comercio su salario real aumentó en un 50%! El trabajador brasileño, en cambio, no gana nada. Necesita todavía trabajar ocho horas. Cuatro para producir la camisa de uso propio y otras cuatro para la que cambiará por un par de zapatos en A. En otras palabras, la hora que se gana con la especialización comercial se la llevan totalmente los trabajadores argentinos. En este punto es muy útil recordar lo que ocurría en el ejemplo en el cual también había libre movilidad del trabajo. Los brasileños terminaban trabajando en la Argentina y, bajo tales circunstancias, para producir las dos camisas y los dos pares de zapatos que necesitaban argentinos y brasileños se requerían seis horas. Está claro que de las dos alternativas ésta es la que brinda más beneficios conjuntos. Pero veamos lo que ocurre con las remuneraciones del trabajador. El brasileño que necesitaba trabajar ocho horas ahora necesita trabajar tres; ganó cinco con la especialización productiva. ¡Un aumento del salario real del 166%! ¿Y el argentino? No recibió ningún aumento. Todavía debe trabajar tres horas para conseguir una camisa y un par de zapatos. Nadie estaría sorprendido si el partido de los trabajadores argentinos estuviera a favor del libre comercio a secas y el de los brasileños quisiera adicionarle la libre movilidad de factores. Hay una tercera alternativa, pero sólo válida para países con vida política e institucional muy sofisticada. Ambos países podrían ponerse de acuerdo para hacer máximas las ganancias del comercio y, posteriormente, repartírselas con algún criterio de equidad. Por ejemplo, a condición de que los dejen trabajar en A, los brasileños podrían subsidiar con una hora de su trabajo a los trabajadores de A. Así, los argentinos recibirían un aumento de salarios del 50% y quedarían igual que en la situación sin movilidad del trabajo y sólo comercio de bienes. Los brasileños en vez de ganar cinco horas, ganarían cuatro, pero después de compensar a sus vecinos, aún reciben un aumento sustancial. El problema de esta solución es que implica una capacidad para la vida política que suele estar fuera del alcance del común de los mortales.

5.2. Dotación de factores y movilidad del capital

Hasta aquí hemos enfatizado el papel del factor trabajo. Pero el capital y los recursos naturales también se utilizan en la producción y, además, los países poseen esos factores en diferentes combinaciones. Parece natural asumir que esas diferencias tendrán un papel para explicar las causas y consecuencias del comercio internacional. Por ejemplo, resulta razonable que un país que tiene abundantes recursos naturales los venda al exterior y que otro que cuenta con una gran oferta de mano de obra sea muy competitivo en productos que utilizan el trabajo intensivamente. Los economistas Heckscher y Ohlin[6] demostraron en los años treinta que efectiva-

---

[6] Para un desarrollo sistemático de este modelo ver Krugman, P. R. y Obstfeld, M. (1991). *International Economics*. New York. Harper Collins Publishers Inc., cap. 4.

mente esto es así y, con posterioridad, se fueron agregando otros resultados, sobre todo referidos a la movilidad del factor capital.

No obstante, para entender el papel de la dotación de factores en el comercio internacional, más que la cantidad total o absoluta de cada factor que un determinado país posee, conviene concentrarse en la *dotación relativa de esos factores.* Para comprender esta cuestión, imaginemos una torta un poco rara que tenga una porción de cada gusto. Identifiquemos la dotación total de factores con el tamaño de la torta y cada gusto con un factor distinto. Bajo esas condiciones, lo que interesa para explicar la especialización en el comercio es el tamaño relativo de cada porción y no el tamaño total de la torta. Así, si dos países tienen porciones idénticas y grandes de capital en su torta pero uno tiene una porción abundante de recursos naturales y pocos trabajadores y en el segundo pasa lo contrario, diremos que el primero es relativamente abundante en recursos naturales y el segundo en mano de obra. Aún cuando ambos tienen mucho capital, su ventaja relativa está en el recurso del cual poseen relativamente más.

Como lo que importa son las proporciones y no los valores totales o absolutos, para no confundirse los economistas trabajan, precisamente, con proporciones. Para ver cómo funciona esto tomemos dos países. El primero tiene más capital y, también, más trabajo que el segundo. Sin embargo, cuando calculamos la proporción capital/trabajo, resulta que en el segundo país el cociente entre capital y trabajo es más grande que en el primero. Bajo estas condiciones diremos que el primer país es relativamente abundante en trabajo y el segundo en capital. ¿Por qué sólo importa este cociente? Es fácil entenderlo si tomamos en cuenta cómo se producen las cosas. Supongamos que en ambas economías se demandan los mismos bienes y servicios y que los factores de la producción no pueden moverse entre países. En situación de autarquía ambas economías producen de todo, localmente. En el proceso de producción se utilizan tanto capital como trabajo, pero en la primera el capital es relativamente más escaso que el trabajo y en la segunda el trabajo es relativamente más escaso. Por lo tanto, en la primera serán caros los productos intensivos en capital y en la segunda los intensivos en mano de obra. Los precios de autarquía son, así, diferentes en ambas economías. Y si estos precios son diferentes, hay una oportunidad para el comercio internacional. Si estas economías se abren al comercio, los arbitrajistas se encargarán de comprar baratos los bienes intensivos en mano de obra en la primer economía y de venderlos caros en la segunda y harán lo contrario con los intensivos en capital. Harán mucho dinero hasta que su propia actividad termine por igualar los precios a ambos lados de la frontera. Está claro que esto ocurrirá porque bajará el precio de los bienes intensivos en mano de obra en el segundo país y aumentará en el primero.

La caracterización de las dotaciones de factores en base a proporciones es muy útil para clasificar a los países. Es característico de los países desarrollados mostrar una abundancia relativa de capital, mientras que sus dotaciones relativas de recursos naturales en relación al trabajo pueden ser más o menos altas. Está claro, por ejemplo, que en Canadá la relación recursos naturales/trabajo es más alta que en Japón. Los países en desarrollo como la India o China, en cambio, tienen tanto una relación capital/trabajo como recursos naturales/trabajo reducida. Países de ingreso medio como el nuestro se distinguen por una relación capital/trabajo intermedia y una alta relación recursos naturales/trabajo.

Para estar seguros de que entendimos estas nociones, volvamos al ejemplo de las camisas y los zapatos. Supongamos que: (a) la producción de camisas usa mucho capital y pocos recursos naturales y lo contrario ocurre con la de zapatos; (b) la relación capital/recursos naturales es alta en B y lo contrario ocurre en A; (c) el tamaño de las economías, la calidad de las tecnologías que disponen y las preferencias por zapatos y camisas son similares en ambos países. ¿Qué ocurriría en una situación de autarquía (por ejemplo, sin comercio) con el precio de las camisas y los zapatos? En B el capital es relativamente abundante en relación a los recursos naturales, mientras en A ocurre lo contrario. Si la cantidad de capital demandada en cada economía es la misma, el capital resultará más caro en A porque es más escaso y lo mismo se observará para los recursos naturales en B. Por lo tanto, si comparamos el costo de los factores en A y en B, el capital tenderá a ser barato en relación a los recursos naturales en B y caro en A. Esta diferencia de costos se reflejará en el precio del producto. Como las camisas usan intensivamente capital y los zapatos intensivamente recursos naturales, es razonable pensar que si comparamos los precios de autarquía en A y en B, las camisas serán caras en relación a los zapatos en A y lo inverso se verificará en B. Podemos concluir, en consecuencia, que en autarquía siempre es más barato el bien que usa intensivamente en su producción el factor que es relativamente abundante. La tabla 1.3. resume dicha situación.

Tabla 1.3.

Costos y dotación relativa de factores

	País A	País B
Relación capital/recursos naturales	Baja	Alta
Costo relativo del capital	Alto	Bajo
Costo relativo de los recursos naturales	Bajo	Alto
Precio de autarquía de camisas	Alto	Bajo
Precio de autarquía del par de zapatos	Bajo	Alto
Intensidad del capital en camisas	Alta	
Intensidad de los recursos naturales en zapatos	Alta	

Como en A y B los precios de autarquía son diferentes, se pueden realizar ganancias mutuas en el comercio exportando lo que es barato producir e importando lo que es caro. A se especializará en zapatos, mientras B lo hará en camisas. Así, las ventajas comparativas de un país quedan explicadas por la interacción entre la intensidad en el uso de los factores en la producción y la dotación relativa de recursos. Este es, justamente, el resultado que hizo famosos a Heckcher y Ohlin: *los países se especializan en la producción del bien que usa intensivamente el factor más abundante en términos relativos.*

Al igual que en el caso de Ricardo, la apertura al comercio internacional a partir de una situación de autarquía tiene efectos netos positivos para los dos países. Es obvio por qué. Cada uno se especializa en producir lo que puede hacer más barato y deja de hacer lo que le resulta caro. Como resultado, ambos países se abastecen más barato. Es importante notar, no obstante, que a diferencia del ejemplo de Ricardo, lo que explica las ganancias mutuas en este caso no es el nivel de desarrollo tecnológico de cada país. Aquí, ambos países tienen a su disposición las mismas tecnologías y, por ende, las ganancias mutuas no podrían explicarse porque los factores de la producción son utilizados con distinta eficiencia. Las ganancias se explican porque la dotación relativa de factores es diferente. Si ambos países tuvieran la misma dotación de factores las ganancias del comercio desaparecerían pues los precios de autarquía serían iguales. En el caso de Ricardo, en cambio, aun si tuvieran igual dotación, los países podrían explotar ganancias mutuas si sus tecnologías fueran distintas. La diferencia en la eficiencia con que se usan los factores en cada economía introduciría diferencias entre los precios de autarquía, que podrían explotarse de la forma explicada precedentemente.

La especialización en función de la dotación relativa de recursos tiene también efectos distributivos. En efecto, un corolario del argumento de Heckscher y Ohlin es el siguiente: la remuneración del factor abundante en términos relativos se beneficia con el comercio. Es obvio por qué. Al abrirse el comercio, el país se especializa en producir los bienes que usan intensivamente su recurso abundante y comienza a importar el resto. Esto quiere decir que habrá exceso de demanda del producto que usa el factor abundante y exceso de oferta del que se produce con el factor relativamente escaso. El precio del primero subirá y el del segundo bajará. Es natural deducir, entonces, que la remuneración del factor abundante cuya demanda en la producción aumentó verá su remuneración aumentada. Nótese que en nuestro país, por ejemplo, ello implica que la apertura beneficia en principio a quienes poseen recursos naturales, que es el factor relativamente abundante. En el sudeste asiático, por el contrario, uno esperaría que se favorezcan los trabajadores por ser la relación trabajo/recursos naturales muy alta. Está claro que las consecuencias sobre la distribución del ingreso serán muy distintas en uno y otro caso: de hecho, la distribución del ingreso es mucho más equitativa en el sudeste de Asia. También en este ejemplo, no obstante, se aplican las consideraciones sobre cómo los ganadores pueden compensar a los perdedores que, obviamente, no repetiremos.

Nos queda, por último, analizar el rol de los mercados de capital. Si existiera libre movilidad de factores, los trabajadores migrarían hacia los lugares con salarios reales más altos y el capital sería invertido donde su rendimiento fuera mayor. Entonces, habría una fuerte tendencia a la igualación de las remuneraciones de los factores alrededor de todo el mundo. Ya hemos dicho que ello no ocurre en relación al trabajo debido a las trabas que los países ricos ponen a la inmigración. En relación al capital, la movilidad tampoco es suficiente como para igualar las remuneraciones. Sin embargo, en los últimos años, de la mano de la globalización los flujos financieros entre los países han mostrado una tendencia creciente y, en particular, el Mercosur ha sido una de las zonas privilegiadas de destino del capital que emigra de los países más desarrollados. Vale la pena, entonces, indagar brevemente sobre las causas de la movilidad de capitales.

¿Por qué se mueven los capitales entre países? El capital no es la excepción a la regla. La fuerza que lo mueve es la búsqueda de lucro y para que tal fuerza exista debe haber diferencias en los precios de autarquía, en este caso en los rendimientos del capital. ¿Y qué países tendrán un rendimiento del capital alto en autarquía, esto es, antes de que se liberen los movimientos de capital? Claramente aquellos países en los cuales el capital sea el recurso relativamente escaso, pagarán más por su uso. Los países "pobres" en capital tendrán una tasa de beneficio más alta en autarquía. Si se liberan los flujos internacionales de capital, el país que tiene la tasa de beneficio más alta recibirá un flujo neto de capitales positivo. Esto es, se convertirá en un importador de capitales, al tiempo que los países con tasas de autarquía bajas serán los exportadores. En principio, este flujo debería ir de los países desarrollados hacia los países en desarrollo. Si recordamos lo dicho sobre la dotación relativa de factores es claro por qué ello debería ser así: en los países desarrollados el capital es relativamente abundante. Por lo tanto, su rendimiento será menor. La situación inversa se verificará en los países en desarrollo. De hecho esto es lo que ocurre. Pero un problema que preocupa a los economistas es *por qué ocurre en tan baja escala,* pues dadas las diferencias de dotación relativa, los flujos deberían ser mucho más abundantes[7]. Desde este punto de vista, aún tenemos muy poca y no mucha globalización.

Es posible entender mejor esto último si nos preguntamos cuáles son las vías a través de las cuales el capital es "transportado" desde los países desarrollados hacia los países en desarrollo. Hay básicamente dos: la inversión extranjera directa y los mercados de capital internacionales. La diferencia es que, en el primer caso, la firma extranjera conserva el control y la propiedad mientras que en el segundo el inversor extranjero sólo tiene la propiedad. Cuando se realiza una inversión directa la firma emprendedora actúa al mismo tiempo como financista del proyecto. Cuando el capital ingresa vía préstamos o inversiones de cartera, el inversionista extranjero pierde el control de sus recursos pues quien decide cómo utilizarlos en la producción es un emprendedor local o el gobierno de la nación deudora. Es fácil imaginar que los riesgos de esta segunda opción son muy superiores a los primeros. Si un país no es confiable recibirá en general poco capital del exterior pero es típico que ello afecte más a los mercados financieros. Por ejemplo, es normal observar que países poco confiables desde el punto de vista jurídico o económico aun cuando reciben alguna inversión extranjera directa, no pueden participar en los mercados de capital (bonos, créditos o acciones). La inseguridad jurídica y la necesidad de separar propiedad y control son trabas muy importantes para la circulación del capital entre países ricos y pobres.

---

[7] Adicionalmente, una población de envejecimiento creciente en el mundo desarrollado necesita de proyectos de alta rentabilidad que le permita cobrar un seguro de retiro razonable en el futuro.

Las trabas a la circulación del capital tienen un costo económico para ambas partes, países ricos y pobres, pues las ventajas del comercio son siempre mutuas. En los países en desarrollo quedarán proyectos de muy alta rentabilidad sin realizar por falta de capital. Asimismo, los mercados de capital estarán subdesarrollados y ello tenderá a perpetuar la dualidad económica pues como ya dijéramos, los flujos financieros entre sectores y regiones actúan como un lubricante para la difusión de las mejoras en la productividad. En los países desarrollados, los futuros pensionados deberán conformarse con invertir su capital en proyectos de baja rentabilidad y, por ende, su remuneración al retirarse será menor. Está claro que uno de los desafíos que enfrenta la globalización en general y el Mercosur en particular es cómo explotar mejor las ganancias mutuas que aún quedan por realizar en una situación cómo ésta.

5.3. Escala de producción y aprendizaje

En el ejemplo de las ventajas comparativas suponíamos implícitamente que, independientemente del nivel de producción, cada unidad adicional producida requería los mismos insumos de mano de obra. Esto implica que la *escala de producción* no afecta a la productividad y, por ende, los costos promedio de cada unidad producida son constantes. Sin embargo, esto no necesariamente es así en todas las ramas de la producción. Hay muchas en las cuales al aumentar la escala de la producción, la cantidad promedio utilizada de trabajo y de otros insumos por unidad decrece. Bajo esas condiciones, los costos son decrecientes y los rendimientos crecientes. Una causa muy habitual de este fenómeno es la existencia de costos fijos. Por ejemplo, puede ocurrir que para producir automóviles haya un tamaño de planta mínimo y un plantel mínimo de operarios, empleados administrativos, etc. Si la producción es la mínima, los costos fijos de la planta y el plantel pesarán significativamente sobre el costo de cada unidad. Pero a medida que la producción crezca el peso de los costos fijos irá disminuyendo pues se distribuirá entre más unidades. En esas condiciones, los costos medios de producción irán cayendo a medida que aumenta la producción. Una segunda razón muy importante por la cual los costos medios pueden caer con la escala tiene que ver más con la industria en su conjunto que con cada firma en particular. Es típico que las plantas de una misma industria muestren una cierta tendencia a concentrarse en un lugar determinado. Ello suele cambiar la geografía del lugar. En el caso de los automóviles los autopartistas, trabajadores y otros proveedores especializados tenderán a *aglomerarse* alrededor de la planta de automóviles. Este efecto de aglomeración que se produce al aumentar la escala de producción de la industria en su conjunto hace bajar los costos medios de cada empresa, pues reduce los costos de transporte, búsqueda, transacción, etcétera.

Ahora bien, para que tenga sentido aumentar la escala de producción es necesario que también aumente el tamaño del mercado. El aumento de la oferta necesita de una expansión acorde con la demanda. Y es justamente en este punto en que, nuevamente, el comercio internacional viene en ayuda de la productividad. Volvamos una vez más al ejemplo de las camisas y los zapatos. En autarquía, como vimos, Argentina y Brasil en conjunto necesitaban once horas para satisfacer la demanda total de sus mercados, que consistía en dos pares de zapatos y dos camisas. Al especializarse en función de sus ventajas comparativas, lograban ahorrar una hora y sólo necesitaban diez. Está claro que estábamos suponiendo que no existían economías de escala. Argentina, por ejemplo, aún cuando se especializaba en zapatos, para producir dos pares necesitaba exactamente el doble de horas de trabajo que para producir uno. Esto no sería así si hubiera economías de escala. En ese caso, el costo medio de producción por par para manufacturar dos pares debería ser menor al de un par. Supongamos que, como fruto de la escala, los requerimientos de trabajo caen en un veinticinco por ciento tanto en A como en B al duplicarse la producción. Esto implica un fuerte aumento de productividad y, en consecuencia, los dos países en conjunto necesitan menos horas de trabajo para producir lo mismo: en vez de un total de 10, requieren un total de 7.5 horas de trabajo para producir dos camisas y dos pares de zapatos.

De nuevo, la interacción entre ampliación del mercado y especialización viene en ayuda de la productividad, ahora por la vía de la escala. Es importante tomar nota, por otra parte, de que el efecto escala es independiente del efecto de diferencias de tecnología y de diferencias de recursos naturales. Una forma sencilla de verlo es la siguiente. Si dos países son idénticos en lo que hace a tecnología y dotación de recursos, deberían tener los mismos precios de autarquía; por lo tanto, aparentemente no tendrían nada que ganar con el comercio. Pero ¿qué ocurre si, por ejemplo, existen seis ramas de la producción en la que se sabe que hay economías de escala? Digamos, por ejemplo, que un ingeniero calcula que si se duplica la producción en esas ramas, los costos medios bajarían un tercio; en esas circunstancias, entonces, los dos países podrían obtener ventajas mutuas del comercio: se podrían poner de acuerdo en especializarse en tres ramas cada uno, por ejemplo. Si lo hacen, cada una de las tres ramas que quedan en cada país produciría el doble y sus costos bajarían un tercio; la producción total de las seis ramas de los dos países sumadas sería la misma, pero el costo sería un 33% menor. Este ejemplo es útil para poner de relieve otra consecuencia muy beneficiosa de la explotación de las economías de escala: la posibilidad de contar con una diversidad mayor de productos. Cuando los países producen todos los productos la reducida escala no les permite desarrollar una gran variedad de los mismos. Al especializarse, en cambio, una producción más alta da lugar a una mayor diferenciación de los productos. Esto no sólo beneficia las posibilidades de elección del consumidor, sino que también aumenta la eficiencia al permitir el desarrollo de insumos especializados para la producción.

La productividad aumentaría y, de la mano de ella, se incrementarían los salarios reales y los ingresos de la población al reducirse los costos. La diversidad de productos sería mayor y ello mejoraría la situación de los consumidores al aumentar sus posibilidades de elección. Hay un punto que no debe pasarse por alto, no obstante. A diferencia del caso en que los precios de autarquía son distintos, en este ejemplo no hay incentivo para *comenzar* a comerciar al ser los precios preintercambio iguales. Los arbitrajistas no tienen cómo ganar dinero. Para que la especialización tenga lugar, debería haber una decisión conjunta de política económica de los dos países que tendrían que ver una ventaja a explotar con la especialización. Por esta razón, es mucho más difícil en este caso decir que es el mercado el que determina el patrón de especialización. Los economistas creen que es más bien la historia la que define qué país produce qué cosa cuando ello depende de la escala. El que llega primero gana porque el que le sigue típicamente se ve obligado a empezar con una escala de producción menor y, por ende, más cara. Las ventajas competitivas iniciales, de tal manera, tienden a perpetuarse.

Hay una última razón bastante relacionada con la anterior por la cual se pueden realizar ganancias en el comercio a través de la especialización. Supongamos que el país A se especializa en automóviles. A medida que pasa el tiempo, es fácil imaginar dos cosas que pueden ocurrir. Por una parte, sus diseñadores, ingenieros y operarios aprenderán de sus errores e irán perfeccionando sus diseños y métodos de producción. Por otra parte, también habrá aprendizaje debido a la aglomeración. Unos aprenderán de otros por el aumento de las interacciones, quizás habrá empresas de investigación de nuevos materiales para la industria, la facultad de ingeniería cercana desarrollará una especialización ligada a ese tipo de producción, etc. El ejemplo clásico de esta clase de sinergia es el de Sillicon Valley para la industria de las computadoras. En síntesis, los costos medios de producción irán cayendo por efecto del *aprendizaje y la acumulación de conocimientos.*[8]

Estamos ahora en condiciones de analizar cómo la acumulación de experiencia en una industria puede generar ventajas de especialización en el comercio internacional. Si cada país se especializa en determinadas industrias, al aumentar la producción a través del tiempo se aprende cómo hacerlo mejor y ello hace caer los costos medios. Cada país gana productividad en la industria en la que se especializó. Si como consecuencia de ello los costos bajan, digamos, un cuarenta por ciento tanto en el país A como en el B, la especialización les permitiría llenar sus necesidades conjuntas con sólo seis horas. Como en el caso de las economías de escala estáticas, tampoco aquí queda claro qué determina el patrón de especialización. Aunque, en principio, si un país comenzó históricamente antes con una industria se supone que tendrá más conocimientos acumulados y por ende costos más bajos.

Hay una diferencia que no debería escapar a nuestra atención entre los dos casos de especialización por la vía de la escala que analizamos. Luego de especializarse en función de las escalas estáticas con una tecnología dada, los países no aprenden nada. En cambio, cuando lo hacen en ramas con efectos dinámicos de escala, siguen aprendiendo a medida que pasa el tiempo. Su tecnología tenderá a diferenciarse y a ser cada vez más sofisticada y eficiente en relación al resto de los países y tenderá a ser más y más competitivo en las ramas que produce, en tanto y en cuanto sus costos medios seguirán cayendo. Desde el punto de vista del crecimiento económico este hecho es clave ya que lleva a una diferenciación tecnológica creciente. En todas las ramas de producción se aprende. Pero en algunas se aprende más rápido o hay más para aprender que en otras, por lo siguiente: el potencial de crecimiento de un país no es independiente del tipo de especialización que experimenta, cuando se toma en cuenta el proceso de aprendizaje y acumulación de conocimientos. Quizás en parte esto explica por qué los países desean conseguir una ventaja competitiva en ramas como la informática, ramas intensivas en uso de la ciencia, etc. Es razonable esperar que allí haya mucho por aprender y, por ende, mucha competitividad e ingreso *per capita* por ganar.

---

[8] Nótese, de paso, la diferencia entre las economías de escala que se producen por el aumento de la producción en un punto del tiempo y las economías de escala debidas al aprendizaje *a través del tiempo*. A las primeras se las llama *estáticas* y no suponen cambio técnico; a las segundas se las llama dinámicas e implican un avance en la tecnología.

Con esta discusión hemos completado nuestra incursión en las cuestiones de comercio internacional. Para resumir nuestras conclusiones hemos confeccionado la tabla 1.4. que recoge los resultados de los diferentes ejemplos referidos a las causas que están detrás de los patrones de especialización.

Tabla 1.4.
Resumen sobre patrones de especialización

	País A Horas por unidad		País B Horas por unidad		Total en horas para dos unidades		
	Camisa	Zapatos	Camisa	Zapatos	Camisas	Zapatos	Total
Autarquía	2	1	4	4	6	5	11
Movilidad del trabajo	2	1	-	-	4	2	6
Ventaja comparativa	-	1	4	-	8	2	10
Economías de escala	-	0.75	3	-	6	1.50	7.50
Con aprendizaje	-	0.60	2.40	-	4.80	1.20	6.00

Una última reflexión. Nótese que las ganancias que cada país puede realizar por la vía del comercio internacional en función de cada motivo, no son excluyentes entre sí. Nada impide que un país se especialice en la exportación de recursos naturales en función de su dotación relativa y, al mismo tiempo, trate de ganar competitividad en ramas con alto potencial para el aprendizaje. Es más, si tomamos en cuenta que, típicamente, ganar competitividad en las ramas más sofisticadas requiere de una base de capital humano previa, un país con abundantes recursos naturales está en mejor posición para ganar competitividad en dichas ramas: su riqueza en recursos le permitirá financiar un mejor sistema educativo y de salud, acelerando así la acumulación de capital humano. Desde esta perspectiva podría decirse que mientras la especialización en función de la dotación de recursos es "natural", ganar ventajas competitivas en las ramas intensivas en conocimiento no lo es, pues requiere de inteligencia en el uso de los recursos. Quizás esto es lo que explica el prestigio que tiene popularmente la exportación de bienes sofisticados: en cierto sentido es un indicador de la habilidad de la sociedad en su conjunto para organizarse y utilizar su riqueza con inteligencia.

6. Macroeconomía y comercio internacional (o por qué la competitividad importa)

Hasta ahora no hemos hablado de macroeconomía. Sin embargo es habitual escuchar frases del tipo:"contar con una política macroeconómica de calidad es una ventaja competitiva"o, también,"el país X y el país Z tienen regímenes monetarios y cambiarios tan distintos que sus intentos de integración regional están destinados al fracaso". En esta última sección haremos una breve incursión en la macroeconomía a los efectos de estar en mejores condiciones de comprender cómo las variables macroeconómicas se relacionan con los determinantes del comercio. Este es un tema muy amplio. Por lo tanto, seguiremos con nuestra estrategia de enfatizar los puntos que necesitaremos al discutir las cuestiones relevantes para el Mercosur.

El vehículo fundamental a través del cual el mercado hace su tarea son las variaciones de precios. Las ganancias del comercio internacional se materializan cuando los precios de autarquía cambian a causa de la integración en el mundo. Los productores dejarán de hacer aquello que hacen peor pues al abrirse al comercio bajarán los precios y no podrán seguir compitiendo y se dedicarán a hacer lo que hacen mejor, pues podrán exportarlo con beneficio a los países que tengan precios superiores. De hecho, cuanto mayores sean las diferencias de precios de autarquía y, por ende, mayores los cambios en los precios de productos y factores al abrirse la economía, más fuertes deberían ser las ganancias del comercio. Ahora bien: ¿cómo sabemos que los precios variarán efectivamente en el sentido correcto? En los razonamientos anteriores hemos asumido que las variaciones se producían en cada caso sin ningún problema. Sin embargo, esto no debe darse por descontado. El comercio internacional no es el único factor que tiene influencia sobre los precios. Es justamente en este punto que entra la macroeconomía.

Entre los factores que tienen influencia en el proceso de formación de precios y pueden inducir desajustes son clave, primero, los institucionales (sindicatos, entes regulatorios); segundo, las imperfecciones en el funcionamiento de los mercados (problemas de información o incertidumbre); y tercero, los desajustes financieros, los cuales pueden ser agravados por los movimientos de capital que se producen en una economía abierta. Si por efecto de estos factores los precios no se ajustan debidamente, pueden producirse desequilibrios macroeconómicos tanto internos como externos. En el plano interno los desequilibrios más importantes afectan al mercado de trabajo y a los precios (por ejemplo, generan desempleo y deflación). En el plano externo, producen dificultades de pagos vía el deterioro de la *competitividad*. Estas inconsistencias son sobre todo importantes en el corto plazo. En el largo plazo los ajustes de precios están en general más influidos por los factores"fundamentales". En el caso de la competitividad, por ejemplo, los precios deberían reflejar las ventajas comparativas. No obstante, nada hay que garantice que efectivamente ello ocurrirá incluso en el largo plazo. Claro que si efectivamente no ocurre, la economía no será viable y, ante tales circunstancias, la sociedad se vería obligada a introducir mudanzas de régimen (cambios en el esquema monetario o cambiario) o reformas estructurales (privatización, rediseño de instituciones, cambio en las leyes laborales). La macroeconomía estudia las inconsistencias de corto plazo y cómo acelerar la transición hacia el equilibrio de largo plazo. Es por eso que se interesa en fenómenos como la deflación, el desempleo o la marcha de la competitividad. En función de nuestros objetivos, nos centraremos en un tema puntual: la competitividad (nexo clave, a corto plazo, entre el comercio internacional y la macroeconomía). El desempleo o la deflación están fuera del alcance de este estudio.

Para entender el papel de la competitividad en macroeconomía volvamos al ejemplo de las camisas y los zapatos. Con los salarios de un dólar que figuran en la tabla 1.1, Brasil no puede competir en ninguno de los dos productos. Ya explicamos cómo, ante tal situación, las fuerzas del mercado llevaban a un aumento de los salarios en la Argentina en relación a los del Brasil. Esto nos permitió anotar, en la tabla 1.2., un salario de dos dólares en Argentina y de un dólar en Brasil. Con ese nuevo salario en la Argentina, ambos países son competitivos en un producto. Debería estar claro, de cualquier forma, que lo que importa son los salarios relativos. El efecto es el mismo si los salarios bajan a la mitad en Brasil en vez de subir en Argentina o si se produce una mezcla de ambas cosas. Lo que se requiere es que la relación de los salarios Argentina/Brasil sea al menos de dos a uno. Pero ahora hacemos la pregunta que, como dijimos, da lugar a la macroeconomía. ¿Cómo sabemos que los salarios se moverán en el sentido correcto? ¿Qué pasa si, por ejemplo, los sindicatos resisten una caída de los salarios en Brasil y en la Argentina no suben pues el gobierno implementa una política monetaria muy dura por miedo a la inflación? Si ello ocurriera, Brasil quedaría empantanado en la situación de la tabla 1.1. y sería un país no competitivo. Su balanza en cuenta corriente mostraría desequilibrios crecientes pues importaría mucho y exportaría poco. La situación podría mantenerse un tiempo en la medida en que Brasil consiguiera financiamiento externo. En relación con esto, los flujos de capital podrían jugar un papel bastante negativo pues retardarían un necesario ajuste. De cualquier forma, a la larga los capitales dejarían de fluir pues ningún acreedor sensato le presta a un país no competitivo incapaz de generar las divisas requeridas para los pagos de los servicios de la deuda.

Es importante tener presente cuál es el problema básico que da lugar al desajuste en la competitividad: la falta de consistencia entre el nivel de salarios y precios locales, por una parte, y el nivel de la productividad de la economía, por otra. Como ya lo hiciéramos notar anteriormente, no es posible tener los salarios de Estados Unidos con la productividad de un país en vías de desarrollo.[9] ¿De qué forma suelen solucionar los países esta situación? ¿Cómo adaptar salarios y precios al nivel de productividad existente? Si tomamos en cuenta el papel del tipo de cambio hay una relación que es bastante expeditiva y sencilla. Veamos. Para simplificar, en las tablas 1.1. y 1.2. anotamos el valor del salario en dólares, aunque en cada economía nacional los salarios no se fijan en dólares, pues en Brasil se usa el real y en Argentina el peso. Esto le brinda un grado de libertad adicional a las autoridades para hacer política macroeconómica. La tabla 1.5. reproduce la misma situación en términos de productividad, pero ahora anota los salarios en pesos y reales.

Tabla 1.5.
Tipo de cambio y competitividad

	Argentina (A)			Brasil (B)			1 peso = 1 dólar = 1 real		1 peso = 1 dólar = 2 reales	
	Trabajo (horas)	Salario (pesos)	Precio (pesos)	Trabajo (horas)	Salario (reales)	Precio (reales)	Precio (dólares) A	B	Precio (dólares) A	B
Camisa	2	1	2	4	1	4	2	4	2	2
Zapatos	1	1	1	4	1	4	1	4	1	2

En B el salario es de un real y en A de un peso por hora de trabajo. Las dos últimas columnas de la tabla 1.5. muestran los precios internacionales en dólares de A y B para dos valores del real distintos. En un caso un dólar vale un real y en el otro dos reales. La relación de uno a uno entre el dólar y el peso, en cambio, se mantiene. Esto implica, obviamente, que cuando el precio del dólar pasa de uno a dos reales, Brasil devalúa su moneda tanto en relación al dólar como al peso. Si se comparan los precios inter-

[9] En sentido estricto, la relación entre los precios y la productividad plantea la cuestión de la *competitividad-precio*. También puede haber dificultades de *competitividad-no precio*. Esta se asocia con la falta de calidad de los productos, falta de capacidad de realizar las entregas en tiempo y forma, etcétera.

nacionales bajo ambas circunstancias, queda en claro este hecho: la devaluación es un medio idóneo para conseguir recomponer la competitividad brasileña. Sus camisas cuestan ahora dos dólares sin necesidad de ajuste de salarios nominales. Esta devaluación del ciento por ciento consiguió el mismo resultado que una caída de los salarios a la mitad en B o un aumento al doble en A. Dicho de otra forma, la devaluación es un instrumento para recomponer la competitividad.

Tabla 1.6.
Devaluación y precios internacionales

Tipo de Cambio	1 peso = 1 dólar= 1 real		1 peso = 1 dólar= 2 reales		1 peso = 1 dólar = 4 reales		1 peso = 1 dólar= 8 reales	
	Precio (dólares)		Precio (dólares)		Precio (dólares)		Precio (dólares)	
País	A	B	A	B	A	B	A	B
Camisa	2	4	2	2	2	1	2	0.5
Par de zapatos	1	4	1	2	1	1	1	0.5

Para asegurar nuestra comprensión del punto, la tabla 1.6. muestra lo que ocurre con los precios internacionales de lo que venden A y B ante distintos valores de la relación reales/dólar. Nótese, por ejemplo, que con el dólar a un real B no es competitivo en nada, mientras que con el dólar a ocho reales, es A la que no puede competir en nada. En el primer caso B tiene un desequilibrio creciente en su cuenta corriente, mientras que en el segundo es A la que sufre tal situación. Es importante tener en cuenta que, en todos los casos, los salarios se mantienen constantes en la moneda local en ambos países. Esto es lo que permite que, cuando Brasil devalúa, el valor en dólares de sus salarios caiga. Si esto no ocurre, la devaluación dejaría de ser un instrumento idóneo para ganar competitividad. Si el valor del dólar pasa de uno a dos reales y el salario sigue siendo de un real, el valor de este último en dólares pasa de un dólar a cincuenta centavos de dólar. Si, en cambio, el salario subiera a dos reales, está claro que el salario seguiría siendo de un dólar y B no ganaría competitividad con la devaluación.

¿El ejemplo anterior implica que mediante la devaluación el gobierno puede ser tan competitivo como se lo proponga por el simple medio de devaluar su moneda? Bueno, la macroeconomía existe, justamente, porque la respuesta a esa pregunta es un no rotundo en el largo plazo y es ambigua en el corto. La razón por la cual en el largo plazo no puede ganarse competitividad es simple y la descubrió David Hume, aún antes de que Smith escribiera su libro. Supongamos que Brasil pone su tipo de cambio en ocho reales por dólar. En esas circunstancias sería competitivo tanto en camisas como en zapatos. Una situación tal es claramente pésima pues ahora Brasil, a pesar de su baja productividad, abastece la demanda de ambos países y gasta 16 horas para hacerlo. Pero, independientemente de ello, ¿podría mantenerse esa situación? Como Argentina no vende nada y Brasil todo, estarían permanentemente entrando divisas a B y saliendo de A. En B habría presiones inflacionarias al aumentar la moneda en circulación mientras en A estaría pasando lo contrario. En B los salarios tenderían a subir y, en A, a bajar. Las fuerzas del mercado tenderían en el largo plazo a "deshacer" la devaluación brasileña al mover los salarios y precios hacia arriba en B y hacia abajo en A. Pero claro, esto es lo que pasaría a largo plazo. En el corto plazo B estaría pasando por un "boom", y A tendría recesión. Obviamente, una forma de acelerar el proceso sería que A también devalúe. Pero esto podría tener consecuencias no muy agradables tales como aumentar la incertidumbre existente en la economía, crearle un problema financiero a quienes están endeudados en dólares, arriesgarse a que B devalúe nuevamente, etcétera.

En suma, en el plano de las políticas relacionadas con la competitividad, la cuestión central que los macroeconomistas tratan de responder es cómo diseñar instrumentos para lograr tres cosas:

1. prevenir y reducir al máximo la probabilidad de que ocurra el tipo de desequilibrio de las cuentas externas que estamos comentando;
2. si el desequilibrio ocurre, lograr que el largo plazo "llegue" lo antes posible;
3. evitar que las consecuencias de los ajustes de corto plazo dañen el sendero de crecimiento de largo plazo.

Nótese que este último punto es clave. Por ejemplo, una devaluación podría corregir los precios relativos pero al costo de generar fuertes pérdidas de capital a las empresas endeudadas en dólares con el exterior. En el corto plazo, la competitividad es un desajuste entre salarios y productividad; pero el problema de largo plazo es cómo hacer crecer la productividad para que los salarios (y, por lo tanto, el nivel de vida) puedan mejorar sin generar problemas de balanza de pagos. Si una crisis financiera daña la inversión, como esta última es el motor de la productividad, el ajuste de corto plazo se haría en contra del aumento del bienestar en el largo plazo. Esta no es una cuestión fácil y tendremos tiempo de volver al punto de la relación entre equilibrio de corto plazo y crecimiento. Por ahora es suficiente macroeconomía para nuestros objetivos.

Capítulo 2

La integración regional y sus razones

1. Introducción

Este capítulo comienza con dos buenas noticias. La primera es que, si sobrevivió a los arduos razonamientos anteriores sobre economía internacional, su trabajo en éste será un juego de niños. Ahora sólo se trata de aplicar lo ya aprendido a la cuestión concreta de los efectos de un acuerdo regional. La segunda es que, justamente debido a esto último, el capítulo es más corto.

El *regionalismo* es toda política diseñada para reducir las barreras comerciales existentes entre un número determinado de países. En este sentido, representa una estrategia específica para alejarse de la autarquía e incentivar el comercio internacional. Como ya vimos, no es la única que podría ser funcional para lograr dicho objetivo y hay al menos dos estrategias alternativas: el *unilateralismo* y el *multilateralismo*. Sería muy difícil, sin embargo, evaluar los pros y los contras del regionalismo y su relación con otras estrategias sin analizar previamente dos cuestiones. La primera es ¿cuáles son y en qué consisten las barreras comerciales que se quieren eliminar? y, la segunda, ¿por qué existen esas barreras al comercio entre los países si, como hemos visto, el comercio internacional libre tiene enormes ventajas para mejorar la productividad y el bienestar? La sección siguiente aborda estas dos preguntas y, una vez aclaradas, la sección tercera define y clasifica los diferentes tipos de acuerdo regional que pueden establecerse. Las dos últimas estudian las consecuencias económicas de los acuerdos regionales en términos estáticos (sección o punto 4) y de crecimiento (sección o punto 5). En este capítulo se hace una aplicación intensiva de los conceptos aprendidos en la precedente.

2. Las barreras al comercio y sus causas

Cuando existen barreras al comercio, el universo de bienes y servicios de la economía queda dividido en dos sectores: el *transable* y el no *transable*. Los bienes y servicios comprendidos en el primer sector son los susceptibles de comercio con el resto del mundo. Están expuestos, en consecuencia, a la presión de la competencia internacional. Los bienes y servicios pertenecientes al sector no transable son los que no pueden intercambiarse con otros países; en consecuencia, las barreras al comercio los protegen de la competencia externa. Es razonable esperar, por lo tanto, que haya arbitraje entre los precios internos e internacionales de los bienes transables y que no lo haya para los no transables. Lógicamente, cuando no hay arbitraje el mismo bien puede venderse a dos precios distintos en dos países diferentes. Si los precios de autarquía de los productos no transables no son iguales, tampoco se igualarán al abrirse la economía al comercio internacional.

Las barreras al comercio pueden ser o no naturales. Entre los factores que generan barreras naturales se encuentran los costos de transporte y las características físicas del bien o servicio. Los ejemplos típicos de bienes y servicios que no se transan debido a causas naturales, son el cemento y el servicio de peluquerías. Los obstáculos naturales no son independientes de la distancia que separa a dos economías. Un bien puede ser transable entre economías vecinas y no transable con otras más lejanas. Este es un hecho que puede ser relevante para un acuerdo regional pues pueden existir bienes que son transables para esa región pero que resultan no transables en relación al resto del mundo. La importancia de los obstáculos naturales también puede variar en el tiempo. Los cambios tecnológicos en el transporte, por ejemplo, pueden convertir en transables a bienes que no lo eran.

Las barreras no naturales son las que encuentran su origen en factores tales como las leyes, normas y convenciones impuestas por la sociedad. Entre estas barreras al comercio se destacan, por una parte, los instrumentos específicos de política comercial como los aranceles y, por otra, las normas más generales que pueden impedir el comercio tales como las regulaciones fitosanitarias o restricciones legales para el ejercicio profesional, excesos de trámites aduaneros, etc. Un factor que suele ser de relevancia en relación con esto es el cultural. Las diferencias idiomáticas y en los usos y costumbres, frecuentemente devienen un escollo importante a la hora de apurar la marcha de la integración.

Típicamente, los acuerdos de liberalización han comenzado ocupándose de las trabas impuestas por los instrumentos específicos de política comercial. Recientemente, sin embargo, la atención de los negociadores ha comenzado a volcarse hacia las otras barreras, que son más sutiles y difíciles de definir. En la actualidad, a los procesos que se proponen eliminar este segundo tipo de barrera se los llama de "integración profunda". De hecho, ésta es la idea que animó el Programa del Mercado Unico de 1986 en la Unión Europea[1]. De cualquier forma, es poco todavía lo que se ha adelantado en este aspecto y los instrumentos de política comercial siguen jugando un papel central en las negociaciones sobre acceso a mercados. Entre los instrumentos de política comercial más utilizados sobresalen los *aranceles*, aunque también son de relevancia las trabas no arancelarias como los *cupos y cuotas*, las *restricciones voluntarias a la exportación*, las *medidas de salvaguarda* y los *derechos compensatorios* y *antidumping*.

El objetivo más importante que se persigue al imponer una barrera al comercio es proteger a un determinado sector de la competencia externa. Al impedir el arbitraje de precios, la barrera hace posible que los productores domésticos vendan a precios diferentes de los internacionales y, en consecuencia, el mecanismo de igualación de la productividad que vimos en el capítulo anterior deja de operar. Si los productores locales tienen una productividad menor que sus competidores externos, podrán cobrar precios más altos que éstos sin desaparecer del mercado, pues los aranceles los protegen de la competencia. De ahí el mote de *proteccionistas* que suele adosarse a las políticas que propugnan este tipo de medidas. Cuando se impone un arancel, la barrera consiste en que los productos importados deben pagar un impuesto adicional. El arancel puede ser *ad valorem* (un porcentaje sobre el precio del producto) o *específico* (una suma fija por unidad física de producto), y puede *diferenciarse* según tipo de productos o ser *uniforme* para todos los bienes importados por igual.

La forma en que el arancel logra el objetivo de protección es bastante sencilla de entender en base a nuestro ejemplo de las camisas y los zapatos de la tabla 1.5. Con la productividad, los salarios y los precios de esa tabla, si el tipo de cambio es de un real por dólar, B no es competitivo en nada. Tanto las camisas como los zapatos cuestan cuatro dólares en Brasil al tiempo que la Argentina exporta camisas a dos dólares y zapatos a uno. Para ser competitivo B debería llevar el dólar al menos a dos reales. Sin

---

[1] Este programa incluía, básicamente, la eliminación de los controles intrafronterizos, el principio de "reconocimiento mutuo" de las normas para productos, la desregulación del transporte, la política de compras del sector público y la desregulación de los servicios financieros y profesionales. Véase el capítulo 3.

embargo, si por alguna razón quisiera evitar una devaluación, B tendría una opción: podría imponer un arancel (o sea, un impuesto a las importaciones) de tres dólares para los productos importados. De esta forma, dentro del mercado de B, luego de pagado el impuesto, las camisas importadas desde A valdrían cinco reales y los zapatos cuatro. Bajo esas condiciones, B sería competitivo en los dos productos. Sin el arancel, los productores de los dos bienes deberían desaparecer del mercado; al colocar el impuesto, en cambio, ambos quedan protegidos. Por supuesto que esto no es gratis. La protección tiene un costo en términos de bienestar. Los consumidores brasileños deben utilizar ocho horas para conseguir una camisa y un par de zapatos cuando podrían conseguirlos en la Argentina trabajando sólo tres horas.

Resulta evidente, por otra parte, que mientras el real esté uno a uno con el dólar, el arancel sólo protege y hace "competitivos" a los productores brasileños dentro de su propio país. Esto se ve claramente en el hecho de que lo que ellos fabrican no podría exportarse. Sus productos fuera de Brasil siguen costando cuatro dólares y resultan excesivamente caros. Es probable que la dificultad para exportar haga que B tenga una cierta tendencia a generar déficit en la cuenta comercial. Uno podría pensar que esto último no sería así y que no habría problemas de excesos de déficit de comercio porque si bien hay dificultades para exportar, también se importa menos pues el arancel encarece los productos extranjeros. Esto es cierto. Pero si pensamos en la economía en su conjunto, el arancel crea una nueva complicación. En la producción local entran insumos importados que no pueden sustituirse por oferta nacional. El arancel encarecerá esos insumos y le quitará de esa forma competitividad a los exportadores que los usan. Esto introduce un sesgo antiexportación en la economía protegida.

Justamente, para evitar que la protección deprima las exportaciones, con frecuencia se implementan medidas para aumentar los beneficios de los exportadores por la vía de aminorar la carga de los impuestos en sus costos. Esta es la razón que subyace a esquemas como el *draw back* y la *importación temporaria*. En función de ellos, se les reembolsa a los exportadores los impuestos que pagaron por sus insumos importados o bien se les permite ingresar los insumos importados sin arancel al sólo efecto de utilizarlos para elaborar los bienes a exportar. Otro instrumento muy utilizado para incrementar la rentabilidad de los exportadores en una economía protegida es el *subsidio a las exportaciones*. Así, en nuestro ejemplo, podría establecerse un subsidio de dos reales a los productores que exporten. Bajo estas condiciones, los fabricantes de camisas podrían vender las mismas a dos dólares en el mercado internacional y, aun así, tener los ingresos de cuatro reales que necesitan para recuperar sus costos. Nótese que sólo los productores de camisas usarían este beneficio. Los de zapatos necesitarían un subsidio de tres reales para ser competitivos en exportaciones. Este ejemplo pone de manifiesto una regla general: *es posible replicar los efectos de una devaluación combinando un arancel con un subsidio a las exportaciones.*

Para terminar con nuestra discusión sobre los instrumentos de protección de la producción nacional nos resta pasar brevemente revista a los otros instrumentos antes mencionados: los cupos y cuotas, las restricciones voluntarias a las exportaciones, las salvaguardas y el *antidumping*. Todos estos instrumentos son, en general, de peor calidad que el arancel para cumplir con el propósito de la protección. Cuando el gobierno recurre a un sistema de cupos, fija un monto máximo de importaciones. A veces reparte ese cupo en cuotas asignadas entre los diferentes vendedores del exterior, como es el caso, por ejemplo, de la cuota Hilton para las carnes. Este sistema es peor que el arancel pues los productores locales gozan de una protección excesiva (cualesquiera sean los precios que carguen internamente, las importaciones no podrán superar el monto establecido en el cupo) y la diferencia entre el precio interno y el internacional se la apropian los exportadores/importadores (y no el gobierno como en el caso del arancel). Las medidas de salvaguarda consisten en la aplicación de instrumentos de protección temporarios a los efectos de salvaguardar un sector que se encuentra amenazado por un cambio imprevisto en las circunstancias. Las restricciones voluntarias a la exportación consisten en que el país con problemas de competitividad le solicita al exportador que restrinja voluntariamente sus exportaciones. Esto tiene un costo mayor que el arancel para el país, pues sus importaciones se encarecen y, contrariamente al caso del arancel, la diferencia queda para el exportador extranjero y no para el gobierno. Finalmente, los instrumentos de protección frente al "comercio desleal" (como los derechos compensatorios y *antidumping*) también pueden usarse con fines proteccionistas. Los primeros se utilizan para compensar el efecto de subsidios otorgados por el exportador, en tanto que los segundos se emplean para compensar prácticas de discriminación de precios (vender a un precio más bajo en el mercado externo que en el mercado local). Una desventaja adicional de todos estos instrumentos es que se prestan a la corrupción debido al nivel de discrecionalidad con que pueden ser manejados.

Ahora bien, ¿por qué aun cuando el uso de los instrumentos de protección tiene un costo las autoridades recurren a ellos? Como ya adelantáramos en la introducción hay varias razones y, luego de nuestra incursión por la teoría del comercio, estamos ahora en mejores condiciones para comprenderlas.

Una primera razón muy relevante es que *el comercio internacional genera fuertes efectos distributivos dentro de la economía doméstica*. Como ya lo explicáramos, es frecuente que el comercio internacional produzca beneficios netos positivos para la economía del país tomada en su conjunto pero que la distribución de esos beneficios entre los distintos sectores y estratos de la población no sea equitativa. Uno podría pensar con razón que, si la apertura genera efectos netos positivos, en principio los ganadores podrían compensar a los perdedores y, aun así, salir ganando. Pero normalmente los sectores que se benefician son poco proclives a compensar a los perdedores o, también, el mecanismo requerido para redistribuir los beneficios generados por el comercio puede ser tan costoso administrativamente que los beneficios podrían desaparecer en el proceso de realizar la compensación. En este sentido, los aranceles y otras restricciones comerciales tienen la ventaja de ser mecanismos sencillos para manejar la distribución del ingreso, pues aun cuando pueden tener altos costos en términos de eficiencia, son efectivos para proteger a los sectores cuyos ingresos se deprimirían en una situación de libre comercio.

Claro que una vez establecidas, las barreras al comercio suelen ser difíciles de levantar. Los sectores que se perjudicarían con su desaparición oponen resistencia política al desmantelamiento de las mismas. Una situación como ésta es la que explica en gran medida el proteccionismo agrícola de los países desarrollados como es el caso, por ejemplo, en la Unión Europea. Asimismo, este tipo de lógica es la que está detrás de la celosa utilización del *antidumping* por parte de los Estados Unidos en sectores como el acero. En este sentido, el uso de instrumentos de política comercial para paliar problemas distributivos no puede ser considerada una buena estrategia. Que su uso sea tan frecuente puede considerarse un síntoma que refleja las (malas) soluciones de compromiso a que suelen llegar las sociedades, cuando tienen dificultades para manejar los problemas distributivos que les produce una dotación de recursos específica. Recordemos que el libre comercio genera procesos de destrucción creativa y tiende a beneficiar de manera desproporcionada al sector que posee los recursos abundantes. Por ello es común que los ganadores (los emprendedores y los dueños del recurso relativamente abundante) aboguen por la apertura en nombre de la innovación y la eficiencia y los protegidos (los sectores de baja productividad y los dueños del factor relativamente escaso) por la protección en nombre de la equidad. La equidad y la eficiencia son ambas necesarias para la vida en sociedad. Pero una u otra, o ambas, terminan siendo víctimas del egoísmo sectorial y de la falta de capacidad para la solución de los conflictos por la vía civilizada de la política. Siempre lo óptimo es realizar las ganancias del comercio y compensar plenamente a los perdedores. Pero, por supuesto, esto es lo más difícil. Por ello una sociedad dinámica no sólo necesita emprendedores en la economía, sino también en la política.

Un segundo motivo también relacionado con los efectos distributivos es que muchas veces no está claro cómo es "justo" que se repartan los beneficios que genera el comercio entre los países que participan. En el capítulo anterior dimos algunos ejemplos de cómo Brasil y Argentina no necesariamente se repartían de manera equitativa, ante diferentes situaciones, el ahorro en horas de trabajo que la especialización hacía posible. En este sentido, hay evidencia de que en los procesos de liberalización del comercio los países más poderosos están en condiciones de sacar una mejor tajada de los beneficios mutuos que se generan. Esto suele ocurrir tanto en el plano multilateral como en los acuerdos regionales y bilaterales. En este contexto, el proteccionismo se convierte en un arma de negociación. Puede ocurrir que un país imponga derechos de *antidumping* de forma más o menos arbitraria o mantenga restricciones arancelarias y no arancelarias para el acceso a su mercado sólo como un instrumento para posicionarse mejor en la mesa de negociaciones. Esto es evidente en la forma en que los países desarrollados negocian en foros como la OMC: se niegan en la práctica a discutir cómo eliminar el proteccionismo agrícola pero se muestran ansiosos por establecer reglas y garantizar el respeto de la propiedad intelectual o el libre comercio de servicios. Esta estrategia les evita pagar el costo de los necesarios ajustes de su estructura productiva y social interna al tiempo que les permite mantener las ventajas de aprendizaje y conocimiento ya logradas. De esta forma, al ser el libre comercio contrario a los intereses de los países más ricos, la liberalización no avanza. El problema agrícola demuestra que estos países adolecen de una cierta miopía en el ejercicio de su liderazgo en las negociaciones multilaterales en los casos en que, para favorecer los objetivos multilaterales, sería necesario tomar decisiones políticas más o menos dolorosas.

Una tercera razón del uso de herramientas de protección es que los beneficios de la integración en la economía internacional sólo se hacen completamente efectivos a largo plazo. Como los efectos negativos suelen sentirse rápidamente, es típico que en el corto plazo se perciba esa integración como un proceso con altos costos y reducidos beneficios. Esto es especialmente así en situaciones en las que la baja movilidad laboral y/o la necesidad de adquirir nuevas habilidades generan largos períodos de desempleo y obsolescencia de habilidades adquiridas. Por ello, muchas veces se utiliza la política comercial como una forma de suavizar los costos del proceso de transición. Por ejemplo, puede diseñarse una reducción gradual de la protección en el tiempo o, también, seguir una estrategia basada en lo regional que implique liberar el comercio de manera selectiva, comenzando con los vecinos para luego incorporar un espectro más amplio de países.

Las razones que hemos analizado hasta aquí en cierto sentido dan una justificación "defensiva" del uso de aranceles y trabas al comercio. Sin embargo, existe una razón muy importante que es positiva. Ella está íntimamente ligada a las cuestiones de escala. Ya hemos visto que, cuando existen economías de escala estáticas y efectos de aprendizaje, los países que llegan tarde a una rama tienen serios problemas de concurrencia, mientras que los primeros en llegar obtienen una ventaja competitiva que se refleja en costos medios más bajos. Supongamos, por ejemplo, que un país extranjero lleva diez años desarrollando una nueva industria y los conocimientos acumulados le permitieron reducir los costos medios a la mitad. Está claro que si pretendiéramos iniciarnos en esa industria deberíamos tener ese nivel de costos medios desde un comienzo. Pero aun cuando con el paso del tiempo la tecnología se hubiera hecho más conocida y fácil de manejar, sería difícil que alcanzáramos un nivel óptimo de eficiencia desde el principio. Supongamos que las firmas participantes en la industria tardarían tres años en llegar al nivel óptimo. Esto implica que en tres años podríamos reducir los costos medios en un cincuenta por ciento haciendo desaparecer nuestra desventaja competitiva. Bajo estas circunstancias, tiene sentido que un país proteja su industria por un período para facilitar el aprendizaje dentro de la propia industria. Este argumento, que se llama de "industria naciente", pretende justificar el proteccionismo. El argumento es impecable desde el punto de vista analítico y sólo podría ser atacado desde la perspectiva de la dificultad práctica de llevar adelante una política de protección.[2]

Por otra parte, cuando se abre la posibilidad de aprender, ello puede potenciar otras ventajas competitivas para el comercio. Por ejemplo, supongamos un país con salarios bajos. A igual experiencia o aprendizaje

---

[2] Un argumento similar puede hacerse en relación con las economías de escala estáticas. Un país podría proteger su mercado para que las firmas llegaran a un nivel de ventas tal, que les permita devenir internacionalmente competitivas al reducir sus costos por la vía de aumentar la escala de producción.

acumulado, la ventaja comparativa la tiene el país de costos más bajos. En otras palabras, y en términos de nuestro viejo ejemplo, podría ocurrir que A produzca zapatos usando sólo una hora de trabajo porque ya aprendió a hacer zapatos hace tiempo. Pero si B tuviera tiempo de aprender, llegado al mismo punto que se encuentra A, podría producir zapatos también usando una hora de trabajo pero con un costo de mano de obra más barato.

Cuando se dan casos de aprendizaje y escala como el que acabamos de comentar, los mercados no brindan las señales correctas. Esto es, los precios no proporcionan los incentivos y la información que llevan al sector privado a tomar las mejores decisiones. Bajo estas condiciones es más fácil justificar medidas de interferencia con el libre comercio de manera positiva y no sólo defensiva. De hecho, buena parte de las justificaciones más interesantes del regionalismo desde el punto de vista económico tiene que ver con estas cuestiones. Debe tomarse en cuenta, no obstante, que no siempre la mejor forma de intervenir es con instrumentos de política comercial, ya que las autoridades en ocasiones tienen instrumentos mejores a su alcance. Pero, justamente, el regionalismo no necesariamente se agota en el mero uso de variables comerciales. Vale la pena, entonces, echar una mirada a las alternativas de acuerdo regional a nuestro alcance.

3. Tipos de acuerdo regional

Cuando concretan un acuerdo regional, los países que participan reducen las barreras comerciales entre ellos. Por omisión, esto implica una conducta de *discriminación* hacia terceros países no participantes. Este es un rasgo esencial que diferencia al regionalismo del multilateralismo, que se basa en el principio de que todos los países deben ser tratados de igual manera al eliminar las barreras al comercio. El principio de *nación más favorecida* es el instrumento utilizado para garantizar la no discriminación en el comercio. Según este principio, si se otorga una preferencia a un país la misma debe extenderse automáticamente al resto. En la posguerra, éste fue un principio guía para las negociaciones en el marco de las sucesivas rondas del Gatt, en las cuales se negociaron sustanciales reducciones en la protección para sectores importantes de la producción, aunque hubo otros que quedaron bastante al margen como es el caso de los productos agrícolas. La OMC es en la actualidad el foro principal para las negociaciones multilaterales orientadas a la liberalización del comercio de bienes y servicios.

Aunque el regionalismo es una política de apertura que se aparta del principio de nación más favorecida al otorgar preferencias a determinados países y no a otros, dicho distanciamiento está contemplado en la normativa que rige las negociaciones multilaterales. El Gatt reconoció explícitamente los acuerdos regionales como una excepción a la cláusula de nación más favorecida en su articulado XXIV (1947). También con posterioridad se permitieron excepciones para promover el desarrollo.

Hasta aquí hemos hablado de regionalismo en general. Pero ahora es necesario que seamos algo más específicos pues los acuerdos de ese tipo admiten variadas formas. Entre ellas hay cuatro que son básicas:

- zona de libre comercio,
- unión aduanera,
- mercado común y
- unión monetaria.

Estas cuatro categorías implican un grado creciente de compromiso e integración entre los países. La *zona de libre comercio* es la que requiere el grado menor. Consiste, simplemente, en la eliminación de las barreras arancelarias y cuantitativas (como los cupos) al comercio entre los países del acuerdo. La zona de libre comercio no supone que los integrantes de la misma tengan un arancel uniforme con terceras naciones. Esto genera un problema. Un tercer país podría utilizar a otro que integra el acuerdo y tiene bajos aranceles, para introducir mercancías dentro de un país que protege su industria con altos aranceles. Un ejemplo aclarará esto. Supongamos que existe una zona de libre comercio entre Argentina y Chile, lo que implica que el arancel de camisas entre ambos países es cero. Supongamos, además, que el arancel para camisas de la Argentina con terceros países es 15% y el de Chile 5%. Entonces, un importador chileno podría introducir textiles chinos pagando 5% de arancel y reexportarlos a la Argentina con arancel cero. Conclusión, las camisas chinas entran a la Argentina con arancel 5% y no 15%. Para evitar este tipo de triangulación en la zona de libre comercio se exige que las mercaderías exportadas desde un país del acuerdo cumplan con ciertas *reglas de origen* que certifiquen la procedencia de las mercancías.

Cuando los países acuerdan, adicionalmente, mantener un arancel externo común con el resto del mundo, la zona de libre comercio se convierte en una *unión aduanera*. Una ventaja importante de la unión aduanera es que elimina el problema de las reglas de origen. Pero como contrapartida exige una mayor convergencia y acuerdo en las políticas de largo plazo. Por ejemplo, supongamos que un país tiene una industria de bienes de capital y el otro no. El primero puede desear tener un arancel externo común alto usando el argumento de la industria naciente. El segundo, en cambio, estará más preocupado por el hecho de que un arancel alto encarece los costos de la inversión y una inversión cara significa un crecimiento más bajo. Por otra parte, una unión aduanera implica también avanzar en la construcción de instituciones y legislación comunes. Idealmente, los países de la unión deberían armonizar totalmente sus prácticas aduaneras y llegar a un acuerdo de cómo repartir los ingresos por aranceles.

El *mercado común* representa un paso adicional en relación a la unión aduanera en la medida en que supone la libre movilidad de factores, en particular del factor trabajo. Como hemos visto en los ejemplos del capítulo anterior, las ganancias potenciales debidas a la movilidad de factores son importantes, aunque también lo son los costos de la transición. No obstante ello, la experiencia de acuerdos muy avanzados como el europeo sugieren que los factores culturales tienen un peso muy importante en determinar una baja movilidad de la mano de obra.

El último paso en el proceso de integración está constituido por la *unión monetaria*. Bajo ese esquema, los países acuerdan en utilizar una misma moneda para realizar transacciones. Esto implica, de hecho, fijar el tipo de cambio nominal con los socios para siempre. Este último paso no es fácil porque significa perder un instrumento muy importante para regular la competitividad intrabloque en el corto plazo: la posibilidad de depreciar la propia moneda. Como vimos en el ejemplo de la tabla 6 del capítulo 1, cuando un país deprecia su moneda su competitividad aumenta aun cuando sus precios expresados en la moneda local no varíen. ¿Qué ocurre cuando ello no es posible y uno de los socios tiene un problema de competitividad porque sus precios y salarios son muy altos en relación a su productividad? Bajo tales circunstancias, como en el corto plazo es difícil aumentar sustancialmente la productividad, la forma de solucionar el problema será que esos precios y salarios caigan. Sin embargo, esto no es fácil pues la deflación normalmente viene acompañada de desempleo.

La teoría económica ha identificado una serie de condiciones que los países deben cumplir para llegar a conformar una unión monetaria. Cuando los países cumplen con esas condiciones se dice que conforman un "área monetaria óptima". Entre las condiciones más importantes cabe mencionar, en primer lugar, que se trate de países con economías abiertas y no excesivamente grandes en relación al resto del mundo. Esto ayuda a la unión monetaria, pues una economía pequeña y abierta enfrenta mucha competencia del resto del mundo y, por ende, sus precios locales no diferirán mucho de los internacionales. En una situación tal, tiene menos costo fijar el tipo de cambio pues los precios reflejarán la competitividad real de la economía y no será preciso que varíen. Otra condición importante es la flexibilidad de precios locales. El papel de esta condición es obvio: los precios podrán variar cuando la competitividad esté fuera de línea sin necesidad de tocar el tipo de cambio. Como la movilidad de factores (en especial el trabajo) ayuda a la flexibilidad de salarios y precios, una gran movilidad también ayuda. Por ello, es más fácil llegar a la moneda única luego de haber logrado la formación de un mercado común.

La experiencia muestra que las condiciones anteriores no son fáciles de cumplir. Como consecuencia, los países que entran en procesos de integración suelen optar por caminos graduales que permitan acercarse a las condiciones óptimas en el muy largo plazo. Así, para no entorpecer el proceso de integración, el primer paso que suele tomarse no es el de fijar los tipos de cambio entre los países del acuerdo regional sino el de lograr una cierta coordinación en sus políticas macroeconómicas. Asimismo, suelen establecerse estrategias para inducir una convergencia en la evolución de variables macroeconómicas clave como la inflación, el déficit fiscal y la deuda pública. Se asume que cuanto mayor similitud muestre tal evolución, menor será la probabilidad de que se produzcan desequilibrios en los precios locales que distorsionen los niveles de competitividad de un país respecto de los otros socios del bloque. Y, obviamente, cuanto menor sea el "ruido macroeconómico" que reflejen los precios, menos obstáculos encontrarán los flujos de comercio y la integración.

4. VENTAJAS ESTÁTICAS, DESVÍO Y CREACIÓN DE COMERCIO

En cuanto política de aproximación al libre comercio, el regionalismo puede ser (y, de hecho ha sido) interpretado de dos formas algo antagónicas. Los defensores a ultranza del librecambio sostienen que el regionalismo no es una estrategia recomendable. Argumentan que, en la medida que implica acuerdos preferenciales con países determinados, se trata de una forma de proteccionismo y, como tal, se le aplican las mismas críticas que al proteccionismo a nivel nacional. Una interpretación alternativa y más pragmática asume que en un mundo donde los intereses creados de quienes ganan con el proteccionismo son muy fuertes, el regionalismo debe ser concebido como una estrategia razonable de aproximación gradual al librecambio. En esta línea de pensamiento, la CEPAL (Comisión Económica para América Latina de Naciones Unidas) aboga por un *regionalismo abierto*. Según esta visión, el regionalismo es compatible con un movimiento de largo plazo en la dirección del libre cambio en tanto reduzca la discriminación intrarregional y establezca reglas flexibles de acceso al acuerdo. Por otra parte, los acuerdos tienden a dar preferencias a países que por razones de vecindad son de cualquier manera socios naturales. Según la CEPAL el regionalismo abierto puede jugar un papel muy importante en facilitar las ganancias de escala y atraer inversiones a la región. En suma, en la visión librecambista, el regionalismo destruye comercio y, en la pragmática, contribuye a crearlo. Vale la pena entonces, ahondar algo más en los argumentos analíticos que pueden esgrimirse a favor de una y otra visión.

Para discutir las ventajas y desventajas del comercio, usualmente se distingue entre las consecuencias estáticas y las dinámicas. Las estáticas impactan sobre el ingreso de la sociedad en un momento, aumentándolo o disminuyéndolo, pero una vez que se incorporan al mismo no se reproducen. Las consecuencias dinámicas, en cambio, no necesariamente se agotan con el tiempo. Los efectos estáticos cambian el *nivel de la productividad* en un momento determinado mientras que los dinámicos afectan su *tasa de crecimiento*. Por esta razón cuando se producen ganancias dinámicas, el efecto acumulativo sobre el ingreso nacional a través del tiempo puede ser muy importante. Las ganancias estáticas provienen típicamente de la reasignación y mejor uso de los recursos existentes. Las dinámicas se asocian, fundamentalmente, con los procesos de aprendizaje y acumulación de conocimiento, aunque también hay otros factores como los financieros que pueden dar lugar a efectos dinámicos. Analizaremos primero los efectos estáticos de los acuerdos regionales y, posteriormente, incluimos los dinámicos en el contexto de la discusión sobre los vínculos entre crecimiento y regionalismo.

Las ganancias estáticas se producen cuando la ampliación del mercado hace que los recursos existentes sean reasignados hacia nuevos usos con productividad más alta. En el capítulo anterior vimos que esto puede ocurrir por la vía de reasignación de factores, de mejoras en el uso de los mismos (ineficiencia X) o de cambios en la escala. Una característica de las ganancias estáticas del comercio es que sólo se dan por una vez y no se reproducen en el tiempo. Un caso típico de esto es nuestro ejemplo de los zapatos y las camisas con movilidad de trabajo. Si se hace un mercado común entre A y B se ahorran cinco horas de trabajo. Pero una vez que todo el trabajo fue reasignado desde B hacia A, no es posible seguir ganando con el comercio. En el ejemplo de las economías de escala estáticas sucedía algo similar. Una vez que se reasignaban las seis ramas entre los dos países y se realizaban las economías de escala correspondientes, no era posible seguir ganando con el comercio.

¿Un proceso de integración regional genera ganancias estáticas? La eliminación de las barreras dentro de una región cambia la dirección de los flujos comerciales. Por ello, para contestar esta pregunta la teoría económica analiza si el cambio crea o desvía comercio. Se dice que hay *creación de comercio* cuando una fuente de producción local ineficiente es substituida por otra regional más eficiente. Se dice que hay *desvío de comercio* si una fuente extranjera extrarregional eficiente es substituida por una regional menos eficiente.

Un nuevo ejemplo sobre camisas aclarará esta cuestión. Supongamos que la Argentina puede producir camisas a 12 pesos e importa camisas desde la China que cuestan 10 pesos y les impone un arancel de 20%, de forma tal que los camiseros argentinos puedan competir localmente. El consumidor paga 12 pesos por las camisas tanto nacionales como importadas y el gobierno recauda 2 pesos sobre estas últimas. Brasil no puede exportar camisas a la Argentina porque sus costos son de 11 pesos y al sumarse el arancel las camisas costarían 13.2 pesos y nadie las compraría. Asumamos que la Argentina y Brasil acuerdan eliminar todos los aranceles. Una vez firmado el acuerdo, las camisas brasileñas desplazan a las chinas pues entran al mercado a 11 pesos. Los consumidores, en principio, se benefician y parece que hubo ganancias mutuas. Sin embargo, ello no es así para la Argentina como un todo: el consumidor ganó un peso por cada camisa importada pero el gobierno argentino perdió dos. En términos netos, el país perdió un peso y es lógico, pues dejó de comprar camisas chinas a 10 pesos para comprar brasileñas a 11 pesos.[3] Está claro que esto no ocurriría si los brasileños, antes del acuerdo comercial, vendieran sus camisas a 10 pesos. Esto es, si antes del acuerdo B tenía una competitividad similar a la de los chinos, al realizarse el acuerdo el precio de las camisas bajaría a 10 pesos. En ese caso, el consumidor gana los 2 pesos que pierde el gobierno pero, adicionalmente, ganaría también porque compraría todas las camisas a 10 pesos al desaparecer la oferta nacional que necesitaba un precio de 12. Con las camisas brasileñas a 11 pesos el acuerdo regional desvía comercio; con las camisas a 10, en cambio, crea comercio y hay ganancias mutuas.

La conclusión general es que la creación de comercio (y, por ende, las ganancias estáticas) serán mayores cuanto más competitivos sean los so-

---

[3] Obviamente, cuando las camisas brasileñas a 11 pesos desplazan a las argentinas de 12 el consumidor también gana. Pero nótese que igual hay desvío de comercio pues siempre sería posible comprar camisas chinas a 10 pesos y cargarles un peso de arancel. A pesar de ello, el acuerdo regional hace que se terminen comprando camisas brasileñas a 11.

cios del acuerdo regional. Un elemento que ayuda en relación con esto es la vecindad de los firmantes del acuerdo. Traer las camisas de China es más caro que traerlas de Brasil. Por lo tanto, si estos dos países son igualmente eficientes, las camisas brasileñas resultan más baratas en la Argentina debido al menor costo de transporte. Y ello sería también así incluso si los costos de producción brasileños fueran más altos que los chinos, pero en una cuantía menor al costo diferencial de transporte. En el ejemplo anterior, si a las camisas chinas de 10 pesos hubiera que sumarle 1.5 pesos por transporte y a las brasileñas de 11 pesos, 0,25, estas últimas serían más baratas (11.5 contra 11.25). Cuando los costos de transporte resultan significativos y los países son vecinos, entonces, es más probable que haya creación y no desvío de comercio. En realidad, los costos de transporte hacen que los países vecinos formen *bloques naturales* de comercio dentro de los cuales puede resultar muy beneficioso eliminar las barreras. Estos argumentos sugieren, adicionalmente, que los acuerdos preferenciales entre países distantes son en principio menos convenientes.

Otra ganancia estática que un acuerdo regional puede generar es la de mejorar los *términos del intercambio* de los países. Los términos del intercambio son la relación entre el precio promedio percibido por las exportaciones y el precio promedio pagado por las importaciones. Cuando esta relación mejora, el poder adquisitivo del país aumenta y, por ende, también lo hace el ingreso nacional total. Luego de la formación de un bloque regional, la competencia que enfrentan los terceros países extrabloque es mayor, ya que deben competir con los países del bloque que no pagan aranceles. Con el objeto de no perder mercados, los exportadores extrabloque podrían reducir el precio de sus productos. Por ejemplo, supongamos que, para competir con las camisas brasileñas que se venden a diez pesos en nuestro país, los chinos reducen el precio de las suyas a 8.33 pesos. Ello les permitiría seguir compitiendo con los brasileños ya que, al sumar el arancel extrazona del 20%, las camisas chinas se venderían también a 10 pesos. Para la Argentina esto representaría una mejora en sus términos del intercambio.

La formación de un mercado regional ampliado también puede favorecer la concreción de proyectos de producción a gran escala que no serían viables en un mercado más pequeño. Esto es particularmente importante cuando la formación del bloque logra atraer montos crecientes de inversión extranjera directa. Sin embargo, este hecho también puede generar roces entre los socios del bloque debido al problema de cómo repartirse los beneficios. En este punto vale la pena recordar lo que mostramos más arriba: el patrón de especialización de cada país queda indeterminado cuando la especialización se realiza en función de la explotación de economías de escala. En el ejemplo que analizamos en la tabla 4 del capítulo 1 no había ningún criterio *a priori* para decidir de qué lado de la frontera iban a quedar cada una de las seis ramas. Esta indeterminación aumenta el riesgo de que se produzcan guerras intrabloque de subsidios a la inversión. Ello ocurre cuando los gobiernos compiten por atraer inversiones y, en particular, inversiones extranjeras. Para que los proyectos de mayor escala se localicen en un determinado territorio se conceden ventajas impositivas o de otro tipo. Un segundo peligro, en relación con esto, es que las firmas multinacionales traten de hacer *tariff jumping* (saltar sobre los aranceles). Es fácil ver esto. Supongamos una unión aduanera. Si la multinacional exporta desde su casa matriz debe pagar el arancel del bloque. Si invierte y produce dentro de él queda protegida y, además, es posible que reciba un subsidio. Pero en este segundo caso quizá produzca con menor eficiencia, justamente debido a la protección.

Si un acuerdo regional tiene éxito en explotar economías de escala estáticas, ello se evidenciaría en una serie de indicadores del comercio exterior. En particular, se observarán aumentos del comercio intraindustrial y un proceso de diferenciación de productos que ampliará la gama de los fabricados dentro del bloque. Asimismo, debería haber un comercio intrafirma más intenso. Esto último ocurriría porque las nuevas tecnologías permitirían que las firmas pudieran separar el proceso de producción no sólo en base a productos sino también en base a las diferentes etapas de la producción. Las empresas multinacionales y las firmas de la región podrían concentrar distintas etapas del proceso en localidades a uno y otro lado de la frontera para ganar escala y esto haría aumentar el comercio intrafirma.

5. Integración regional y crecimiento

El propósito de un acuerdo regional es la creación de un mercado ampliado para potenciar el comercio entre las partes. Idealmente, ello implica crear un espacio económico en el cual se elimina toda segmentación que pueda impedir el arbitraje de precios ya sea de bienes, servicios o factores. En este sentido, es inherente a la propia lógica de una política de liberación comercial regional efectiva exigir un avance permanente hacia la integración profunda. Sin embargo, no debemos olvidar los argumentos que colocamos al principio de nuestro estudio. El intercambio no es un fin en sí mismo sino un medio para aumentar el bienestar de la población. Por lo tanto, si un acuerdo regional es útil a los intereses de un país determinado, también debe ser capaz de potenciar el crecimiento económico.[4] Ya hemos visto que la forma en que el comercio puede potenciar el crecimiento es, fundamentalmente, a través de sus efectos sobre la productividad y en el punto 4 del capítulo 1 hemos resumido los beneficios potenciales de un mercado sin segmentaciones sobre la productividad.

¿Qué ocurre cuando dos países de una misma región que muestran diferencias significativas en sus niveles de productividad y disparidades sectoriales importantes, deciden eliminar las barreras al comercio que los separan? El efecto inmediato es que se conformará un mercado más amplio y una economía regional dual. Esto es, un espacio económico ampliado que mostrará asimetrías de productividad tanto geográficas como entre ramas de la producción. Bajo estas condiciones se abrirán enormes oportunidades para crecer pero también aparecerán, por un lado, amenazas asociadas con desequilibrios tanto en el plano macroeconómico como social y, por el otro, nuevas demandas de coordinación y de construcción institucional. Nuestra hipótesis central es que un acuerdo regional puede ser un instrumento de mayor idoneidad que el multilateralismo para aprovechar las oportunidades de crecimiento, manejar los desequilibrios y dar respuesta a las demandas de coordinación.

Partiendo de una economía regional dual, en el avance desde una zona de libre comercio hacia una unión monetaria, el espacio económico común se irá haciendo cada vez más homogéneo. Los productores ineficientes serán desplazados por los eficientes con consecuencias positivas sobre la productividad global de las dos economías y, por ende, sobre el ingreso *per capita* de ambas. Esto ocurrirá cada vez que un factor de la producción

---

[4] Además del crecimiento, puede haber razones que no sean estrictamente económicas y que muevan a los países a embarcarse en un proceso de integración. Entre las más importantes figuran, primero, la voluntad de mejorar la capacidad de negociación en el plano internacional y multilateral. Segundo, la necesidad de garantizar la seguridad nacional ante una amenaza externa o como una forma de evitar la rivalidad militar con el vecino generando interdependencia económica. Sería muy difícil, por ejemplo, comprender el proceso de integración europeo sin tomar en cuenta las consideraciones político-estratégicas. Tercero, en ciertas circunstancias, las autoridades pueden utilizar los compromisos asumidos en el marco del proceso de integración para impulsar o reasegurar reformas estructurales internas que consideran necesarias. Ello ocurre cuando se establecen metas fiscales en el marco de esquemas de coordinación macroeconómica o cuando se renuncia a la política monetaria autónoma en una unión monetaria.

se desplace de una localidad o sector en la que genera bajo valor agregado a otro en que produce uno mayor.

Asimismo, un mercado regional ampliado y sin segmentaciones debería ser un incentivo para la inversión orientada a explotar las ganancias de escala estáticas, el aprendizaje y la innovación tecnológica. Un mercado más amplio permite tanto una mayor especialización como una amortización más fácil de la inversión en nuevas tecnologías. Ello actúa a favor de una aceleración del proceso de innovación, transferencia, adaptación y aprendizaje. En ese caso, se producirán economías de aglomeración y se crearán eslabonamientos productivos hacia atrás y hacia delante.[5] Si el acuerdo regional logra poner en marcha un círculo virtuoso de creación de comercio, especialización creciente y efectos de escala, puede generar procesos acumulativos muy dinámicos.[6]

Un acuerdo regional puede ser el instrumento más adecuado para dar un marco de consistencia a este proceso. Su factor clave es la inversión. Pero ya vimos que es muy difícil anticipar en qué lugar específico se localizará la inversión para aprovechar las economías de escala y aprendizaje. Aun cuando se trata de un problema de muy difícil solución, en principio parece más fácil coordinar las políticas de incentivos a la inversión en un marco regional que en uno multilateral. Además, los acuerdos regionales pueden ser instrumentos idóneos para coordinar la inversión en la explotación de recursos que de otra forma quedarían ociosos como es el caso cuando se comparten recursos naturales (por ejemplo, ríos); para tareas conjuntas de protección del medio ambiente o para el emprendimiento de obras de infraestructura de magnitud. La infraestructura física es crítica para que los costos de transporte no erosionen las ventajas de bloque natural cuando el acuerdo es entre países limítrofes. En esas circunstancias, los gobiernos tienen una tarea ineludible de coordinación para asegurar la tasa requerida de inversión, sobre todo en infraestructura de transporte.

[5] Los encadenamientos hacia delante suponen el desarrollo de nuevos productos a partir de los insumos que se producen y los eslabonamientos hacia atrás implican una mayor especialización en los insumos. Los eslabonamientos son muy importantes para el desarrollo de actividades de investigación y desarrollo, motores básicos de la acumulación de conocimientos y de la innovación.

[6] De cualquier forma, también podrían producirse efectos colaterales negativos. Por ejemplo, la aglomeración puede convertirse en congestión y puja por recursos escasos y, obviamente, ello daña la competitividad. Asimismo, si bien las empresas multinacionales son portadoras de nuevas tecnologías, podrían optar por utilizar proveedores extranjeros y ello no favorecería la creación de eslabonamientos.

La explotación del mercado ampliado requiere, además, de la construcción de otro tipo de infraestructura de soporte del espacio económico común: la institucional y financiera. La infraestructura institucional es necesaria para reducir los costos de transacción. En este aspecto lo más importante es avanzar hacia la integración profunda, lo cual implica una estandarización creciente de las normas dentro del bloque. Desde esta perspectiva, está claro que la política económica deberá ir más allá de la mera liberación de mercados. Por una parte, dada la debilidad de las estructuras de mercado de nuestros países, no sólo se trata de liberar mercados sino, también, de crearlos. Esto es, generar las condiciones institucionales y legales para desarrollar una trama de mercados cada vez más completa. Por otra parte, será necesario complementar la acción privada con tareas que son específicas de la política económica y que tienen que ver con dar solución a las fallas de coordinación que pueden surgir en la macroeconomía. Parece razonable asumir que es mucho más fácil realizar estas tareas en el marco de la cooperación regional que en el contexto de un foro multilateral.

Los mercados de capital juegan un papel central por dos razones. Por una parte, es razonable que el proceso de integración induzca cambios estructurales. Por ello, es necesario asegurar que las unidades productivas contarán con el financiamiento necesario para la reconversión. Esto suele ser un factor esencial para determinar si las empresas pequeñas y medianas se adaptarán al nuevo ambiente. Por otra parte, como vimos, las variables financieras son de alta relevancia para el proceso de crecimiento en la medida en que los mercados de capital son los encargados de seleccionar los proyectos de mayor rendimiento y dirigir hacia ellos los fondos. Podría ocurrir, por ejemplo, que la integración generara oportunidades de negocios que no pudieran ser aprovechadas debido a la existencia de racionamiento en el mercado de crédito. Un mercado ampliado brinda la posibilidad de avanzar en la integración de los sistemas financieros y las bolsas de valores de forma de ganar escala y, con ello, estar en condiciones de reducir los márgenes en la intermediación y competir con los mercados de valores y bonos de otros lugares del mundo. No obstante, para estar en condiciones de realizar una integración profunda de los mercados de capital, es necesario compatibilizar las normas de regulación prudencial, de supervisión y de transparencia, lo que no es una tarea sencilla. Asimismo, esto puede obstaculizarse cuando los regímenes monetarios y cambiarios son muy diferentes. El ámbito regional, entonces, puede ser muy propicio para avanzar en la unificación de las normas que rigen los mercados de capital y financieros.

Las amenazas a la estabilidad social y económica provendrían de dos fuentes. En primer lugar, los costos de transición y ajuste no serían menores: habría regiones enteras, ramas productivas y habilidades de los trabajadores que devendrían obsoletas a causa de la reasignación de recursos, la eliminación de la ineficiencia X y el proceso de destrucción creativa. Ello tendría efectos significativos en la distribución del ingreso dentro y entre los países de la región. En segundo lugar, el proceso de cambio estructural podría generar niveles de fragilidad financiera considerables en algunos sectores importantes y presiones sobre la estabilidad macroeconómica. Manejar estas consecuencias no es fácil. Por ello la tarea de construir un espacio económico común sólo puede concebirse como un objetivo estratégico de largo plazo de los estados y no como la tarea circunstancial de un gobierno. Concluyendo, en un contexto de entendimiento regional pueden diseñarse e implementarse políticas de compensación de perdedores y de reconversión del tipo de las desarrolladas por la Unión Europea, que serían más difíciles en un ámbito más amplio.

Capítulo 3

1. Introducción

Durante el período de posguerra el principal vehículo para la liberalización comercial fueron las negociaciones multilaterales desarrolladas en el ámbito del Acuerdo General sobre Aranceles y Comercio (Gatt). A través de sucesivas ruedas de negociaciones las partes contratantes del Gatt acordaron importantes (pero no homogéneas) reducciones de la protección arancelaria, así como normas para regular un conjunto de disciplinas vinculadas con el comercio exterior.[1] Hasta fines de la década del setenta el énfasis de las negociaciones comerciales multilaterales estuvo puesto en remover los obstáculos fronterizos al comercio, esto es, en promover la llamada "integración superficial". El éxito en esta tarea y la creciente integración de la economía mundial trasladaron gradualmente el énfasis hacia prácticas y disciplinas "no fronterizas", que han dado forma a la llamada agenda de la "integración profunda". Así, en la última rueda de negociaciones comerciales multilaterales (la rueda Uruguay) se acordaron disciplinas para el comercio de servicios y para la protección de la propiedad intelectual, además de que se creó la Organización Mundial de Comercio (OMC) y se estableció un nuevo mecanismo de solución de diferencias más efectivo que el que prevaleció durante el primer medio siglo de vida del Gatt.

El Gatt y la OMC se edificaron sobre el principio de la no discrimina-

---

[1]   El grueso de la reducción de aranceles se concentró en los bienes que intercambian los países desarrollados entre sí. En efecto, la agricultura de clima templado se mantuvo al margen del proceso de liberalización hasta la rueda Uruguay y los productos con tecnologías estandarizadas e intensivos en el uso de mano de obra (como los textiles y el vestido) mantuvieron elevados niveles de protección durante todo el período. Por otra parte, la reducción de la protección arancelaria fue con frecuencia compensada mediante el uso de restricciones de tipo no tarifario, especialmente a partir de la década del setenta (el llamado "neoproteccionismo").

ción en sus dos versiones, por ejemplo, no discriminación entre proveedores extranjeros y no discriminación entre bienes domésticos e importaciones. La primera versión, que se conoce con el nombre de "cláusula de la nación más favorecida" (NMF), establece el compromiso de trato igualitario a todos los proveedores extranjeros. De acuerdo con la cláusula NMF los beneficios que se otorgan a un socio comercial particular se extienden automáticamente al conjunto de los socios con los cuales dicho principio está vigente (por ejemplo, los miembros de la OMC). La segunda versión, que se conoce como principio de "trato nacional", establece que los bienes de origen doméstico e importado deben ser tratados igualitariamente (en materia impositiva y regulatoria) una vez que estos últimos fueran "internalizados" a través de los procedimientos aduaneros establecidos (lo cual puede incluir, por cierto, el cobro de aranceles de importación).

Sin embargo, a pesar de que la cláusula de NMF fue la piedra basal del régimen del GATT, la discriminación y los acuerdos preferenciales de comercio han estado siempre muy presentes en el sistema de comercio internacional. En efecto, durante el período 1998-92 cerca del 41% del comercio mundial se realizaba en condiciones preferenciales, mientras que para el período 1993-97 esta cifra había aumentado levemente hasta el 42%.[2] Buena parte de este comercio preferencial se explica por las transacciones que tienen lugar dentro de la Unión Europea y de América del Norte, incluyendo México.

Con casi medio siglo de trayectoria el proceso de integración europeo constituye el prototipo de las experiencias exitosas de integración. La Unión Europea (UE) es un proceso de integración ambicioso que se inició como una unión aduanera y fue evolucionando gradualmente hasta alcanzar la etapa actual de unificación monetaria (UME, unión monetaria y económica). Pese a ser un paradigma de la integración exitosa, la experiencia de la UE no constituye el único "modelo" posible para conducir la integración. En efecto, en la última década surgió otra experiencia con peso internacional muy significativo, con objetivos e instrumentos muy diferentes de los de la UE: el Tratado de Libre Comercio de América del Norte (TLCAN)

[2] En ambos casos se trata del promedio ponderado de las importaciones, considerando una muestra de 35 países altamente representativos en el comercio internacional (Grether, J. M. y Olarreaga, M. "Preferential and Non-Preferential Trade Flows in World Trade", en Rodríguez Mendoza, M., Low, P. y Kotschwar, B. (eds.) (1999), *Trade Rules in the Making: Challenges in Regional and Multilateral Negotiations*, Washington DC. Organisation of American States/ The Brookongs Institution.

que agrupa a Canadá, México y Estados Unidos. El Tlcan apunta a establecer un área de libre comercio y los instrumentos y el enfoque institucional que ha adoptado son radicalmente diferentes de los de la UE. De hecho, la Unión Europea y el Tlcan pueden considerarse como dos estilos paradigmáticos alternativos de integración.

Pero las experiencias de integración no terminan en estos ejemplos. En efecto, en América latina y el Caribe han proliferado los acuerdos preferenciales (véase el capítulo 4) y lo propio ha ocurrido en Africa y en el Medio Oriente. No obstante, la mayor parte de estas experiencias involucraron exclusivamente a países en desarrollo y tuvieron un impacto modesto sobre los flujos de comercio. En la gran mayoría de los casos se trata de acuerdos de carácter formal más que sustantivo.[3] La región de Asia y Asia-Pacífico, por el contrario, se distingue por la menor presencia de acuerdos comerciales discriminatorios. Además, con excepción del Tratado entre Nueva Zelanda y Australia (Closer Economic Relations, CER), la mayor parte de los acuerdos existentes tuvieron resultados muy modestos (como el Area de Libre Comercio de la Asean y la Asociación para la Cooperación Regional en el Sur de Asia).[4]

En este capítulo pasaremos breve revista de los dos acuerdos más importantes por su volumen de comercio: la UE (sección 2) y el Tlan (sección 3).

2. Un largo camino: de las comunidades europeas a la Unión Europea

Los fundamentos de la integración europea se establecieron durante el período de reconstrucción que siguió al fin de la Segunda Guerra Mundial. Inicialmente, el proceso de cooperación se benefició con el apoyo financiero y político de Estados Unidos, motivado por el cuadro de la "guerra fría", que resultaba del conflicto con la Unión Soviética. Des-

---

[3] Una excepción es la South African Customs Union (Sacu), la unión aduanera más vieja del mundo que agrupa a Sudáfrica, Lesotho, Namibia y Swazilandia.
[4] Bouzas, R., "Regional Trade Arrangements: Lessons from Past Experiences", en Rodríguez Mendoza, M., Lowy, P. y Kotschwar, B. (ed.), *op. cit.* En la actualidad existen otros procesos de negociación de mayor cobertura geográfica (como la Apec, foro de Cooperación Económica Asía-Pacífico, o el Alca, Area de Libre Comercio de las Américas) sobre cuyos resultados es aún prematuro expedirse.

pués del período inmediato de reconstrucción, la primera iniciativa propiamente europea a favor de la integración fue la Declaración Schuman (1950) por medio de la cual el gobierno francés propuso al alemán la reconciliación (y la creación de una autoridad común para integrar la producción de carbón y acero en ambos países), en el marco del objetivo de largo plazo de "construir la Europa" a través de un mecanismo progresivo.

La propuesta de Schuman fue aceptada por los gobiernos de Alemania, Bélgica, Francia, Holanda, Italia y Luxemburgo, los que en abril de 1951 firmaron el Tratado de París mediante el cual se estableció la Comunidad Europea del Carbón y del Acero (CECA). A pesar de que el principal objetivo del acuerdo fue eliminar las barreras al comercio y promover la competencia en las industrias del carbón y del acero, muchas de sus disposiciones tenían un carácter fuertemente intervencionista. El Tratado de París también estableció un órgano supranacional (la Alta Autoridad) con capacidad para imponer tributos, influir en las decisiones de inversión y, bajo ciertas circunstancias, imponer precios mínimos y cuotas. Además de la Alta Autoridad el tratado de la CECA estableció una Asamblea, una Corte de Justicia y un Consejo Especial de Ministros.

A partir del precedente de la CECA, en 1957 el Tratado de Roma creó dos nuevas instituciones: la Comunidad Europea de la Energía Atómica (CEEA) y la Comunidad Económica Europea (CEE). El propósito de esta última fue establecer "las bases para una unión cada vez más estrecha entre los pueblos de Europa", a través de la creación de un mercado común y, más específicamente, de una unión aduanera y de algunas políticas sectoriales comunes. En el Tratado de la CEE se dispuso el establecimiento de un mercado común con libre circulación de mercancías mediante la eliminación de los aranceles y las restricciones cuantitativas, la adopción de un arancel externo común y una política comercial común, con terceros países. A fin de asegurar la libre circulación de bienes y evitar distorsiones en la competencia, el tratado estableció que el libre comercio de bienes debía acompañarse de otras tres "libertades": la libre circulación de personas, de servicios y de capitales. El tratado también previó la adopción de políticas comunes en el ámbito de la agricultura y el transporte, la aproximación de las legislaciones nacionales y la promoción de la competencia en el mercado común. En base al precedente de la CECA, el Tratado de Roma también estableció una compleja estructura de gobierno integrada por una Comisión (el cuerpo técnico y administrativo), un Consejo de Ministros (el órgano de toma de decisiones), una Corte de Justicia y un Parlamento. Las funciones de estos órganos se desarrollaron gradualmente como resultado tanto de la reforma de los tratados como de la legitimidad que éstos fueron adquiriendo (en distinta medida) con el transcurso del tiempo. Del mismo modo, el aseguramiento de las "cuatro libertades" sólo se hizo efectivo con el paso del tiempo y a través de un proceso de "aprendizaje" que dio a la experiencia europea un valor singular.

En efecto, cuando se estableció la CEE los negociadores estaban más preocupados por eliminar las tarifas y las cuotas que por remover otros obstáculos al comercio, como las barreras técnicas u otras restricciones no arancelarias. Así, en 1968 y un año antes de lo establecido, la CEE concluyó la implementación del arancel externo común y la eliminación de todas las demás cargas y restricciones cuantitativas al comercio intrazona. Sin embargo, la libertad de movimiento para los bienes, servicios y factores de producción (capital y trabajo) y la aplicación del principio de trato nacional estaban lejos de haberse asegurado. Igual que como ocurriera en el ámbito multilateral (pero aún con mayor intensidad) a medida que las tarifas se redujeron otras barreras se fueron revelando como importantes o, incluso, estableciendo a fin de compensar el efecto de la reducción de aranceles. Estas restricciones tomaron formas diversas, como estándares técnicos u otras disposiciones regulatorias internas (como las políticas de compras de gobierno).[5] En los hechos, casi dos décadas después de iniciada la integración europea y a pesar del éxito alcanzado en la eliminación de los aranceles, los mercados nacionales seguían fuertemente segmentados.

---

[5] Aún después de la implementación de la unión aduanera, había bienes que aunque no estaban gravados por aranceles, tenían un comercio muy reducido o inexistente. Tal fue el caso de los equipos de telecomunicación, que si bien gozaban de una preferencia del 100%, prácticamente no se comerciaban porque las políticas nacionales de compras gubernamentales daban prioridad en el abastecimiento de las compañías proveedoras de servicios de telecomunicaciones (que eran mayoritariamente empresas públicas) a los fabricantes nacionales.

Tabla 3.1.
Unión Europea: principales tratados y reformas

Año	Tratado	Contenidos
1951	Tratado de París	Creación de la Comunidad Europea del Carbón y del Acero (República Federal de Alemania, Bélgica, Francia, Holanda, Italia y Luxemburgo)
1957	Tratado de Roma	Creación de la Comunidad Económica Europea y de la Comunidad Europea de la Energía Atómica
1965	Tratado de Bruselas	Fusiona las instituciones de cada comunidad (Consejo y Comisión) en una única para las tres comunidades
1966	Compromiso de Luxemburgo	Los países miembros acuerdan (sin modificar el Tratado de Roma) no aplicar el principio de toma de decisiones por mayoría calificada para temas que afecten intereses fundamentales
1970	Tratado presupuestario	Se establecen los "recursos propios" y se otorgan algunos poderes presupuestarios al Parlamento Europeo
1972	Acta de accesión	Se admite a Dinamarca, Irlanda y el Reino Unido
1975	Tratado presupuestario	Otorga más poderes al Parlamento Europeo y crea una nueva Corte de Auditores
1978	Revisión del tratado de Roma	Elección directa de los miembros del Parlamento
1980	Acta de accesión	Se admite a Grecia
1985	Acta de accesión	Se admite a Portugal y a España
1986	Acta del mercado único	Se aumentan los casos de votación con mayoría calificada en el Consejo; se otorgan algunos poderes legislativos al Parlamento, se crea una nueva corte de primera instancia se introducen las políticas de cohesión y se amplía el alcance de las políticas comunitarias
1992	Tratado de la Unión Europea (Maastrich)	Se crea la UE y sus "tres pilares" (la CE, la política exterior y de seguridad común –CFSP–, y la política común de justicia y asuntos interiores –JHA–); se aumentan los casos de votación por mayoría calificada en el Consejo; se formaliza el Consejo Europeo; se introduce el sistema de codecisión con el Parlamento; se establece un nuevo Comité para las Regiones; se amplía la cobertura de políticas, especialmente en lo que respecta a la unión económica y monetaria (EMU); se introducen los principios de subsidiariedad y ciudadanía; y se establece la Carta Social (a la que no adhiere el Reino Unido)
1994	Acta de Accesión	Se admite a Austria, a Finlandia y a Suecia
1997	Tratado de Amsterdam	Se otorgan más poderes legislativos al Parlamento y se establecen exigencias más estrictas para su asentimiento en materias tales como ampliación y nombramientos en la comisión; se introduce el concepto de "flexibilidad" (algunos estados miembros cooperan sin la participación de otros); se genera un aumento modesto en la votación por mayoría calificada en el Consejo; se incorpora el acuerdo de Schengen
1997	Tratado Consolidado de la Unión Europea (TCUE)	"Simplifica" los tratados combinándolos en un conjunto único y reenumera las provisiones de los tratados anteriores

Fuente: Adaptado de Wallace, H., "The Institutional Setting", en Wallace, H. and Wallace, W. (2000). *Policy-Making in the European Union*. Oxford. Oxford University Press.

De hecho, la Comisión había comenzado a ocuparse de los efectos negativos sobre el comercio de las divergencias en los estándares y en las regulaciones nacionales desde principios de la década del sesenta. Sin embargo, esta preocupación sólo se profundizó a partir del 1° de julio de 1968 cuando culminó el proceso de eliminación de aranceles. En una primera etapa la Comisión ensayó la armonización total como mecanismo para eliminar las barreras a la libre circulación de bienes. Después de la primera ampliación, sin embargo, la Comisión adoptó un enfoque más pragmático recurriendo a la armonización sólo cuando ésta podía justificarse en función de un interés mayor, como por ejemplo la protección de los consumidores o el medio ambiente.[6] El proceso de armonización funcionó en base a directivas que definían los parámetros básicos de las políticas a nivel regional, dejando el alcance y el método de implementación a la discreción de los gobiernos nacionales. Sin embargo, este proceso avanzó muy lentamente: entre 1969 y 1985 se adoptaron sólo 270 directivas.

En forma casi paralela la jurisprudencia comunitaria comenzó a introducir un nuevo principio para tratar asimetrías en las regulaciones. En una decisión que habría de tener un gran impacto, en 1979 la Corte Europea de Justicia sancionó el principio de reconocimiento mutuo al determinar que el gobierno alemán no podía obstaculizar la venta de la bebida alcohólica francesa *Cassis de Dijon* en su mercado, debido a que no cumplía con el estándar alemán para los licores.[7] La aplicación del principio de reconocimiento mutuo bajo ciertas condiciones dejó atrás la compleja etapa de la armonización puntual y fue, hasta ese momento, la contribución más importante para asegurar la libre circulación de bienes, aparte de la ya alcanzada eliminación de tarifas. No obstante, a pesar de que el caso *Cassis de Dijon* sentó un precedente muy importante, la aplicación efectiva de este principio dependía de dictámenes particulares de la Corte Europea de Justicia, lo que hacía al proceso extremadamente lento y, hasta cierto punto, incierto.

El siguiente hito en el proceso de integración europeo ocurrió en 1986, cuando se aprobó el Acta del Mercado Unico que introdujo enmiendas al Tratado de Roma y produjo innovaciones institucionales significativas. La primera fue la institucionalización del Consejo Europeo como encuentro

---

[6] Young, A. and Wallace, H. "The Single Market. A New Approach to Policy", en Wallace, H. and Wallace, W. (2000). *Policy Making in the European Union*. Oxford. Oxford University Press.

[7] Wallace, W. (1994). *Regional Integration: the West European Experience*. Washington DC. The Brookings Institution, pág. 76.

periódico de jefes de estado de los países miembros, en los que se esperaba que surgiera el impulso necesario para la construcción comunitaria y la cooperación en materia de política exterior. En cuanto a la revisión de los tratados comunitarios, las reformas se concentraron en el de la CEE, donde se aumentó el papel del Parlamento en el proceso de toma de decisiones y se multiplicó la posibilidad de votación por mayoría calificada en el ámbito del Consejo.[8] Adicionalmente, el Acta del Mercado Unico puso como objetivo la realización efectiva del mercado interior y la ampliación de las competencias comunitarias hacia nuevas áreas. Para conseguir lo primero, el Acta definió el mercado único como "un espacio sin fronteras interiores dentro del cual se asegura la libre circulación de bienes, personas, servicios y capitales" y fijó como fecha límite para su realización el 31 de diciembre de 1992. Con respecto a la ampliación de las competencias, se establecieron como nuevos ámbitos de acción comunitaria la investigación, el desarrollo tecnológico, el medio ambiente y la política regional (denominada política de cohesión económica y social). En su forma práctica el Acta del Mercado Unico integró en un solo compromiso cambios institucionales y objetivos de política que involucraban cerca de trescientas medidas. La mayor parte de estas medidas eran de naturaleza microeconómica y apuntaban a promover una efectiva integración del mercado eliminando: a) las asimetrías en las regulaciones y en los estándares técnicos entre los Estados parte, b) los complejos y extensos procedimientos administrativos aduaneros que afectaban el comercio intrarregional, c) las restricciones impuestas por los regímenes nacionales de compras públicas y d) la falta de integración de ciertas actividades de servicios.

No obstante, hacia 1992 el mercado único aún no se había alcanzado plenamente. A pesar de que se habían emitido un número significativo de directivas, aún faltaban regulaciones comunes en el campo de los servicios públicos, del sistema impositivo y de la legislación empresaria. Lo que era aún más importante, la transposición de las directivas en la legislación nacional avanzaba lentamente, lo que permitía que subsistieran disposiciones nacionales en conflicto con la legislación comunitaria. Así, durante la década del noventa la Comisión y el Consejo de Ministros concentraron sus esfuerzos en mejorar la implementación de esas medidas. Este proceso fue auxiliado y estimulado por el debate sobre la unificación monetaria y por la necesidad percibida de mejorar la competitividad y crear empleos.

8 Para las tres comunidades (CEE, Ceca y Ceea) también se creó un tribunal de primera instancia.

Los nuevos compromisos se plasmaron en el Tratado de Maastrich, firmado el 7 de febrero de 1992. Además de incluir una revisión de los tratados comunitarios originales (el llamado "primer pilar"), el Tratado de Maastrich creó nuevos compromisos internacionales en el ámbito de la política exterior y de seguridad común (Pesc, el llamado "segundo pilar") y de cooperación en materia de justicia y asuntos interiores ("tercer pilar"). El Tratado entró en vigor el 1° de noviembre de 1993, después de que fuera ratificado por el último país (Alemania). Como otros anteriores documentos que orientaron la experiencia europea de integración, el Tratado de Maastrich es un texto complejo. Además de los tres pilares señalados, el Tratado incluye 17 protocolos anexos y 33 declaraciones con indicaciones de interpretación o declaraciones de intención. El Tratado también estableció los mecanismos para transformar el mercado común en una unión monetaria a través de un proceso gradual de convergencia que culminaría en el establecimiento de paridades fijas irrevocables (a partir del 1° de enero de 1999) y, posteriormente, en la adopción de una moneda única (el euro) en sustitución de las monedas nacionales. También fijó la posibilidad de que algunos miembros no participaran del proceso, ya sea porque no calificaran según lo establecido en Maastrich (como luego ocurrió en el caso de Grecia y Suecia) o porque prefirieran mantenerse al margen del mismo (como en el caso del Reino Unido y Dinamarca).

Box 3.1.
La cooperación monetaria en la experiencia de integración europea

1970 Informe Werner
Propone establecer una unión económica y monetaria para el año 1980. No se implementó debido a los shocks globales de los setenta. Sugiere una cooperación económica y monetaria más estrecha y una administración conjunta de las políticas de tipo de cambio, sentando las bases para los eventos que se desarrollarían posteriormente.

1972 Acuerdo de Basilea: la "serpiente en el túnel"
Después del colapso del régimen de Bretton Woods los seis miembros de la CEE fijan las paridades bilaterales con una banda fluctuación de 2.25% (la "serpiente") y una banda de fluctuación de 4.5% con relación al dólar (el "túnel").

1973-8 Implementación de la "serpiente en el túnel"
En 1973 se establece el Fondo Europeo de Cooperación Monetaria

(Fecm) para auxiliar en la coordinación de la "serpiente". Italia abandona la "serpiente" en 1973. Francia hace lo propio en 1974, para volver a integrarse en 1975 y abandonar el esquema un año más tarde. Alemania encabeza una "miniserpiente" con los países del Benelux (Bélgica, Países Bajos y Luxemburgo), Dinamarca, Suecia y Noruega hasta 1978. Se producen múltiples realineamientos de las paridades.

1978 Creación del ECU (European Currency Unit)
El Consejo Europeo crea el ECU como antecedente del Sistema Monetario Europeo.

1979 Establecimiento del Sistema Monetario Europeo (SME)
En marzo de 1979 los nueve miembros de la CEE establecen el SME. El Reino Unido no participa del Mecanismo de Tipos de Cambio (MTC), un sistema de tipos de cambio cuasifijos que es la pieza central del SME. Se crea una Línea de Créditos de Muy Corto Plazo (VSTFF) para asistir al Fondo Europeo de Cooperación Monetaria en la gestión del SME. Se pone en marcha el ECU como una canasta de monedas. La banda del MTC se fija en 2.25% respecto de un tipo de cambio central. Italia es autorizada para fluctuar en una banda del 6%, pero adhiere a la banda reducida en enero de 1990.

1983 Alemania y los Países Bajos forman una unión cambiaria

1986 Acta del Mercado Unico
La cohesión económica y social se plantea como uno de los principales objetivos del Acta del Mercado Unico. Además, los signatarios se comprometen a adoptar eventualmente una moneda única.

1989 Plan Delors
Se lanzan propuestas para incluir la unión económica y monetaria en el Tratado de Maastrich. El Consejo Europeo se reúne en Madrid y Estrasburgo para discutir las propuestas que se incluirán en el Tratado de Maastrich. España adhiere al MTC en julio con una banda ancha del 6%.

1990 Liberalización plena de los movimientos de capital
El 1° de julio de 1990 se inicia la primera fase de la unión económica y monetaria con la liberalización plena de los movimientos de capital, excepto para aquellos países que gozan de un período de transición. El Reino Unido adhiere al MTC en octubre con una banda ancha del 6%.

1991 El Tratado de Maastrich crea la Unión Europea
Se formulan los planes para la unión económica y monetaria (EMU) en base al Plan Delors. Se propone el establecimiento de una moneda única para 1997 (o a más tardar para 1999), para la mayoría de los miembros de la UE. Se establecen criterios de convergencia para va-

riables monetarias y fiscales. Se acuerda un proceso de unificación monetaria en tres fases y se incluyen otras medidas de coordinación de políticas económicas. El Reino Unido y Dinamarca optan por quedarse al margen de la fase final del EMU (adopción de una moneda única).

1993 Entra en vigor el Tratado de Maastrich
El 1° de noviembre entra en vigor el Tratado de la Unión Europea firmado en Maastrich. Se congela la composición de la cesta del ECU.

1994 Segunda fase del EMU
Se crea el Instituto Monetario Europeo en Frankfurt. Se refuerza la coordinación de políticas económicas a escala europea.

1995 Se establece el Programa Técnico para la Introducción del Euro
En el Consejo Europeo de Madrid se fija el programa técnico de introducción del euro y el calendario para la transición a la moneda única en 1999. La conclusión del proceso se prevé para 2002.

1997 Pacto de Estabilidad y Crecimiento
En el Consejo Europeo de Amsterdam se formula el acuerdo definitivo sobre el marco jurídico para la utilización del euro, el Pacto de Estabilidad y Crecimiento y el régimen que sucederá al SME.

1998 Designación de los primeros participantes en la moneda única
Los jefes de Estado o gobierno deciden los Estados miembros que participarán en la moneda única en función de los criterios de convergencia y los resultados económicos de 1997. Estos países son: Alemania, Austria, Bélgica, España, Finlandia, Francia, Irlanda, Italia, Luxemburgo, Países Bajos y Portugal. Nombramiento del Comité Ejecutivo del Banco Central Europeo (BCE). Preparación final del BCE y del Sistema Europeo de Bancos Centrales (SEBC).

1999 Tercera fase del EMU
El 1° de enero el Consejo fija irrevocablemente los tipos de conversión de las monedas de los países participantes entre sí y con respecto al euro. El euro se convierte en una moneda de pleno derecho y la cesta oficial del ECU deja de existir. Entra en vigor el reglamento del Consejo por el que se establece el marco jurídico para la introducción del euro. A partir del 1° de enero de 1999 el SEBC define y aplica la política monetaria única en euros y lleva a cabo las operaciones de cambio en la misma moneda. Los Estados miembros realizan las nuevas emisiones de deuda pública en euros.

Hasta el 1° de enero de 2002: adopción de la moneda única
El SEBC cambia las monedas aplicando los tipos de cambio fijados

> irrevocablemente. El SEBC y las autoridades públicas de los Estados miembros supervisan el paso a la moneda única en los sectores bancario y financiero. El SEBC pone gradualmente en circulación billetes en euros y retira los billetes nacionales. Los Estados miembros ponen gradualmente en circulación monedas en euros y retiran las monedas nacionales.
>
> Hasta el 1° de julio de 2002: fin de la transición
> Fin de la transición hacia el euro para todos los Estados participantes.

Fuente: Elaboración propia en base a documentos oficiales.

El Tratado de Maastrich sobre la Unión Europea fue concebido como una primera etapa en el proceso de establecimiento de la unión económica y, de hecho, previó su propia revisión en 1996. Las negociaciones desarrolladas en el ámbito de la conferencia intergubernamental creada para proceder a su revisión culminaron en el Tratado de Amsterdam firmado en octubre de 1997. El Tratado de Amsterdam es un texto heterogéneo compuesto de trece protocolos, cincuenta y una declaraciones de la conferencia intergubernamental y ocho declaraciones de Estado. Este texto pone un nuevo énfasis sobre los derechos fundamentales y la comunitarización del "tercer pilar", otorga más influencia al Parlamento, simplifica los procedimientos de codecisión, incrementa los casos de votación por mayoría calificada en el Consejo e introduce mayor flexibilidad (algunos miembros no asumen ciertos compromisos). Las modificaciones realizadas en Amsterdam también incluyeron una versión consolidada del Tratado sobre la Unión Europea y del Tratado de la CE (Tratado Consolidado de la Unión Europea). El nuevo texto "simplificó" los tratados combinándolos en un único documento y renumerando las viejas disposiciones.

El proceso de "profundización" que acaba de reseñarse ocurrió *pari passu*[9] con la ampliación en el número de miembros, el que pasó de los seis originales a los actuales quince. En 1973 se incorporaron el Reino Unido, Dinamarca e Irlanda, seguidos en 1981 por Grecia y en 1986 por España y Portugal. Finalmente, en 1995 se integraron Austria, Finlandia y Suecia, llevando el número total de miembros a quince. Es probable que la Unión Europea tenga al menos cinco miembros adicionales de Europa central y oriental antes de fines de la presente década, proceso que plan-

---

[9] *Pari passu*: literalmente "de igual, parecido o semejante paso, marcha o desarrollo".

teará importantes demandas institucionales y financieras. Visto en perspectiva, el proceso comunitario en la práctica "absorbió" el modelo alternativo del Area de Libre Comercio Europea (EFTA) creada en 1960 bajo el liderazgo de Gran Bretaña. En la actualidad entre los países de Europa occidental sólo Islandia, Liechtenstein, Noruega y Suiza continúan al margen de la UE y vinculados por el EFTA. De todas formas, desde 1994 todos estos países (con excepción de Suiza) forman parte del Area Económica Europea, con lo que han incorporado buena parte del "acervo comunitario" en materia regulatoria.

La experiencia de integración de la UE permite extraer varias lecciones que, aunque no sean replicables en otras regiones del mundo, ayudan a explicar el éxito de este proceso. La primera es que la experiencia de integración europea estuvo motivada siempre por un fuerte componente político, tanto en sus orígenes como en su desarrollo ulterior. En efecto, la visión estratégica de sus precursores fue mucho más allá de la creación de una zona de preferencias comerciales con algunas políticas comunes: desde un principio el objetivo de construir un nuevo tipo de vínculo entre las naciones de Europa fue parte del corazón de la iniciativa.

La alta prioridad política que se otorgó al proceso de integración también explica el modelo institucional adoptado. En efecto, en el proceso de integración europeo jugó un papel fundamental la construcción de instituciones comunes, la creación de reglas jurídicas y el respeto por una instancia jurisdiccional representada por la Corte Europea de Justicia. Aunque mucho se ha insistido en la eficacia de estos mecanismos institucionales identificándolos de manera automática con órganos y procedimientos "supranacionales", ésta es una visión distorsionada de la realidad. En efecto, detrás de la efectividad de órganos como el Tribunal Europeo de Justicia o la Comisión siempre ha habido gobiernos nacionales comprometidos a avanzar en el camino de la integración.[10] En este sentido, subrayar la combinación de rasgos "supranacionales" e "intergubernamentales" de las ins-

---

[10] Hasta hace poco tiempo, por ejemplo, el Tribunal Europeo de Justicia no podía imponer multas por incumplimiento de sentencias. Aún así, su eficacia ha estado siempre fuera de duda. Por consiguiente, ésta no ha descansado en los recursos para sancionar, sino en la legitimidad acumulada en el proceso de construcción europeo, junto con la disposición de los Estados parte y los jueces nacionales a interpretar los dictámenes del TEJ como "la ley" Torrent, R. "La Unión Europea: Naturaleza Institucional, Dilemas Actuales y Perspectivas", en Bouzas, R. (ed.) (1997). *Regionalización e integración económica. Instituciones y procesos comparados.* Buenos Aires. Editorial Nuevohacer.

tituciones y los procedimientos europeos permite entender más correctamente lo específico de dicha experiencia.

Finalmente, y tal como surge del recuento anterior, el proceso de formulación de políticas en la UE incluye reglas y procedimientos que han evolucionado durante las últimas cuatro décadas. En su base puede encontrarse un proceso de aprendizaje que ha reforzado la confianza mutua y que ha creado redes interburocráticas y grupos de interés y afinidad. En este marco de vínculos societarios cada vez más compactos, las ideas han jugado un papel central (junto con los intereses) para encontrar respuestas cooperativas a desafíos de política siempre cambiantes.

3. El Tratado de Libre Comercio de América del Norte

A diferencia del Tratado de Roma, el Tratado de Libre Comercio de América del Norte (Tlcan), que vincula Canadá, Estados Unidos y México, tuvo desde sus orígenes objetivos menos ambiciosos. El Tlcan no se propuso ir más allá de un área de libre comercio, a pesar de que sus compromisos trascendieron el ámbito del intercambio de bienes e incorporaron disciplinas comunes en áreas como el comercio de servicios, el tratamiento de las inversiones y la protección de la propiedad intelectual. El Tlcan también se construyó en la práctica sobre la base de la fuerte integración preexistente de los mercados.

Las razones que impulsaron a cada uno de los Estados a participar del Tlcan fueron diferentes. Para Canadá, que ya tenía vigente un acuerdo bilateral de libre comercio con Estados Unidos desde 1987, la incorporación a un acuerdo trilateral con México estuvo motivada por su interés en no quedar aislado como un "rayo" en un esquema "centro-rayos" en formación.[11] Para el gobierno canadiense también pesó la consideración de

---

[11] En un esquema "centro-rayos" el país "centro" tiene acuerdos preferenciales de comercio con los "rayos", los que a su vez están desvinculados entre sí. Una configuración de este tipo no sólo es ineficiente porque puede inducir triangulaciones que consumen recursos, sino que es desventajosa para los países "rayo". En efecto, en igualdad de condiciones el país "centro" resulta más atractivo a los efectos de la localización de nuevas inversiones. Si México y Estados Unidos hubieran negociado un acuerdo bilateral, Estados Unidos habría ocupado la ventajosa posición del "centro". Véase: Wonnacott, R. y Wonnacott, P. (1996). "El Tlcan y los acuerdos comerciales en las Américas", en *Las Américas: integración económica en perspectiva*. Bogotá. Departamento Nacional de Planeación-BID.

que en una negociación que incluyera a México sería posible revisar algunas de las disposiciones del acuerdo bilateral Canadá-Estados Unidos que no resultaban totalmente satisfactorias para los intereses de ese gobierno, como el mecanismo de paneles binacionales creado para tratar las disputas en torno a la aplicación de derechos compensatorios y *antidumping*.

Para el gobierno de México la negociación de un acuerdo de libre comercio con Estados Unidos se apoyaba tanto en consideraciones comerciales como en razones más amplias de estrategia económica. Las primeras se comprenden claramente cuando se toma en consideración que tres cuartas partes de las exportaciones mexicanas se dirigían a Estados Unidos y, con frecuencia, las condiciones de acceso a ese mercado sufrían como consecuencia de la implementación crecientemente discrecional de la política norteamericana de "alivio comercial". Pero además el acuerdo con Estados Unidos fue visto como un mecanismo para "consolidar" (*lock in*) las reformas de política que se habían implementado desde mediados de la década de los ochenta y, al mismo tiempo, mejorar las expectativas de los agentes económicos. Para el gobierno mexicano, además, el TLCAN apareció como un recurso para estimular el ingreso de capitales y aliviar la restricción externa al crecimiento con la que ese país había salido de la renegociación de su deuda externa en el marco del Plan Brady.

Para el gobierno norteamericano, por último, la participación en el TLCAN (así como en el anterior acuerdo de libre comercio con Canadá) se apoyó en consideraciones de estrategia comercial internacional. En efecto, desde principios de la década de los ochenta la Administración norteamericana venía impulsando, con escaso éxito, la inclusión en la agenda de negociación multilateral de "nuevos" temas, tales como el comercio de servicios, el tratamiento de la inversión y la protección de los derechos de propiedad intelectual. La conferencia ministerial del GATT de 1982 había fracasado en su objetivo de lanzar una nueva rueda de negociaciones comerciales multilaterales y, cuando finalmente se puso en marcha la rueda Uruguay en 1986, existía una gran incertidumbre sobre el alcance de sus resultados. En este contexto, el acuerdo bilateral de libre comercio con Canadá sirvió para que el gobierno norteamericano concretara acuerdos en materia de servicios e inversiones, sentando así un precedente para las negociaciones multilaterales en marcha. El acuerdo con México sirvió un objetivo similar, además de constituir un mecanismo para mejorar las perspectivas de crecimiento de la economía de ese país y reducir las presiones migratorias sobre la extensa frontera sur. El acuerdo con México no sólo incluyó compromisos en materia de liberalización del comercio de servicios, tratamiento de las inversiones y protección de la propiedad intelectual, sino que a exigencia del Congreso incluyó cuatro "acuerdos paralelos", dos de los cuales cubren áreas sensibles como los estándares ambientales y laborales.

El TLCAN incorporó el compromiso general de liberalizar la totalidad del comercio de México con Canadá y Estados Unidos en un período de diez años a partir de su implementación el 1° de enero de 1994, con un plazo máximo de quince años para ciertos productos sensibles. El acuerdo también incluyó arreglos especiales (sobre todo en materia de reglas de origen) en lo que respecta al comercio de material de transporte, productos textiles y del vestido, productos electrónicos y agricultura, incluyendo una salvaguarda especial para este sector. En materia de disciplinas el TLCAN adoptó el mecanismo de los paneles binacionales para intervenir en casos de controversias relativas a la aplicación de derechos compensatorios y *antidumping,* establecido originalmente en el acuerdo bilateral Canadá-Estados Unidos; definió principios generales para regular el comercio de servicios y tomó compromisos explícitos de liberalización en materia de comercio de servicios de transporte terrestre, telecomunicaciones y financieros. En su capítulo sobre inversiones el TLCAN eliminó las restricciones a los flujos de inversión en la región, comprometió la aplicación de los principios de trato nacional y nación más favorecida a las inversiones de los países socios, adoptó procedimientos rigurosos de solución de controversias (incluyendo la posibilidad de que particulares afectados puedan recurrir a mecanismos obligatorios de arbitraje internacional) e incluyó limitaciones sustanciales al uso de requisitos de desempeño.[12] Finalmente, en materia de protección de la propiedad intelectual el TLCAN incorporó la totalidad de las demandas norteamericanas sobre el tema, incluyendo una expansión de la cobertura de la legislación mexicana hacia nuevas áreas y resolviendo la mayoría de las disputas preexistentes.[13]

---

[12] Los compromisos relativos a requisitos de desempeño fueron muy parecidos a la posición que Estados Unidos llevó a las negociaciones de la rueda Uruguay del GATT. No obstante, el acuerdo sobre los TRIM (Trade Related Investment Mesures) que se aprobó en el marco del GATT tuvo un alcance bastante menor que el TLCAN, en buena medida debido a la resistencia de los países en desarrollo a resignar instrumentos para controlar el desempeño de los inversionistas extranjeros. Véase: Hufbauer, G. C. y Schott, J. (1993). *NAFTA. An Assessment.* Washington DC. Institute for International Economics.

[13] Como parte del proceso de negociación del TLCAN, México ya había reformado su legislación de protección de los derechos de propiedad intelectual y de patentes a mediados de 1991, siguiendo las demandas formuladas por Estados Unidos.

Box 3.2.
No todo lo que reluce es oro: las reglas de origen en el TLCAN

Las reglas de origen se emplean para determinar cuáles son los bienes que están en condiciones de recibir el tratamiento preferencial establecido por un acuerdo de libre comercio. El objetivo de las reglas de origen es evitar que los beneficios de las preferencias se extiendan a bienes con un contenido elevado de insumos importados provenientes de países no miembros.

En general, el TLCAN adopta la regla convencional de que los bienes que contengan insumos importados califican para recibir tratamiento preferencial sólo si estos insumos son "transformados sustancialmente" y ello resulta en un cambio de clasificación arancelaria. Pero además de este principio general, para ciertos productos las reglas de origen del TLCAN incluyen requisitos de valor agregado y requisitos específicos para hacer más restrictiva la exigencia de exclusión de insumos importados.

Los dos sectores con reglas de origen más restrictivas son el sector textil y de vestido y el sector de automóviles. Para el sector textil y de vestido el acuerdo establece una regla de "triple transformación" que requiere que los bienes sean confeccionados a partir de hilado producido en la región. Para el sector de automóviles la regla de origen establece un contenido mínimo de valor agregado del 62.5% sobre una base de costo neto, e incluye la exigencia de que los componentes importados del motor, la transmisión u otras partes se descuenten a los efectos del cómputo del porcentaje de valor agregado regional.

El TLCAN no estableció un régimen de libre comercio para el sector de la energía en América del Norte. La tradición histórica de México (y las restricciones constitucionales) en materia de propiedad pública del petróleo y sus derivados frustraron la demanda norteamericana de terminar con el monopolio de la compañía estatal mexicana sobre la exploración, la explotación y la venta de combustibles. No obstante, el acuerdo alcanzó compromisos importantes de liberalización de las políticas de aprovisionamiento de Pemex y de la Comisión Federal de Electricidad, así como de las regulaciones a la inversión en la petroquímica.

Fuente: G. C. Hufbauer y J. Schott (1993), NAFTA. *An Assessment,* Washington DC. Institute for International Economics.

Finalmente, en materia de estándares laborales y ambientales los "acuerdos paralelos" negociados ratificaron el principio de que cada país tiene el derecho de establecer sus propios estándares, que éstos deben orientarse a proteger el medio ambiente y los trabajadores, y que los miembros renuncian a utilizar estándares más laxos como un mecanismo para atraer inversiones. Ambos acuerdos también establecieron un mecanismo a través del cual los estados parte pueden ser cuestionados por no implementar adecuadamente su legislación interna. Eventualmente, si la parte cuestionada insistiera en la práctica el órgano de aplicación podría decidir la imposición de multas, las que podrían culminar en el retiro de concesiones comerciales (hasta un límite máximo) en el caso de México o en la exigencia de pago ante un tribunal competente, como en el caso de Canadá.

El impacto del Tlcan en términos comerciales ha sido muy importante. En efecto, entre 1980 y 1998 las exportaciones intrarregionales crecieron a una tasa que duplicó el ritmo de crecimiento de las exportaciones al resto del mundo, llevando su participación en las exportaciones totales de los tres miembros del 42.6% en 1990 al 51.3% en 1998. En lo que respecta a Estados Unidos, las exportaciones al Tlcan (y especialmente las ventas a México) se incrementaron a un ritmo que casi duplicó la tasa de desarrollo de las exportaciones al resto del mundo, confirmando el alto potencial de crecimiento del mercado mexicano como destino para las exportaciones norteamericanas.[14]

Para México estos fenómenos fueron aún más importantes, ya que las exportaciones a sus socios del Tlcan crecieron a un ritmo que casi triplicó el aumento de las exportaciones al resto del mundo. Este ritmo de desarrollo es mucho mayor que el que estaría justificado por la mera expansión del mercado norteamericano, como lo confirma el hecho siguiente: la participación de México en las importaciones norteamericanas aumentó del 5.7% en 1989 al 10.7% diez años más tarde. Si bien el rápido crecimiento de las exportaciones mexicanas a Estados Unidos fue en parte estimulado por la devaluación del peso de diciembre de 1994, la intensidad del mismo parece mucho mayor que la que se justificaría por el mero cambio de los precios relativos. Por otra parte, hacia fines de la década del noventa la mayor parte de la mejora en el tipo de cambio real producida por la devaluación del peso

---

[14] El rápido crecimiento de las exportaciones de Estados Unidos hacia México desplazó otros proveedores tradicionales del mercado mexicano, como las economías europeas. Esta pérdida de participación en el mercado de importaciones de México fue sin duda un factor decisivo para explicar la exitosa negociación de un acuerdo de libre comercio entre México y la Unión Europea concluida a mediados del año 2000.

en 1994 ya se había revertido. Aún así, las exportaciones hacia Estados Unidos continuaban creciendo rápidamente.[15]

Aunque el Tlcan formalmente no ha avanzado hacia estructuras más profundas de integración como una unión aduanera, un mercado común o una unión económica, existen indicios de que en la práctica las propias dinámicas de mercado están creando vínculos mucho más estrechos entre las economías de América del Norte. En particular, en el caso de México existen evidencias de que en la última década se ha registrado un proceso de dolarización *de facto* que se refleja en la sustitución creciente del peso mexicano por el dólar. Sin un acuerdo formal como el de la UE, también en América del Norte se estaría produciendo un fenómeno de unificación monetaria alentado, en este caso por la competencia y el mercado.

Finalmente, algunos atribuyen al Tlcan un impacto que va mucho más allá de la economía. El indicador más reciente en apoyo de esta opinión es la consolidación de la transición política que resultó en la derrota del Partido Revolucionario Institucional después de siete décadas de monopolio en el ejercicio del Poder Ejecutivo. El mayor escrutinio internacional y la creciente interacción entre organizaciones de la sociedad civil de ambos países ha reducido el margen para prácticas autoritarias o poco transparentes, como las que en el pasado caracterizaron con cierta frecuencia la vida política de México. Con todo, y a pesar de estos desarrollos positivos, el proceso de integración en América del Norte estaría haciendo poco para disminuir (y de hecho podría estar contribuyendo a aumentar) las disparidades regionales que también han caracterizado a México por décadas. En contraste con la experiencia de la UE, donde la cohesión y los fondos de ayuda estructural han jugado un papel clave para consolidar el proceso de integración (aunque no necesariamente a través de su impacto sobre el desempeño económico), en el Tlcan los temas distributivos han quedado básicamente asignados a la responsabilidad del mercado y de las instituciones nacionales.

---

[15] Aunque el índice de comercio intraindustrial (que mide la intensidad del comercio de productos similares en ambas direcciones) entre México y Estados Unidos ha crecido, lo ha hecho modestamente. Hasta el momento el Tlcan no parece haber producido un cambio en el patrón de especialización tradicional de ambas economías.

Parte II

Evolución, resultados y desafíos del Mercosur

Introducción

Esta segunda parte entra de lleno en lo que constituye la sustancia del libro: brindar de manera ordenada e integrada una visión global de la génesis, evolución, resultados y perspectivas del Mercosur en el plano económico. En este apartado, el lector tendrá oportunidad de utilizar de manera intensa los conceptos desarrollados en la Parte I. Tenemos la esperanza de que a medida que avance en la lectura irá percibiendo los beneficios intelectuales de la inversión realizada en los capítulos precedentes para familiarizarse con las herramientas analíticas de la economía internacional.

La Parte II se desarrolla en cinco capítulos. Cualquiera de esos capítulos, del número cuatro al ocho, puede leerse de manera independiente. Sin embargo, la secuencia en que se presentan sigue un orden diseñado con criterio pedagógico. Por ello se recomienda al lector no especialista seguir el orden establecido, pues de ese modo obtendrá una visión más coherente y sistematizada de los temas involucrados.

El capítulo 4 estudia la génesis de la integración regional y la ubica histórica y geográficamente en el ámbito de América latina.

El capítulo 5 se ocupa de dos hitos fundamentales para el acuerdo regional. En primer lugar describe la creación del Mercosur a partir del Tratado de Asunción, explica cómo se encararon los problemas del período de transición y realiza una evaluación del mismo. En segundo término, examina la Cumbre de Ouro Preto y el establecimiento de la unión aduanera. Se plantean, en ese contexto, las cuestiones que debían resolverse al decidir la formación de una unión aduanera, tales como el régimen de adecuación de los aranceles, las perforaciones y las reglas de origen y los sectores con tratamiento especial (azúcar y automóviles).

El capítulo 6 estudia la evolución concreta en cada uno de esos temas durante el período posterior a Ouro Preto, cuando se implementa efectivamente la unión aduanera, y concluye con el análisis de la agenda de profundización del Mercosur. Esta agenda implica un nivel mayor de compromiso de los socios pues supone avanzar en temáticas muy sensibles, tales como los regímenes de compras gubernamentales o la eliminación de asimetrías regulatorias. Al mismo tiempo, se enfatiza la cuestión de los servicios y las inversiones.

Si bien dedican un espacio considerable al estudio de los resultados, los capítulos 7 y 8 tienen un mayor contenido evaluativo y de análisis de perspectivas. En ellos se abordan de lleno temas que son clave para contestar los dos interrogantes presentados en la Introducción al libro, referidas a la potencialidad del Mercosur como instrumento para la integración en la economía global y el crecimiento. El capítulo 7 se ocupa sobre todo del Mercosur como medio para la inserción internacional y estudia sus relaciones externas y las negociaciones que se están llevando a cabo o que deberán encararse en el futuro próximo. Así, por una parte, se pasa revista a las relaciones con el entorno latinoamericano: Bolivia, Chile, la Comunidad Andina y México y, por otra, con el mundo desarrollado: el ALCA y la Unión Europea.

El capítulo 8 cierra el libro. Su tema principal son los resultados económicos del Mercosur y su potencial de crecimiento. Se comienza por analizar la evolución del comercio en lo que hace a volumen, distribución geográfica y cambios en el patrón de especialización sectorial luego de diez años, al tiempo que se evalúan variables clave para el crecimiento, como la tasa de inversión y la capacidad de atraer inversión extranjera directa. También se sopesan las distintas alternativas para la coordinación macroeconómica en el bloque. Este es el capítulo donde se hace el uso más intensivo de las herramientas analíticas de la teoría de la integración expuestas en la Parte I y termina evaluando si es posible y apropiado concebir un Mercosur para la productividad, esto es, concebir el proceso de integración como la construcción de un espacio económico ampliado que sirva de plataforma para acelerar el crecimiento de la productividad y crear las condiciones para la convergencia de largo plazo entre el PBI *per capita* de los países de la región y el de los países desarrollados.

CAPÍTULO 4

ANTECEDENTES DEL MERCOSUR: DE UNA HISTORIA DE RECELOS AL
PROGRAMA DE INTEGRACIÓN Y COOPERACIÓN ECONÓMICA (PICE)

1. ARGENTINA-BRASIL: UNA HISTORIA DE RECELOS

La historia de las relaciones entre la Argentina y Brasil es la de la rivalidad por el liderazgo político y económico en América del Sur. Esta tradición de competencia tiene sus orígenes en el período colonial, cuando las coronas española y portuguesa disputaban codo a codo el control territorial y las vías de acceso a la Cuenca del Plata. Entre 1825 y 1828 este conflicto condujo a un enfrentamiento militar entre el Imperio de Brasil y las Provincias Unidas del Río de la Plata, el que concluyó con la creación de un nuevo Estado independiente en la margen oriental del Río de la Plata: Uruguay. El reconocimiento de la independencia del Paraguay por parte del gobierno de Brasil en la década de 1840 y la fijación de nuevos límites territoriales entre la Argentina y el Paraguay al término de la guerra de la Triple Alianza en 1876, dieron nuevos motivos para el surgimiento de tensiones entre ambos países, aunque no de la intensidad suficiente como para provocar nuevos conflictos militares.[1]

Durante el siglo XX y hasta el fin de la segunda guerra mundial, la vinculación económica privilegiada de la Argentina con Gran Bretaña y de Brasil con Estados Unidos (dos potencias con intereses contradictorios y competitivos en la región) sentó las bases para nuevas ambivalencias en la relación bilateral que se reflejaron, por ejemplo, en la posición asumida por cada uno de los gobiernos en las dos conflagraciones mundiales de la primera mitad de siglo. Adicionalmente, el modelo de inserción en la economía mundial basado en la exportación de productos intensivos en recursos naturales que prevaleció hasta la Gran Depresión, fomentó el desarrollo de un comercio incipiente en sectores en los que ambos países tenían ventajas absolutas (por ejemplo, productos agrícolas tropicales y

---

[1] Herrera Vegas, J. H. "Las políticas exteriores de la Argentina y de Brasil: divergencias y convergencias", en De la Balze, F. A. M. (comp.) (1995). *Argentina y Brasil. Enfrentando el siglo XXI.* Buenos Aires. ABRA.

mineral de hierro en el caso de Brasil, y productos agrícolas de clima templado en el de la Argentina). En contraste, las necesidades de productos industriales eran casi integralmente abastecidas desde las metrópolis.

Después de la Gran Depresión, cuando la Argentina y Brasil se vieron obligados a reorientar sus estrategias de desarrollo hacia la sustitución de importaciones, las altas barreras proteccionistas que se impusieron aislaron en la práctica a los mercados domésticos.[2] La réplica nacional de sectores y actividades industriales en un contexto de alto proteccionismo conspiró contra el desarrollo de vínculos comerciales más intensos. Paralelamente, el predominio de un clima de confrontación y de visiones y prioridades geopolíticas obstaculizaron el desarrollo de iniciativas cooperativas. Este clima fue especialmente intenso entre mediados de la década del sesenta y fines de la del setenta, cuando las relaciones bilaterales se desarrollaron bajo la sombra del conflicto por el aprovechamiento de los recursos hídricos de la Cuenca del Plata. En efecto, la decisión del gobierno brasileño de construir grandes represas hidroeléctricas aguas arriba en el río Paraná (incluyendo el proyecto binacional de Itaipú) generó recelos en la Argentina no sólo por su efecto potencial sobre el uso de dichos recursos, sino también por la alteración en el balance subregional del poder, que podría implicar el desarrollo de grandes obras de infraestructura binacionales (como el caso de Itaipú con Paraguay).

Los respectivos desempeños económicos durante la década del setenta contribuyeron a ampliar las distancias. Mientras que la "crisis del petróleo" dio un nuevo impulso a las políticas de fomento industrial en Brasil, la apertura comercial y financiera de la Argentina a partir de 1976 abrió la puerta a un acelerado proceso de desindustrialización. De esta forma, mientras que en Brasil maduraban grandes proyectos de inversión ligados a la creación de capacidad en sectores productores de bienes intermedios, el sector industrial argentino soportaba fuertes presiones derivadas de la apertura comercial y la sobrevaluación del peso. La crisis de la deuda externa volvió a enfrentar a ambas economías con dilemas comunes, pero en un contexto en el que la economía política interna de cada país había experimentado cambios fundamentales.

El sustrato de competencia y desconfianza mutua que caracterizó las relaciones bilaterales a lo largo de la historia, es un factor clave para expli-

---

[2] Durante la segunda guerra mundial la interdependencia comercial entre Argentina y Brasil (y los países del Cono Sur) se incrementó notablemente como consecuencia de las restricciones que sufrió el comercio con los países desarrollados.

car la precaria integración física que se desarrolló entre ambos países. No obstante una extensa frontera en común, la Argentina y Brasil carecieron de toda interconexión vial hasta 1947, cuando se inauguró el primer puente sobre el Río Uruguay vinculando las localidades de Paso de los Libres (en Argentina) y Uruguaiana (en Brasil). Esta precaria integración física de territorios contiguos dificultó las comunicaciones, dejó intactas las barreras naturales y mantuvo elevados los costos de transacción.

Pero este trasfondo de rivalidad no resume toda la historia de las relaciones bilaterales. En efecto, los vínculos entre la Argentina y Brasil también atravesaron por períodos de acercamiento. Casi todos ellos, sin embargo, resultaron más proyectos que realidades consolidadas. Uno de esos períodos fue la última década del siglo pasado, cuando las relaciones bilaterales atravesaron por un período de gran aproximación después de la alianza militar tripartita (con Uruguay) para desalojar del poder al presidente paraguayo Francisco Solano López. En esos años, ambos gobiernos resolvieron sus disputas territoriales sobre las Misiones Orientales recurriendo a un arbitraje internacional. Poco después se produciría el célebre intercambio de visitas de los presidentes Julio A. Roca y Manoel Ferraz de Campos Salles, que abrió la puerta para la firma del "Tratado de Cordial Inteligencia Política y Arbitraje" de 1915 junto con Chile (el llamado Tratado del ABC). No obstante, este tratado se frustró porque no fue ratificado por el Congreso argentino después de la asunción del gobierno de la Unión Cívica Radical.[3]

Igualmente frustrada fue la iniciativa del Ministro de Hacienda argentino: Federico Pinedo propuso en 1940 un acuerdo de eliminación de aranceles para industrias nuevas que podría haber constituido el embrión de una zona de libre comercio.[4] Nuevas iniciativas de aproximación se registraron durante los gobiernos de Vargas y Perón a principios de los cincuenta y de Kubitschek y Frondizi a fines de la misma década. Sin embargo, ninguna de ellas consiguió modificar en forma duradera la relación política bilateral, ni incrementar de manera sostenida la interacción económica. La Argentina y Brasil continuaron dándose las espaldas.

---

[3] La principal razón para el rechazo fueron los temores de que el tratado fuera interpretado como un intento por imponer un liderazgo en la región.
[4] De la Balze, F. A. M. "La Argentina y Brasil: Enfrentando el Siglo XXI", en De la Balze, F. A. M. (comp.) (1995).

2. Los antecedentes de la cooperación económica entre la Argentina y Brasil: la Alalc-Aladi

El origen de los procesos de integración económica en América latina y el Caribe se remonta a la década del cincuenta. Sus raíces pueden rastrearse en la influencia del pensamiento de la Comisión Económica para América latina y el Caribe (Cepal) de las Naciones Unidas. Frente al desafío de la industrialización, la Cepal veía la integración de las economías nacionales como un medio para superar las restricciones de tamaño de los mercados domésticos, aprovechar las economías de escala y reducir las ineficiencias asociadas a la industrialización sustitutiva en un contexto de mercados reducidos. De acuerdo con la visión de la Cepal, la integración económica, junto con la programación indicativa, la reforma de las estructuras de tenencia de la tierra y el combate contra el dualismo estimularían el desarrollo económico y permitirían la superación de las restricciones al crecimiento que enfrentaba la mayor parte de las naciones de América latina y el Caribe.

La primera iniciativa formal de la que participaron la Argentina y Brasil (junto con otros países de Sudamérica y México) fue la creación de la Asociación Latinoamericana de Libre Comercio (Alalc) en 1960. La Alalc tenía como objetivo la creación de una zona de libre comercio en un plazo de doce años, para avanzar posteriormente hacia un mercado común. La creación de la Alalc fue detonada por la necesidad de poner los acuerdos bilaterales de comercio, que regulaban las transacciones entre buena parte de los países de la región (y especialmente entre la Argentina, Brasil, Chile y Uruguay), en conformidad con las reglas del Acuerdo General sobre Aranceles y Comercio (Gatt), y de paso revertir la caída en el comercio producida por los recurrentes problemas de balanza de pagos y la resistencia a utilizar monedas fuertes en los pagos intrarregionales.[5]

En la Alalc la liberalización comercial se llevó adelante mediante el empleo de tres instrumentos: las listas nacionales, las listas comunes y los acuerdos de complementación. Las listas nacionales se negociaban bilateralmente una vez por año y en ellas se establecía el margen de pre-

---

[5] En la década del cincuenta el comercio recíproco entre la Argentina, Brasil, Chile y Uruguay (estimulado por acuerdos comerciales bilaterales) representaba el 90% del comercio intralatinoamericano. Véase Magariños, G. "La Alalc: la experiencia de una evolución de once años", en Revista de la Integración N° 12, enero de 1973.

ferencia que cada país otorgaba a los restantes miembros para el bien en cuestión.[6] La lista común incluía productos que estarían completamente libres de aranceles al cabo de los doce años de transición y su cobertura se iría ampliando a través de negociaciones multilaterales cada tres años. Finalmente, los acuerdos de complementación, originalmente concebidos como mecanismos auxiliares pero gradualmente transformados en la actividad más importante de la Alalc, eran tratados especiales entre dos o más países, que hacían referencias al establecimiento de aranceles diferenciales para el intercambio de productos en una industria determinada.[7]

Durante los primeros años el acuerdo generó expectativas positivas, se produjeron los intercambios previstos de concesiones (aunque en muchos casos se trataba apenas de preferencias preexistentes) y el comercio intrarregional aumentó considerablemente. Sin embargo, el panorama cambió en la segunda mitad de los sesenta cuando comenzaron a acumularse incumplimientos y el número de nuevas concesiones disminuyó drásticamente. A este resultado contribuyeron varios factores. El primero fueron los obstáculos para llevar adelante un proceso de apertura preferencial en un marco de política caracterizado por una elevada protección de los mercados domésticos. En efecto, tan pronto como la concesión de preferencias agotó la gama de productos en los que no existía producción doméstica relevante (y, por lo tanto, intereses susceptibles de oponerse a la liberalización), las resistencias se multiplicaron y se bloqueó el avance del proceso de integración. Esta lógica fue reforzada por los complejos y detallados procedimientos anuales necesarios para conformar las listas nacionales y que permitían a los sectores potencialmente afectados bloquear la oferta de concesiones.

Un segundo factor que explica la lentitud del avance en el proceso de liberalización fue la aplicación del principio de nación más favorecida a las negociaciones intrarregionales. De acuerdo con este principio las prefe-

---

[6] Las reducciones debían efectuarse de manera que el impuesto promedio sobre todas las importaciones de otros países miembros fuera rebajado hasta el 8% anual con respecto a importaciones similares procedentes de países externos de la región. Este requisito no fue cumplido y se flexibilizó en 1969. Véase: Sloan, J. W. "La Asociación Latinoamericana de Libre Comercio: una evaluación de sus logros y fracasos", en *Integración Latinoamericana*, diciembre de 1979.

[7] Originalmente los acuerdos de complementación estaban sujetos al principio de nación más favorecida, pero en 1964 sus beneficios se limitaron a los países signatarios y a los países de menor desarrollo relativo (Bolivia, Ecuador y Paraguay).

rencias negociadas bilateralmente se extendían automáticamente a todos los miembros, lo que en la práctica operaba como un freno al otorgamiento de concesiones y como un vehículo para distribuir desigualmente los costos y beneficios del proceso de liberalización. Esto se relacionaba con el problema más general de la disparidad económica entre los miembros de la ALALC. En particular, los tres países más grandes (Argentina, Brasil y México) no parecían convencidos de que ésta fuera realmente importante para su propio desarrollo, nunca mostraron compromiso y liderazgo político y siempre se mostraron "renuentes a extender la organización más allá de su cometido esencial de promover la expansión del comercio".[8] La recurrente inestabilidad económica en la región, junto con la inexistencia de instituciones adecuadas para llevar el proceso de integración adelante, completaron un panorama desfavorable para el progreso de la ALALC.

El evidente estancamiento de la ALALC llevó a los países miembros a decidir su adecuación a las circunstancias a través de la firma de un nuevo tratado en 1980, por el que se creó la Asociación Latinoamericana de Integración (ALADI). A diferencia de la ALALC, la ALADI adoptó el objetivo menos ambicioso de proveer un marco jurídico y normativo para la liberalización del comercio, reservando el carácter bilateral o minilateral de las concesiones negociadas. El establecimiento de la ALADI reconoció el llamado "patrimonio histórico" de la ALALC (concesiones comerciales negociadas con anterioridad a 1980) e introdujo importantes cambios de enfoque, a saber: no se establecieron plazos para alcanzar un área de libre comercio, se dejó de lado la aplicación del principio de nación más favorecida intrarregional (para concesiones entre miembros, pero no así para concesiones entre miembros y no miembros) y no se pretendía que la liberalización abarcara todo el universo arancelario (los acuerdos podían limitarse a un grupo de productos).[9] Además, el acuerdo constitutivo de la ALADI

---

[8] Sloan, J. W. op. cit. Algunos autores mencionan la reticencia de Brasil para consolidar la ALALC como resultado de la convicción de que la misma "es innecesaria y que el proceso natural del crecimiento económico brasileño integrará el área de una manera más eficiente y más acorde con los intereses brasileños que el de la agrupación regional...". Tyson, B. B. "Brazil", en Davis, H. E. y Larman, C. W. (1975). Latin American Foreign Policy: an analysis. Johns Hopkins University Press (citado por Sloan).

[9] La compatibilidad entre la mayor flexibilidad de la ALADI y las disciplinas multilaterales del GATT (especialmente el artículo XXIV que regula la formación de áreas de libre comercio y uniones aduaneras) fue facilitada por la introducción de la "cláusula de habilitación" (el principio de trato especial y diferenciado para los países en desarrollo) al fin de la "rueda Tokio" en 1979.

no se limitaba a las cuestiones comerciales sino que buscaba avanzar en la formulación de políticas comunes (ya sea macroeconómicas o industriales), de manera de lograr una mayor complementación de las estructuras productivas.

Si bien las modalidades más flexibles de la ALADI permitieron la eliminación o reducción de restricciones al comercio para un número de productos, su establecimiento prácticamente coincidió con las graves perturbaciones macroeconómicas producidas por la crisis de la deuda en 1982, las que dominaron la evolución de los flujos de comercio intrarregional. Como se demostraría durante esa década y la siguiente, si bien la ALADI no registró muchos progresos, proveyó el marco institucional para el resurgimiento del "regionalismo" que habría de tener lugar desde mediados de los ochenta y del cual el Mercosur es parte.

Box 4.1.
Modalidades de cooperación en el marco de la ALADI

Acuerdos Regionales (participan todos los países miembros de la ALADI)
• *Preferencia Arancelaria Regional (PAR)*: es un instrumento de naturaleza multilateral que consiste en preferencias arancelarias recíprocas entre los países miembros. La PAR se aplica en magnitudes diferentes según tres categorías de países (países de menor desarrollo económico relativo, países de desarrollo intermedio y demás países). Abarca todo el universo arancelario salvo una nómina de productos exceptuados cuya extensión también depende de las categorías recién mencionadas.
• *Apertura de Mercados (AM)*: su objetivo es establecer condiciones favorables no recíprocas de acceso para un grupo de productos a favor de los países de menor desarrollo relativo (Bolivia, Ecuador y Paraguay).
• *Cooperación Científica y Tecnológica (convenio marco)*: promueve la cooperación regional orientada tanto a la creación y desarrollo del conocimiento como a la adquisición y difusión de la tecnología y su aplicación.
• *Cooperación e intercambio de bienes en las áreas cultural, educacional y científica*: procura la formación de un mercado común de bienes y servicios culturales.

Acuerdos de Alcance Parcial (participan algunos países miembros de la Aladi):

• *Renegociación del Patrimonio Histórico*: recogen los resultados de la renegociación de las concesiones otorgadas en el marco de la Alalc. De los cuarenta acuerdos de renegociación firmados originalmente permanecen en vigor sólo ocho. Los restantes fueron absorbidos por Acuerdos de Complementación Económica suscritos con posterioridad.

• *Acuerdos Comerciales (AC)*: se trata de concesiones arancelarias restringidas a un determinado sector productivo. Actualmente se mantienen vigentes cuatros acuerdos comerciales sobre un total de 27 suscritos durante la década de los ochenta.

• *Acuerdos de Complementación Económica (ACE)*: su objetivo es promover un mejor aprovechamiento de los factores productivos, estimular la complementación económica, asegurar condiciones equitativas de competencia, facilitar la competitividad internacional de los productos regionales e impulsar el desarrollo equilibrado y armónico de los miembros. En esta categoría se inscriben los esquemas de integración subregional (Comunidad Andina y Mercosur), además de otros acuerdos que prevén el establecimiento de zonas de libre comercio (seis acuerdos bilaterales de Chile con Venezuela, Colombia, México, Perú, Ecuador y el Mercosur; uno entre el Mercosur y Bolivia; y otro entre Colombia, México y Venezuela).

• *Acuerdos Agropecuarios*: tienen por objeto fomentar el comercio intrarregional de productos agropecuarios.

• *Acuerdos de Promoción del Comercio*: se refieren a materias no arancelarias como suministro de gas natural, cooperación energética, obstáculos técnicos al comercio, cooperación y coordinación en materia de sanidad y cuarentena vegetal, medidas zoo-sanitarias, etc. En esta categoría se inscribieron algunos acuerdos alcanzados en el ámbito del Mercosur (como el Acuerdo de Recife sobre procedimientos operativos para control aduanero, el de facilitación del transporte de mercaderías peligrosas, el de medidas sanitarias y fitosanitarias, y el de facilitación de transporte multimodal de mercancías).

• *Otras áreas*: transporte, turismo, radiodifusión, protección del medio ambiente, minería, optimización del uso de la infraestructura vial, etcétera.

Fuente: Secretaría de la Aladi

Como el resto de los países de América del Sur, la Argentina y Brasil utilizaron los instrumentos disponibles en el marco de la Alalc y posteriormente la Aladi, para estrechar sus relaciones económicas y comerciales. En el marco de la Alalc la Argentina y Brasil (junto con México) participaron activamente en la negociación de acuerdos de complementación económica, especialmente en sectores con una fuerte presencia de inversionistas extranjeros.[10] En efecto, durante esa década estos tres países firmaron cerca de treinta acuerdos cubriendo sectores industriales tales como el químico, el farmacéutico, el petroquímico, el de máquinas de oficina, el de equipos eléctricos y electrónicos y el de artículos para el hogar. La adopción del principio de reciprocidad estricta en las negociaciones hacia el interior de la ALALC y el abandono del principio de nación más favorecida ofreció a los países mayores un mecanismo para no extender de manera automática las concesiones a partes no participantes (con excepción de los países de menor desarrollo relativo, que tenían escasas posibilidades de aprovechar esas oportunidades).[11] Es importante destacar, no obstante, que el comercio generado a través de estos mecanismos no adquirió magnitudes significativas, excepto para algunos productos como máquinas de oficina, químicos y artículos electrónicos en el caso de la Argentina y Brasil.[12]

Hacia fines de la década del setenta cerca del 80% del comercio bilateral Argentina-Brasil se canalizaba a través de los mecanismos preferenciales previstos por la ALALC. Esta participación era más alta en el caso de la Argentina (donde alcanzaba el 90%) que en el de Brasil (donde llegaba a alrededor del 75%). Por otro lado, el papel de Brasil como mercado y proveedor de la Argentina fue aumentando durante las décadas del sesenta y setenta: mientras que en el período 1960/65 el peso relativo de cada país como proveedor y mercado del otro era equivalente, hacia fines de la década del setenta la situación se había alterado significativamente (Gráfico 1).

[10] A fines de la década del setenta la Argentina, Brasil y México concentraban un 82% del comercio negociado en el marco de acuerdos de complementación económica.
[11] CEPAL."ALALC: el programa de liberación comercial y su relación con la estructura y las tendencias del comercio zonal", en Integración Latinoamericana, año 4 número 41, octubre 1979.
[12] Iturriza, J."Cooperación comercial", en BID-INTAL (1981). Argentina-Brasil; la potencialidad de la cooperación bilateral. Buenos Aires.

Gráfico 1

Participación del comercio bilateral en el comercio total (pocentaje)

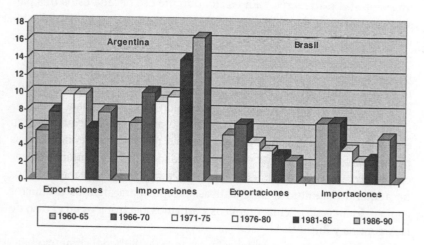

En tanto que la Argentina destinaba a Brasil cerca del 10% de sus exportaciones y se abastecía en ese país de una proporción similar de sus importaciones, para Brasil la relevancia de la Argentina como mercado de destino y origen de su comercio exterior era significativamente menor.

El comercio entre la Argentina y Brasil también era diferente por su composición según tipo de bienes. En efecto, mientras que a fines de los setenta los productos primarios (principalmente los productos agrícolas de clima templado) contribuían con alrededor del 65% de las exportaciones argentinas hacia Brasil, las exportaciones brasileñas hacia la Argentina estaban esencialmente compuestas por manufacturas (72.5% del total). Esta mayor participación de las manufacturas en la pauta de exportaciones desde uno y otro país se explica por el dispar desempeño de sus industrias manufactureras, en buena medida como consecuencia de la orientación dominante de las políticas nacionales. Como veremos después, el patrón de especialización intersectorial de los flujos de comercio bilaterales sería un elemento que condicionaría el enfoque adoptado para promover el comercio entre ambos países a mediados de los ochenta.

El impacto de la crisis de la deuda, la recesión económica y la escasez de divisas volvieron a hacerse sentir en los primeros años de la década de los ochenta. Como resultado, no sólo se interrumpió el crecimiento del comercio bilateral sino que éste comenzó a caer. En este marco la Argentina pasó a acumular déficit comerciales sistemáticos con Brasil (Gráfico 2).

Gráfico 2
Comercio bilateral total y saldos del comercio (millones de dólares)

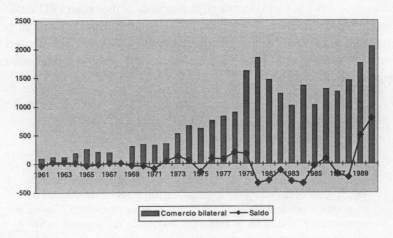

3. LA RESTAURACIÓN DE LA DEMOCRACIA Y LAS NUEVAS BASES DE LA RELACIÓN BILATERAL

Las relaciones bilaterales entre la Argentina y Brasil atravesaron por un punto de inflexión a mediados de la década de los ochenta, cuando se restablecieron sus gobiernos democráticos. Las bases de este proceso, sin embargo, deben rastrearse hacia fines del decenio anterior cuando ambos gobiernos firmaron un acuerdo tripartito (junto con Paraguay) sobre el aprovechamiento de los recursos hídricos compartidos del río Paraná (Box 4.2). La solución de esta controversia abrió una nueva etapa en la relación bilateral, poniendo término a la última disputa por la hegemonía en la Cuenca del Plata.

El Acuerdo Tripartito sobre Corpus e Itaipú sentó un nuevo marco para el entendimiento y la cooperación en otras áreas sensibles, como la nuclear. En efecto, en mayo de 1980 ambos gobiernos suscribieron un acuerdo de cooperación para el desarrollo y aplicación con usos pacíficos de la energía nuclear, que contempló el entrenamiento e intercambio de técnicos, información y suministros, como así también la realización de programas conjuntos.[13] Las razones de este cambio en un país y en otro fue-

---

[13] Bocco, H. "La cooperación nuclear Argentina-Brasil. Notas para una evaluación política", en FLACSO. Documentos e Informes de Investigación. Nº 82, 1989. Además del acuerdo sobre cooperación nuclear ambos gobiernos suscribie-

ron diferentes. Mientras que en el caso de la Argentina la prioridad otorgada a los temas de seguridad interna, la agudización de los conflictos fronterizos con Chile y la derrota en la guerra de Malvinas en 1982 ayudaron a diluir las hipótesis de conflicto militar con Brasil, para este último el acercamiento a sus vecinos –y particularmente a la Argentina– apareció como un camino apto para diluir temores sobre posibles pretensiones hegemónicas.[14]

Box 4.2.
El conflicto por el uso de los recursos hídricos de la Cuenca del Plata

Desde fines de la década del sesenta Brasil aprovechó las ventajas de su posición privilegiada en el río Paraná y de su creciente influencia económica y política en el área para desarrollar un proyecto hidroeléctrico en ese río. El interés brasileño se asentaba en la insuficiencia de las reservas petrolíferas del país para cubrir la demanda energética, sobre todo en la región sur donde se localizan los centros más industrializados. Este interés se acrecentó notablemente después del aumento de los precios del petróleo en 1973/74. El Tratado de Itaipú, firmado en abril de 1973 entre Brasil y Paraguay, concretó la decisión de construir una gran represa en esa localización geográfica.

El gobierno argentino vio la decisión brasileña como una amenaza por dos razones. Por un lado, había consideraciones geopolíticas vinculadas a la cercanía de la represa de Itaipú con la frontera con Argentina (17 km). Por otro lado, se temía que la eventual alteración del caudal hídrico del Río Paraná pudiera afectar la navegabilidad y la factibilidad de la construcción de otras represas aguas abajo (Corpus y Yacyretá). Los temores argentinos se agravaron por la negativa brasileña de proporcionar un informe acerca de la obra proyectada, apoyada en la posición adoptada a fines de los sesenta según la cual se

---

ron convenios sobre doble tributación, aprovechamiento del río Uruguay y Pepirí Guazú, sanidad animal en áreas de frontera y cooperación científica y tecnológica. Todos estos acuerdos fueron firmados en las cumbres presidenciales de mayo y agosto de 1980.

[14] Para un análisis véase Achard, D; Flores Silva, M. y González, E. "Las élites argentinas y brasileñas frente al Mercosur", BID-INTAL DP 485, Publicación N° 418, Buenos Aires. Y Hirst, M. "Continuidad y cambio del programa de integración Argentina-Brasil", en FLACSO. *Documentos e Informes de Investigación.* N° 108, 1990.

reservaba el derecho de prioridad en la formulación de proyectos y de decisión unilateral para desarrollar los aprovechamientos que cada país juzgara necesarios, aun en ríos de jurisdicción consecutiva.

El Acuerdo de Itaipú-Corpus firmado en octubre de 1979 entre los gobiernos de la Argentina, Brasil y Paraguay estableció: a) la modalidad de compatibilización de las represas de Itaipú y Corpus; b) los principios jurídicos generales a los que se someterían los signatarios; y c) las regulaciones precisas para preservar las condiciones de navegación del río Paraná.

Fuente: Segre, M. (1990) "La cuestión de Itaipú-Corpus. El punto de inflexión en las relaciones argentino-brasileñas", en FLACSO. *Documentos e Informes de Investigación*. Número 97.

El empujón decisivo para este cambio de sintonía fue la reinstauración de la democracia en 1983 en la Argentina y en 1985 en Brasil. El nuevo contexto político multiplicó las posibilidades de cooperación y permitió edificar sobre el clima de distensión que se estableció a fines de los setenta. En la práctica, ambos gobiernos pasaron a concebir una relación bilateral cooperativa como un activo. Tanto para el gobierno argentino como para el de Brasil la profundización de la cooperación económica bilateral fue tomada como una respuesta defensiva frente a un contexto económico internacional adverso, dominado por la crisis de la deuda y las dificultades de acceso al financiamiento externo. La cooperación económica bilateral también fue vista como un mecanismo para estimular la recuperación de los flujos de comercio bilateral, fuertemente afectados por la restricción externa imperante desde 1982.

Desde un punto de vista político, la cooperación más estrecha entre ambos gobiernos sirvió propósitos diferentes pero congruentes, para cada uno. Para el nuevo gobierno argentino la cooperación con Brasil y el incremento de la interdependencia se transformaron en los medios para eliminar las hipótesis de conflicto con países vecinos que alimentaban la legitimidad de unas fuerzas armadas sobredimensionadas en su influencia política y en su demanda de recursos públicos.[15] Después de la derrota militar de Malvinas y de los episodios de represión interna, la eliminación de las hipótesis de conflicto con los países vecinos apareció como un me-

---

[15] El gobierno de Raúl Alfonsín también se preocupó por llegar a un acuerdo con Chile en torno al conflicto del canal de Beagle, asunto por el que ambos países estuvieron a punto de llegar a un conflicto armado en 1978.

dio para redefinir el rol y la dimensión de las fuerzas armadas en una sociedad caracterizada por una vieja tradición de intervención militar en la vida democrática.

Para el gobierno de Brasil las consideraciones de política exterior jugaron un papel más importante que las de política doméstica. La especialización en la diplomacia comercial por parte de Itamarati y las dificultades experimentadas por la política de activismo y presencia comercial en los países en vías de desarrollo llevada adelante durante los gobiernos militares como consecuencia de la crisis de la deuda y la recesión internacional, convirtieron a la Argentina en un campo de acción prioritario para la diplomacia brasileña. La percepción de que un acuerdo con la Argentina era vital para sustentar la proyección internacional de Brasil y construir una estructura de relacionamiento interdependiente con América latina se transformó, así, en un factor decisivo en la formulación de políticas. De acuerdo con la visión predominante en Itamaratí, "la dilución de temores en cuanto a posibles pretensiones hegemónicas por parte del Estado brasileño (en América latina... requería) dinamizar las relaciones del país con la Argentina".[16]

El proceso de aproximación bilateral se vio reforzado por la percepción de desafíos económicos internos comunes y una convergencia en las preferencias de política, al menos en el plano macroeconómico. En efecto, a mediados de los ochenta ambos países atravesaban por un período en el que la restricción externa determinaba un contexto de caída de la inversión, alta inflación y crisis fiscal. En el lapso de un año ambos gobiernos intentaron enfrentar estos desequilibrios con planes heterodoxos de estabilización, el plan Austral en la Argentina y el Plano Cruzado en Brasil.[17]

En síntesis, los acuerdos de Itaipú de 1979 sentaron las bases para una nueva perspectiva de seguridad para las relaciones bilaterales. A partir de este marco, y luego de la derrota militar argentina en la guerra de Malvinas y de los desafíos comunes planteados por la crisis de la deuda, el restablecimiento de regímenes democráticos en ambos países abonó el terreno para el desarrollo de un proceso de cooperación política y económica más ambicioso. A diferencia de todos los ensayos anteriores, lo distinti-

[16] Hirst, M. "Transición democrática y política exterior", en Flacso. *Documentos e Informes de Investigación* N° 93, abril de 1990.
[17] Porta, F. "El acuerdo de integración argentino-brasileño en el sector de bienes de capital: características y evolución reciente", en Hirst, M. (org.) (1990). *Argentina-Brasil. Perspectivas Comparativas y Ejes de Integración*, Buenos Aires. Flacso-Editorial Tesis.

vo de la aproximación bilateral entre la Argentina y Brasil desde mediados de los ochenta es su permanencia y su impacto sobre los indicadores estructurales de interdependencia. A diferencia del pasado, cuando las eclosiones de buena voluntad no eran seguidas de efectos sostenidos en el tiempo, el proceso de cooperación que se inició a mediados de los ochenta continúa vigente después de casi dos décadas.

4. El Programa de Intercambio y Cooperación Económica (Pice)

Los cambios en el contexto político que se produjeron desde fines de la década de los setenta, el impacto de la crisis de la deuda sobre el comercio bilateral, la percepción de creciente vulnerabilidad externa y el carácter común de los desafíos económicos que enfrentaban ambos países estimularon un incipiente consenso acerca de la necesidad de reactivar los mecanismos de integración y cooperación bilateral entre la Argentina y Brasil.

Formalmente el puntapié inicial se dio a fines de 1985 cuando los presidentes Raúl Alfonsín y José Sarney aprovecharon la inauguración del segundo puente que ligaba ambos países (el puente Tancredo Neves entre Foz do Iguazú y Puerto Iguazú) para anunciar que sus gobiernos estaban en tratativas para desarrollar un programa de integración bilateral. En la llamada Declaración de Iguazú los dos mandatarios acordaron la creación de una Comisión Mixta de Cooperación e Integración Regional integrada por funcionarios y representantes privados de ambos países, con el objetivo de formular propuestas concretas para avanzar en el proceso de integración bilateral. Seis meses más tarde (en julio de 1986) las tareas de la Comisión culminaron en la firma del Acta para la Integración Argentino-Brasileña que lanzó el Programa de Integración y Cooperación Económica (Pice).

El objetivo del Pice era estimular el crecimiento equilibrado del comercio bilateral estableciendo mecanismos para fomentar su complementación intrasectorial. El acuerdo procuraba alcanzar este objetivo a través de un enfoque sectorial, concentrando las energías en algunas áreas en las que existía la posibilidad de obtener resultados concretos en plazos breves. La exclusión de áreas sensibles en las primeras etapas apuntaba a evitar resistencias que hubieran interpuesto obstáculos insalvables en un contexto de dificultades económicas internas. Así, el Pice se caracterizó por el gradualismo y la flexibilidad de los mecanismos de liberalización adoptados, los que apuntaban a permitir la reestructuración productiva con el menor costo posible. El gradualismo se reflejaba en la inexistencia de plazos para cumplir los objetivos; en efecto, el mecanismo de los protocolos sectoriales permitiría ir concretando acuerdos parciales y avanzar sobre la base de listas positivas de concesiones. La flexibilidad, por su parte, provenía de la existencia de mecanismos que permitían revertir concesiones o implementar medidas compensatorias cuando se registraran efectos no deseados (como la posibilidad de aplicar salvaguardas o la "cláusula gatillo" del Protocolo Número 4 sobre expansión del comercio).

Aun cuando la implementación del Pice procuró privilegiar la participación del sector privado en el proceso de negociación, la reacción de éste a la Declaración de Iguazú y a la firma de los primeros protocolos fue de escepticismo o recelo. En Brasil la iniciativa fue vista con desinterés porque se consideraba que la restricción externa que enfrentaba la Argentina limitaría el crecimiento del comercio, lo que se potenciaba por otra parte con la menor dimensión del mercado local. Si algunos sectores brasileños reaccionaron a la iniciativa bilateral, fueron los que se sintieron amenazados (como los agricultores de trigo del sur), más que aquéllos que veían los potenciales beneficios. En la Argentina la reacción inicial fue aún más defensiva: buena parte de los intereses empresarios se unificaron por el temor a la competencia brasileña, a la mayor integración productiva del país vecino y a la especialización intersectorial hacia la que nuestro país parecía encaminarse.

La adopción de un enfoque sectorial, gradualista y flexible contribuyó a contener el escepticismo inicial de los empresarios de ambos países. A partir del impulso y de la iniciativa gubernamental, y en el marco de una coyuntura macroeconómica favorable (la implementación casi simultánea de los planes Cruzado y Real), en la segunda mitad de 1986 pudieron concretarse los primeros protocolos. Si bien el impacto esperado en términos agregados no era significativo, los acuerdos permitieron movilizar a los sectores directamente involucrados. El Pice también introdujo una nueva dinámica en las relaciones políticas entre la Argentina y Brasil, movilizando positivamente sectores representativos de los cuadros burocráticos y de las elites políticas y económicas.[18]

---

[18] Hirst, M. "Avances y desafíos en la formación del Mercosur", en Bouzas, R. (ed.) (1993). Los *procesos de integración económica en América Latina*. Madrid. Cedeal.

5. Los protocolos sectoriales

En poco más de dos años los dos gobiernos suscribieron veinticuatro protocolos en materia de comercio, estructura productiva, infraestructura, ciencia y tecnología y otros temas.[19] El primer protocolo concluido fue el de bienes de capital. La elección del sector tuvo un carácter simbólico: en la visión de los negociadores el sector de bienes de capital tenía la ventaja de un elevado potencial de difusión de progreso técnico en el que la escala no establecía una ventaja insuperable. Por otra parte, en ese sector existía una base productiva y un potencial de crecimiento en ambas economías. Además, como el sector público era un importante demandante de bienes de capital, la política de compras públicas podría constituirse en un poderoso instrumento de orientación. Así, el sector de bienes de capital apareció como una fuente potencial de complementación intrasectorial, demandante de mano de obra especializada, con predominio de pequeñas y medianas empresas y con vastas posibilidades de cooperación tecnológica (Box 3). Por consiguiente, dicho sector aparecía como una fuente potencial de complementación intrasectorial, demandante de mano de obra especializada, con predominio de pequeñas y medianas empresas y con amplias posibilidades de cooperación tecnológica.

---

[19] Los Protocolos firmados fueron los siguientes: N° 1: Bienes de Capital; N° 2: Trigo; N° 3: Complementación de Abastecimiento Alimentario; N° 4: Expansión del Comercio; N° 5: Empresas Binacionales; N° 6: Asuntos Financieros; N° 7: Fondo de Inversiones; N° 8: Energía; N° 9: Biotecnología; N° 10: Estudios Económicos; N° 11: Información Inmediata y Asistencia Recíproca en Casos de Accidentes Nucleares y Emergencias; N° 12: Cooperación Aeronáutica; N° 13: Siderurgia; N° 14: Transporte Terrestre; N° 15: Transporte Marítimo; N° 16: Comunicaciones; N° 17: Cooperación Nuclear; N° 18: Integración Cultural; N° 19: Administración Pública; N° 20: Moneda; N° 21: Industria Automotriz; N° 22: Industria de la Alimentación; N° 23: Regional Fronterizo; N° 24: Coordinación de Políticas Macroeconómicas.

Box 4.3.
El Protocolo N° 1 sobre Bienes de Capital

El Protocolo N° 1 estableció un programa de complementación en las industrias de bienes de capital de ambos países basado en los criterios de ampliación del mercado e integración intrasectorial, estímulos al desarrollo tecnológico e intensificación de la competencia. El universo de bienes cubierto estaba integrado por los equipos y maquinarias eléctricas y no eléctricas, de uso difundido o específico, sus componentes, partes y piezas y el equipo y material de transporte no automotor. Expresamente se excluyeron del protocolo los tubos de acero, los tractores, los vehículos de transporte automotor y sus conjuntos de componentes y autopartes, y los equipos de contabilidad e informática y los componentes electrónicos.

A partir de este universo, los gobiernos debían negociar una lista común de productos para los que regirían los beneficios de un arancel cero y la no aplicación de cualquier restricción no tarifaria, administrativa o impositiva sobre las importaciones. La condición para el tratamiento preferencial era acreditar un porcentaje de integración nacional no inferior al 80%, en tanto que los productos de la lista común tendrían que tener en ambos países niveles de protección equivalentes frente a terceros países. La lista común se incrementaría en base a negociaciones semestrales con el objetivo de incluir la mitad del universo arancelario hacia 1990. Una vez incluidos en la lista común, los productos no podrían ser retirados unilateralmente.

El Protocolo N° 1 también estableció mecanismos para una expansión equilibrada del comercio. La cláusula respectiva estableció que habría equilibrio dinámico en el comercio sujeto a preferencias cuando el superávit (déficit) no superara el 10% de un valor de referencia anual que se estableció en $300m en 1987, con una pauta anual creciente hasta $750m en 1990. Si el comercio bilateral registrara desequilibrios superiores al 10% del valor de referencia debería ampliarse la lista común dando prioridad a productos de exportación del país deficitario. El déficit también debería ser financiado en forma automática a través de una línea de crédito recíproco de los Bancos Centrales (que se fijó en $200m). Si el desequilibrio superara el 20% del valor de referencia se recurriría al Fondo de Inversiones creado por el Protocolo N° 7, destinado a promover inversiones en el país deficitario a fin de aumentar su producción de bienes de capital y capacidad de exportación.

Fuente: Porta, F. (1990) "El acuerdo de integración argentino-brasileño en el sector de bienes de capital: características y evolución reciente", en Hirst, M. (org), *Argentina/Brasil. Perspectivas comparativas y ejes de integración. Buenos Aires.* FLACSO-Editorial Tesis.

Además de los protocolos correspondientes al comercio de trigo y al abastecimiento alimentario, en diciembre de 1986 los dos países también concluyeron el Protocolo Número 4 sobre Expansión del Comercio, por el cual renegociaron todas las preferencias arancelarias intercambiadas en el período 1962/80 en el marco de la ALALC. La renegociación de las concesiones comprendió tanto su actualización como su profundización e incluyó nuevas posiciones arancelarias. Un aspecto innovador del acuerdo fue la cláusula según la cual el incremento del comercio bilateral debía ocurrir dentro de un marco de equilibrio dinámico: si el desequilibrio comercial sobrepasaba un determinado porcentaje (fijado en 8% del comercio) dos períodos consecutivos, debían realizarse nuevas negociaciones para profundizar las preferencias e incluir nuevos productos.

Sin embargo, a poco de andar el proceso de cooperación se encontró con obstáculos. Las condiciones macroeconómicas –que habían mejorado con la implementación de los planes de estabilización en ambos países– comenzaron a deteriorarse hacia principios de 1987. Como consecuencia de ello el PICE fue perdiendo prioridad en las agendas de política económica de ambos gobiernos. Paralelamente fueron surgiendo dificultades para ampliar el número de productos o sectores alcanzados por los acuerdos sectoriales, especialmente en la medida en que se agotaron las concesiones recíprocas de costo relativamente bajo. Las demandas de coordinación que exigían algunos de los mecanismos establecidos en los protocolos también estuvieron lejos de ser satisfechas. Así, los conflictos interburocráticos se multiplicaron mientras que las resistencias sectoriales aumentaban. El resultado previsible fue que el proceso se encaminó hacia una fase de estancamiento.

Aun así el PICE y los protocolos sectoriales contribuyeron a restablecer el flujo de comercio bilateral a los niveles previos a la crisis de la deuda. En términos agregados el valor del comercio bilateral prácticamente se duplicó, pasando de 1.1 mil millones de dólares en 1985 a 2.1 mil millones en 1990.[20] Este crecimiento fue bastante más rápido que el del comercio con el resto del mundo, especialmente para la Argentina. En efecto, Brasil pasó

---

[20] Además del efecto de las preferencias, durante la segunda mitad de los ochenta el comercio bilateral fue muy afectado por la inestabilidad macroeconómica. Tal fue el caso del período 1988/90 cuando las exportaciones argentinas a Brasil crecieron rápidamente como consecuencia de la recesión doméstica y el aumento del tipo de cambio real, mientras que las exportaciones brasileñas a la Argentina se contrajeron debido al efecto de la hiperinflación y de las maxidevaluaciones en la Argentina.

de abastecer un promedio de 13.9% de las importaciones argentinas en 1981/85 a suministrar el 17.7% en 1990. Del mismo modo, el mercado brasileño prácticamente duplicó su importancia como destino de las exportaciones argentinas, pasando de un promedio de 6% en 1981/85 a 11.6% en 1990. Para Brasil la relevancia del mercado argentino no creció en forma equivalente: mientras que la Argentina absorbía un 3.1% de las exportaciones brasileñas en 1981/85, en 1990 esta participación había caído al 2%.[21] No obstante, a partir de 1988 Brasil desplazó a Estados Unidos como el principal proveedor de bienes de la Argentina.

El crecimiento del comercio bilateral fue particularmente importante en los sectores de bienes de capital, equipo de transporte y productos alimenticios, actividades en las que se negociaron protocolos sectoriales.[22] En el caso de la Argentina el crecimiento de las exportaciones se concentró en las manufacturas de origen industrial, las que entre 1985 y 1988 aumentaron en casi 170% impulsadas por las máquinas-herramientas, las maquinarias y equipos, los plásticos, los metales básicos y los productos de celulosa-papel. En contraste, los productos primarios apenas crecieron en tanto que las manufacturas de origen agropecuario y los combustibles se contrajeron. Uno de los resultados de este comportamiento fue el cambio en la composición del comercio de la Argentina con Brasil; en efecto, entre 1984 y 1998 las manufacturas de origen industrial pasaron de contribuir con un 17.7% de las exportaciones totales a aportar más del 45%. El contraste en dicha participación es particularmente notable cuando se lo compara con la estructura de las exportaciones al resto de mundo, donde las manufacturas de origen industrial justificaron el 13.5% y el 26.8% de las exportaciones totales en 1984 y 1988, respectivamente. En el caso de las exportaciones brasileñas no se registraron cambios tan significativos en su composición: mientras que las manufacturas representaban un 67.4% de las exportaciones a la Argentina en 1984, hacia 1998 su participación había aumentado a sólo 70.9%.

El comercio intraindustrial entre la Argentina y Brasil también creció significativamente durante la segunda mitad de la década de los ochen-

[21] Este comportamiento tiene mucho que ver con la fuerte contracción experimentada por las importaciones de la Argentina debido a la crítica situación macroeconómica de 1989/90 y a la mayor elasticidad de las importaciones desde Brasil. Cuando las importaciones se recuperaron en 1991, la participación de Brasil en las importaciones totales pasó al 4.1%, una tasa que no se registraba desde la primera mitad de la década del setenta.
[22] Chudnovsky, D. y Porta, F. "En torno a la integración económica argentino-brasileña", en *Revista de la* Cepal. N° 39, diciembre de 1989.

ta. En efecto, entre 1984 y 1990 el coeficiente de comercio intraindustrial del comercio total pasó del 18% al 37.8%, pero si sólo se considera el comercio de productos manufacturados el aumento es aún más notable: de 22.2% a 57.4%.[23] Este comercio se encontraba concentrado en productos químicos y en maquinaria y material de transporte, actividades industriales en las que prevalecen economías de escala y productos diferenciados. Aun cuando los niveles de dicho coeficiente no eran despreciables en 1986 (debido al comercio intrafirma de las empresas transnacionales en actividades como autopartes, neumáticos, motores de combustión interna y material fotográfico y cinematográfico, y al comercio de faltantes y sobrantes en el marco de acuerdos sectoriales entre firmas, como en el sector químico), la evidencia sugiere que el PICE contribuyó significativamente al crecimiento del mismo durante la segunda mitad de los ochenta.

La experiencia del PICE también indica que la Argentina siguió haciendo un mayor uso de las preferencias en su comercio con Brasil. En efecto, hacia fines de la década de los ochenta el 90% de las exportaciones argentinas a Brasil se realizaban en condiciones preferenciales. En contraste, sólo el 50% de las ventas brasileñas en la Argentina estaban relacionadas con concesiones comerciales. Esta disparidad se explica en parte por el relativamente alto nivel de protección de la economía brasileña (y, en consecuencia, el mayor margen de preferencia relativo que obtiene la Argentina) y por el mayor activismo de la políticas brasileñas de promoción de exportaciones.[24]

---

[23] El coeficiente de comercio intraindustrial puede ubicarse entre 0% y 100% indicando, respectivamente, que el comercio es de naturaleza puramente interindustrial o, alternativamente, que hay un comercio equilibrado de bienes similares en ambas direcciones (Lucángeli, J. "Integración comercial, intercambio intraindustrial y creación y desvío de comercio: el intercambio comercial entre la Argentina y Brasil en los años recientes", en *Documento de Trabajo IE/01, Serie Int. Eco.* Secretaría de Programación Económica, Proy. Arg. 91/019, PNUD).

[24] Lavagna, R. "Integración Argentina-Brasil: origen, resultados y perspectivas", en Ariadna, Grupo de Análisis sobre la Integración del Cono Sur, marzo de 1991, Mimeo.

6. El Tratado de Integración de 1988 y el Acta de Buenos Aires

La agudización de los desequilibrios macroeconómicos y el complejo clima político en ambos países debido a la inminencia del recambio presidencial fueron relegando a un segundo plano el proceso de integración bilateral. No obstante, poco antes de concluir sus mandatos los presidentes Alfonsín y Sarney –cuya credibilidad e iniciativa estaban claramente en retroceso– decidieron hacer un gesto de afianzamiento y ampliación del proceso de integración mediante la firma de un Tratado de Integración, Cooperación y Desarrollo en noviembre de 1988, que fue ratificado por los Parlamentos en agosto de 1989.

El Tratado institucionaliza la decisión política de crear un espacio económico común en un plazo de 10 años a través de la eliminación de las barreras al comercio y la armonización de las políticas económicas. Para alcanzar este objetivo se acordó continuar con la metodología de los protocolos sectoriales iniciada en 1986, a la par que se asignó mayor relevancia a la coordinación de políticas macroeconómicas.[25] A pesar de que el nuevo acuerdo pretendía promover un salto cualitativo en el proceso de integración bilateral, las condiciones económicas y políticas lo redujeron a un acto cargado de simbolismo, con el cual los presidentes salientes procuraban mantener la iniciativa política con objetivos de mediano plazo.[26]

Con la asunción de los nuevos gobiernos en ambos países (Menem en Argentina y Collor de Mello en Brasil) las modalidades del Pice se revisaron de manera sustancial. El nuevo enfoque respondió al convencimiento de que había que dar continuidad al proceso de integración, pero ajustándolo a las nuevas orientaciones de política económica y a los objetivos estratégicos de realineamiento de las relaciones exteriores de ambos países.[27] El proceso de integración también pasó a ser visto como una iniciativa que podía usarse con el objetivo de consolidar las transformaciones económicas internas que deseaban llevarse a cabo.

En julio de 1990, un mes después del lanzamiento de la Iniciativa de las Américas, los presidentes Collor de Mello y Menem firmaron el Acta de Buenos Aires en la cual definieron nuevos criterios para llevar adelante

---

[25] En esa misma ocasión se firmó el Protocolo 24.

[26] Cambpell, J.; Rozenberg, R. y Svarzman, G. "Quince años de integración: muchos ruidos y muchas nueces", en Campbell, J. (ed.) (1999). *Mercosur: Entre la realidad y la utopía*, Buenos Aires. CEI-Nuevohacer.

[27] Hirst, M. "Avances y desafíos en la formación del Mercosur", en Bouzas, R. (ed.) (1993). *Los procesos de integración económica en América latina*. Madrid. Cedeal.

el proceso de integración.[28] En primer lugar, se decidió acelerar el plazo previsto originalmente para la constitución del mercado común reduciéndolo a cinco años (31 de diciembre de 1994). En segundo lugar, se abandonó el enfoque selectivo y gradual por una nueva modalidad de liberalización que contemplaba como elemento central un sistema de rebajas arancelarias automáticas, generalizadas y lineales (con ciertas excepciones para los productos sensibles), al que se sumaba el compromiso de eliminación de las restricciones no arancelarias. Finalmente, se redefinieron los mecanismos institucionales de negociación creando un órgano ejecutivo (el Grupo Mercado Común), en cuyo ámbito funcionarían Subgrupos de Trabajo (órganos técnicos encargados de la negociación). El nuevo acuerdo firmado entre la Argentina y Brasil dejaba abierta la posibilidad para la adhesión inmediata de cualquier miembro de la ALADI, teniendo en mente la futura incorporación de Paraguay y Uruguay. Efectivamente, estos dos países comenzaron enseguida a participar como observadores en las reuniones de trabajo.

---

[28] El acuerdo –que reformula el tratado de 1988– se inscribió en el marco de ALADI como Acuerdo de Complementación Económica N° 14.

Capítulo 5

El Tratado de Asunción y la creación del Mercosur

1. El tratado de Asunción: el marco fundacional del Mercosur

En marzo de 1991 los gobiernos de la Argentina, Brasil, Paraguay y Uruguay firmaron el Tratado de Asunción por el cual establecieron el Mercado Común del Sur (Mercosur).[1] El tratado replicó y extendió los objetivos, mecanismos y procedimientos acordados por la Argentina y Brasil en el Acta de Buenos Aires. En el Tratado de Asunción los Estados parte acordaron el establecimiento de un mercado común al cabo de un período de transición de cuatro años, el que incluiría la libre circulación de bienes, servicios y factores productivos, la adopción de una política comercial externa común, la coordinación de las políticas macroeconómicas y sectoriales y la armonización de la legislación en áreas pertinentes. En varios anexos el Tratado estableció un mecanismo operativo para eliminar los aranceles que gravaban el comercio de bienes (el Programa de Liberalización Comercial, PLC), un régimen general de origen y un mecanismo de salvaguardas transitorio para hacer frente a incrementos imprevistos de las importaciones que ocasionaran o amenazaran con ocasionar un perjuicio grave a la producción nacional. Además, fijó un plazo para la adopción de un sistema de solución de controversias (que fue aprobado en diciembre de 1991 mediante el Protocolo de Brasilia) y la implementación de un Arancel Externo Común, el que debería estar vigente a partir del 1° de enero de 1995 cuando concluyera el "período de transición". El tratado no incluyó disposiciones operativas con relación al tratamiento de las barreras no arancelarias (salvo el compromiso general de eliminarlas hacia el fin del "período de transición"), la coordinación de las políticas macroeconómicas y sectoriales, la liberalización del comercio de servicios y la libre movilidad de factores.

En el plano arancelario el PLC estableció un cronograma de rebajas arancelarias progresivas, lineales y automáticas que alcanzaría una prefe-

---

[1] En noviembre de ese mismo año el Mercosur fue incorporado a la ALADI como Acuerdo de Complementación Económica N° 18, una vez concluido el proceso de ratificación parlamentaria en los cuatro países miembros.

rencia del 100% sobre los aranceles de NMF (nación más favorecida) al fin del "período de transición" (Paraguay y Uruguay iniciaron sus recortes arancelarios en diciembre 1991 y, por consiguiente, tuvieron un año más para alcanzar el 100% de preferencias). El PLC consistía en un cronograma de desgravación según el cual los Estados parte aumentaban semestralmente el margen de preferencia regional para el universo de productos, excepto para aquellos bienes incluidos en estas listas nacionales de excepción (ver tabla 1). A su vez, el número de productos debía reducirse en un 20% por año de forma tal de eliminar todas las excepciones para el 31 de diciembre de 1994 (para la Argentina y Brasil), y un año más tarde para Paraguay y Uruguay. Paraguay y Uruguay también fueron autorizados a incluir un mayor número de productos en sus listas nacionales.

La tabla siguiente muestra el desarrollo cronológico de la desgravación arancelaria.

Tabla 5.1.

Tratado de Asunción

Cronograma de desgravación arancelaria y número de excepciones por país

	Margen de preferencia al día*									
	31/12/ 1990	31/01/ 1991	30/06/ 1991	31/12/ 1991	30/06/ 1992	31/12/ 1992	30/06/ 1993	31/12/ 1993	31/06/ 1994	31/12/ 1994
00 a 40	40	47	54	61	68	75	82	89	100	
41 a 45	45	52	59	66	73	80	87	94	100	
46 a 50	50	57	64	71	78	85	92	100		
51 a 55	55	61	67	73	79	86	93	100		
56 a 60	60	67	74	81	88	95	100			
61 a 65	65	71	77	83	89	96	100			
66 a 70	70	75	80	85	90	95	100			
71 a 75	75	80	85	90	95	100				
76 a 80	80	85	90	95	100					
81 a 85	85	89	93	97	100					
86 a 90	90	95	100							
91 a 95	95	100								
96 a 100	100									

Número de excepciones por país (en posiciones arancelarias del nomenclador, a nivel de ocho dígitos)
Argentina: 394 / Brasil: 324 / Paraguay: 960 / Uruguay: 439

* Al día: Paraguay y Uruguay iniciaron su proceso de desgravación el 31/12/91, aplicando este cronograma con un año de retraso. De esta forma, ambos países alcanzarían un 100% de preferencias para todo el universo arancelario recién el 31 de diciembre de 1995.

Fuente: Elaboración propia en base a documentos oficiales.

La estructura institucional adoptada por el Tratado de Asunción para el "período de transición" también reprodujo los acuerdos alcanzados previamente por la Argentina y Brasil. Este tratado también estableció el compromiso de adoptar una forma definitiva de organización antes del 31 de diciembre de 1994. Entretanto el Mercosur estaría regido por dos órganos intergubernamentales, a saber: el Consejo del Mercado Común (CMC) y el Grupo Mercado Común (GMC). El CMC cumpliría las veces de órgano superior del Mercosur y estaría a cargo de la conducción política del proceso y de la toma de decisiones que permitieran asegurar el cumplimiento de los objetivos y plazos establecidos para la constitución del mercado común. Los aspectos "ejecutivos", en cambio, quedaron en manos del GMC, en cuya órbita se crearon además una decena de Subgrupos de Trabajo especializados temáticamente y una secretaría administrativa. El Tratado de Asunción también estableció que el proceso de toma de decisiones en todos los órganos del Mercosur se haría en base al principio de consenso y con la presencia de todos los países miembros.[2]

Box 5.1.
El Protocolo de Brasilia sobre Solución de Controversias

El Protocolo de Brasilia sobre Solución de Controversias fue firmado en diciembre de 1991 como un acuerdo transitorio que debería ser reemplazado por un mecanismo permanente antes del fin del "período de transición". No obstante, el Protocolo de Ouro Preto de 1995 extendió su vigencia hasta el año 2006 (cuando estará plenamente integrada la unión aduanera), creando además un mecanismo para formular reclamaciones ante la Comisión de Comercio del Mercosur. El Protocolo de Ouro Preto estableció un procedimiento secuencial para la solución de controversias con procedimientos diferentes para tratar las disputas entre Estados parte y las existentes entre un Estado parte y un particular. Los procedimientos formales incluyen tres mecanismos: las negociaciones directas, la intervención por el GMC y el procedimiento arbitral. El procedimiento arbitral consiste en la intervención de un tribunal *ad hoc* de tres miembros que formula determinaciones "obligatorias y definitivas". El sector privado no puede ac-

---

[2] La regla del consenso le otorga a cada país miembro el "poder de veto" frente a temas sensibles. Si bien asegura que ningún interés nacional fundamental sea violentado por un proceso de toma de decisiones basado en mayorías, el mecanismo del consenso tiene el problema del convoy (se avanza al ritmo del integrante más lento).

R. Bouzas - J. M. Fanelli

cionar directamente el mecanismo de solución de controversias, sino que lo debe hacer a través de la "sección nacional" del GMC. La reglamentación del Protocolo de Brasilia fue concluida recién en 1998. Desde entonces el mecanismo arbitral se utilizó en tres oportunidades. Los principales problemas de su funcionamiento han sido la posibilidad de extender las negociaciones entre las partes, el carácter *ad hoc* de los tribunales encargados de tratar las controversias y las debilidades del mecanismo de *enforcement* (adopción de los dictámenes). El mecanismo establecido por el Protocolo de Brasilia otorga mucha flexibilidad a las partes y por eso mismo tiene una inclinación a convivir con una tasa relativamente alta de controversias irresueltas.

2. LA LIBERALIZACIÓN DEL COMERCIO INTRARREGIONAL DURANTE EL "PERÍODO DE TRANSICIÓN"

A través del PLC, durante el "período de transición" los países miembros del Mercosur lograron eliminar los aranceles intrazona para la gran mayoría del universo arancelario. El cronograma semestral de aumento de las preferencias se cumplió sin interrupciones, al igual que la reducción programada en el número de productos incluidos en las listas nacionales de excepción.[3]

La reducción progresiva de la protección arancelaria se acompañó de presiones sectoriales, especialmente en la Argentina. En efecto, en este país los efectos de la apertura unilateral y preferencial se combinaron con una fuerte recuperación de la demanda después de 1991, estimulando la acumulación de fuertes déficit comerciales y en cuenta corriente.[4] El incremento en el desequilibrio comercial y las presiones sectoriales se enfrentaron a través de mecanismos *ad hoc* como el aumento en la "tasa de estadística" del 3 al 10% a fines de 1992, la imposición de derechos específicos a las importaciones de productos textiles y calzado, la aplicación del régimen de salvaguardias para productos como el papel y un uso más intensivo de los procedimientos *antidumping*. En algunas actividades como

---

[3] Bouzas; R.,"Mercosur y liberalización comercial preferencial en América del Sur: resultados, temas y proyecciones", en Meller, P. y Lipsey, R. (ed.) (1997). *NAFTA y Mercosur: un diálogo canadiense-latinoamericano*. Santiago de Chile. CIEPLAN-Dolmen Ediciones.

[4] Esta situación se reprodujo en las relaciones bilaterales: en 1992 el déficit comercial de la Argentina con Brasil era equivalente a cerca del 60% del déficit comercial total de la Argentina.

la siderurgia, la petroquímica y la industria textil el sector privado también puso en marcha "acuerdos de ordenamiento de mercado".

A medida que el "período de transición" se acercaba a su fin, la intensidad de las presiones fue creciendo *pari passu* con la mayor sensibilidad de los productos que aún permanecían amparados por las listas nacionales de excepción. Analizado en perspectiva, el método adoptado para eliminar las listas nacionales de excepción tuvo el inconveniente de no crear incentivos para que los productores se adaptaran a la nueva situación de competencia que prevalecería a partir del 1° de enero de 1995, dejando para fines del período la liberalización de los productos más sensibles.[5] En el caso de la Argentina los productos que aún permanecían en su lista de excepciones hacia fines de 1994 pertenecían a los sectores siderúrgico, automotriz, electrodomésticos, textil y calzado, papel, cartón, madera y algunos alimentos (como café soluble, jugos de fruta y azúcar).

El Tratado de Asunción también había establecido la eliminación de las restricciones no arancelarias (RNA) sobre la totalidad del universo de bienes para el 31 de diciembre de 1994 (art. 5), en forma paralela a la implementación del cronograma de desgravación arancelaria.[6] Pero en este campo el progreso fue mucho más modesto y se explica más por el proceso de reformas de la política comercial implementado unilateralmente por cada uno de los miembros del Mercosur que por los compromisos adoptados en el marco del proceso de integración regional. En efecto, durante el "período de transición" sólo se hicieron algunos progresos en materia de identificación de RNA, culminando en la confección de un listado consolidado de medidas y restricciones no arancelarias (sobre importaciones y exportaciones) existentes en cada país.[7] Paralelamente, en 1994 el GMC identificó trece restricciones no arancelarias que debían ser eliminadas a partir del 1° de enero de 1995, incluyendo cuatro medidas de la Argentina (entre las que se encontraba la tasa de estadística), cinco de Brasil, una de Paraguay y dos de

---

[5] Tanto para la Argentina como para Brasil los productos remanentes incluidos en las listas nacionales de excepción pasarían a partir del 1° de enero de 1995 a gozar de una preferencia del 100%, cuando hasta ese momento habían estado protegidos por el arancel pleno.

[6] Se estableció que las medidas incluidas en este listado serían posteriormente examinadas para proceder a su armonización o eliminación de acuerdo con ciertos parámetros. En esta disposición no quedaron comprendidas las medidas adoptadas en virtud de las situaciones previstas en el art. 50 del Tratado de Montevideo de 1980 (protección de la moral pública, la seguridad, la salud, la sanidad, el patrimonio nacional o lo relativo a materiales nucleares).

[7] La nómina de restricciones no arancelarias (RNA) que afectaban las importaciones incluía 224 medidas.

Uruguay. Por consiguiente, hacia el final del"período de transición"los cuatro países seguían manteniendo múltiples medidas y restricciones no arancelarias pendientes de armonización, eliminación o justificación.

3. La negociación y adopción de un arancel externo común

De acuerdo con el Tratado de Asunción, los Estados parte debían implementar un arancel externo común a partir del 1° de enero de 1995. Los criterios generales para el AEC fueron establecidos en la reunión de presidentes realizada en diciembre de 1992, cuando se acordó que el mismo estaría comprendido entre el 0 y el 20%, con la posibilidad de que los países incluyeran excepciones para una lista reducida de bienes. Estas excepciones debían converger al nivel acordado del AEC en un plazo de seis años. Este acuerdo general, sin embargo, debió luego traducirse en aranceles para productos individuales.

Las diferencias en las estructuras de producción y protección de los cuatro países, así como la reticencia de sectores influyentes en algunos Estados parte –incluyendo la Argentina– para avanzar hacia una unión aduanera con Brasil, pusieron muchos obstáculos a la definición de aranceles por producto. Así, mientras que el gobierno brasileño se inclinaba por alícuotas nominales bajas para el sector agrícola a fin de facilitar el abastecimiento alimentario y auxiliar su proceso de estabilización, el gobierno argentino recelaba de que las condiciones de acceso de sus exportaciones al mercado brasileño fueran afectadas negativamente por la competencia de productos subsidiados provenientes de los países desarrollados.[8] Divergencias similares se plantearon con respecto a la protección conferida a los bienes de inversión, equipamiento e insumos intermedios. Mientras que el gobierno brasileño se inclinaba por niveles de protección nominal más altos para estos sectores, los otros miembros (y en particular Paraguay y Uruguay) preferían aranceles más bajos con el objeto de reducir los precios relativos de los insumos y bienes de inversión no producidos localmente.[9] Contra muchas expectativas, aunque

[8]   Campbell, J., Rozemberg, R. y Svarzman, G. "Quince años de integración: mucho ruido y muchas nueces", en Campbell, J. (ed.) (1999). *Mercosur: entre la realidad y la utopía*. Buenos Aires. CEI-Editorial Nuevohacer.

[9]   Estas diferencias se ampliaron cuando el gobierno argentino decidió reducir a cero los aranceles a la importación de bienes de capital a mediados de 1993 con el objetivo de favorecer la modernización de la economía.

las negociaciones se extendieron por más de dos años, culminaron exitosamente a fines de 1994.

Tabla 5.2.
Argentina-Brasil. Distribución de frecuencias de los diferenciales arancelarios (Alícuotas de la Argentina menos alícuotas de Brasil)

Diferencia en las alícuotas	Frecuencia	Frecuencia relativa (%)
(-35%, -20%)	27	0.5
(-20%, -10%)	186	3.8
(-10%, -5%)	209	4.2
(-5%, 0%)	355	7.2
(0%)	2,036	41.2
(0%, 5%)	1,211	25.5
(5%, 10%)	621	12.6
(10%, 20%]	296	6.0
(20%, 35%)	-	-

Nota: las alícuotas de la Argentina incluyen la tasa de estadística aplicada en octubre de 1992. Las alícuotas brasileñas son las vigentes después de la última rueda de reducciones automáticas implementada a mediados de 1993, que redujo la tasa máxima a 35% y la tasa promedio a 14.2%.
Fuente: Fritsch, W. y Tombini, Alexandre (1994) "The Mercosul: an overview", en Bouzas, R. y Ros, J. *Economic Integration in the Western Hemisphere.* South Bend. University of Notre Dame Press.

La fijación del AEC resultó de una fórmula de transacción. Por una parte, su estructura final reflejó en buena medida la estructura de la protección prevaleciente en Brasil, lo que aparecía como razonable frente al peso de su economía en el PIB regional. Por la otra, se acordaron mecanismos transitorios para acomodar las distintas preferencias nacionales. El AEC acordado incluye once niveles tarifarios entre 0 y 20%, escalonados según el grado de procesamiento y con un promedio nominal del 11.3%. Esos aranceles no regirían partir del 1° de enero de 1995 para todo el universo de bienes, ya que los países acordaron excepciones por un plazo determinado. Estas excepciones comprendieron sectores transitoriamente excluidos de la unión aduanera (automóviles y azúcar), los bienes de capital, informática y telecomunicaciones y una serie de productos incluidos en sendas listas nacionales de excepción.

Para los bienes de capital y los productos de telecomunicaciones e informática el acuerdo estableció aranceles máximos de 14% y 16%, respectivamente, los que deberán entrar en vigor en 2001 y 2006, respectivamente. En el caso de los bienes de capital, el período de convergencia para

Paraguay y Uruguay se extendió hasta el año 2006. Las listas nacionales de excepción, por su parte, podían incluir hasta un máximo de 300 (399 en el caso de Paraguay) excepciones al AEC. Estas excepciones tendrían vigencia hasta el 31 de diciembre del 2000, excepto para Paraguay que podría mantener las suyas hasta el año 2006.

Se estableció que en todos los casos la convergencia al AEC acordado sería gradual, lineal y automática, con carácter ascendente o descendente según el arancel nacional vigente. Asimismo, se acordó que deberían pagar el AEC o el arancel nacional (si el producto estaba exceptuado del AEC) todas las importaciones provenientes de zonas aduaneras especiales, zonas de procesamiento de exportaciones o zonas francas, con la excepción de Tierra del Fuego (Argentina) y Manaos (Brasil) hasta el año 2013.

Tabla 5.3.
Mercosur. Porcentaje de aranceles promedio, 1995

	Arancel externo promedio	Arancel externo promedio (ponderado por importaciones)	Arancel externo promedio del universo de excepciones
Argentina	11.78	13.37	14.33
Brasil	13.14	15.44	21.39
Paraguay	8.79	5.18	6.83
Uruguay	10.78	11.01	5.92
Mercosur	11.15	11.09	Na*

Nota: el arancel externo promedio de cada país está calculado tomando en cuenta las excepciones. El arancel externo promedio del Mercosur es el AEC que se alcanzará una vez que se eliminen todas las excepciones. El arancel promedio del universo de excepciones fue calculado en base a las excepciones de cada Estado parte: Argentina 1540 líneas arancelarias (16.9% del universo), Brasil 1606 líneas arancelarias (17.6%), Paraguay 2101 (23%), y Uruguay 1961 (21.5%).
*Na: no se aplica
Fuente: tomado de Olarreaga, M. and Soloaga, M. (1998). *Endogenous Tariff Formation: the Case of Mercosur.* The World Bank Review 12. Washington DC. The World Bank.

Junto con la adopción de un AEC los Estados parte elaboraron un código aduanero común. Este código fue aprobado en la cumbre de Ouro Preto de fines de 1994. En esa ocasión también se aprobó una decisión que establecía las normas para la aplicación de criterios de valoración aduanera siguiendo el acuerdo específico del GATT (valor de transacción). El código aduanero común es un instrumento imprescindible para el funcionamiento de una unión aduanera, por cuanto asegura una aplicación uniforme de la normas que rigen la internación de bienes. El código aduanero común incluye, entre otros temas, disposiciones en materia de clasificación, origen, valoración, regímenes especiales, procedimientos para los despachos, obligaciones tributarias e infracciones. No obstante su aprobación por los órganos competentes del Mercosur, el código aduanero común aún no ha entrado en vigencia.[10]

Tabla 5.4.
AEC y Estructura de la Protección, 1995 - AEC final (2001/2006)
(porcentaje)

Cat. CIIU*	Descripción	Arg.	Bra.	Par.	Uru.	Promedio	Arancel final
	Total	10.5	11.9	9.4	10.8	10.7	11.2
1	Agricultura, caza, silvicultura y pesca	7.0	7.0	6.9	6.9	7.0	7.0
2	Minería	3.4	3.6	3.4	3.4	3.5	3.4
3	Manufactura	10.8	12.3	9.6	11.1	11.0	11.5
31	Alimentos, bebidas y tabaco	11.6	11.7	11.5	11.7	11.6	11.6
32	Prendas de vestir textiles y de cuero	17.2	16.9	16.9	16.9	17.0	17.1
33	Madera y productos de madera	10.8	10.2	10.5	10.5	10.5	10.5
34	Papel y productos de papel e imprenta	11.7	10.7	10.7	10.4	10.9	10.9
35	Productos químicos, derivados del petróleo, carbón, caucho y plásticos	7.9	8.2	7.7	7.2	7.8	8.1
36	Productos minerales no metálicos (excluyendo petróleo y carbón)	10.9	10.5	10.6	10.9	10.7	10.9
37	Industrias metálicas básicas	10.9	9.9	9.6	9.3	9.9	9.9
38	Fabricaciones de metal, maquinaria y equipo	10.9	15.8	8.0	13.2	12	13.3
39	Otras manufacturas	16.8	16.6	15.8	16.6	16.5	16.6

Nota: el AEC estará plenamente implementado en la Argentina y Brasil en el año 2001 y en Paraguay y Uruguay en 2006.
* CIIU: Clasificación Industrial Internacional Uniforme.
Fuente: Laird, S. "Mercosur: objectives and achievements", en *Economic Notes. Country Department 1. Latin America and the Caribbean Region*. World Bank. Washington DC.

[10] De hecho, sólo Paraguay ha incorporado el código a su normativa interna. El Código Aduanero entrará en vigor 30 días después de depositado el segundo instrumento de ratificación. Actualmente se está revisando el código para incorporarle modificaciones.

4. La Cumbre de Ouro Preto y el establecimiento de la Unión Aduanera

La estabilización macroeconómica de Brasil en 1994 y el inicio de un ciclo de crecimiento simultáneo en los mayores socios del Mercosur restablecieron perspectivas favorables para el proceso de integración subregional. La recuperación del crecimiento de la economía brasileña contrajo el fuerte déficit comercial bilateral que había acumulado la Argentina a inicios de los noventa y revirtió gradualmente las expectativas defensivas del empresariado y el gobierno de ese país. Los instrumentos básicos para la puesta en marcha de la unión aduanera a partir del 1° de enero de 1995 se establecieron a través de las decisiones adoptadas por el CMC en sus reuniones de agosto y diciembre de 1994 y en la cumbre presidencial de Ouro Preto en ese último mes.

Además de poner en vigencia el AEC acordado, los principales entendimientos alcanzados en Ouro Preto giraron alrededor del tratamiento arancelario a otorgarse a los productos sensibles, del mecanismo de incorporación a las reglas generales de los sectores automotriz y azucarero, de un nuevo régimen general de origen y de una reforma institucional que creó nuevos órganos y amplió las atribuciones de los existentes. Asimismo, se acordó el trato que se daría a las restricciones no arancelarias, se armonizaron las reglas para otorgar incentivos a la exportación y se convino en examinar las políticas públicas que distorsionaban la competitividad y en definir una política común de defensa de la competencia.

4. 1. Aranceles intrazona y "régimen de adecuación"

De acuerdo a lo establecido en el Tratado de Asunción, a partir del 1° de enero de 1995 la Argentina y Brasil debían otorgar una preferencia del 100% sobre todo el universo arancelario a los miembros del Mercosur (Paraguay y Uruguay alcanzarían la misma situación un año más tarde). Los mecanismos para hacerlo fueron establecidos por el PLC (aumento automático semestral en el margen de preferencia y reducción automática anual en el número de productos incluidos en las listas nacionales de excepción), así como en la disposición que eliminaba el mecanismo de salvaguardias a partir del 1 de enero de 1995. No obstante, como ya se señaló, debido a la sensibilidad de los productos remanentes en las listas nacionales de excepción y la entonces próxima eliminación de la posibilidad de aplicar salvaguardias, hacia el fin del "período de transición" las presiones sectoriales crecieron intensamente. El mecanismo adoptado para hace frente a esta situación fue el establecimiento de un "régimen de adecuación", que permitió a los Estados parte mantener un número limitado de excepciones al libre comercio intrazona por un plazo determinado. Su objetivo fue el de facilitar la adaptación de los sectores "sensibles" a las nuevas condiciones de competencia. Los productos elegibles para formar parte de este régimen fueron los remanentes de las listas nacionales de excepción al 31 de diciembre de 1994 y los que se hubieran beneficiado del mecanismo de salvaguardia originalmente previsto en el Tratado de Asunción. En este último caso debía contemplarse un cupo libre de aranceles (ver Tabla 5.5.).

Tabla 5.5
Régimen de Adecuación Final a la Unión Aduanera

	Cantidad de posiciones arancelarias	Principales productos	Libre comercio en
Argentina	212	Productos siderúrgicos, textiles y calzado, papel y cartón, maderas, neumáticos, azúcar, electrodomésticos, jugo de naranja, café soluble y muebles.	1 enero 1999
Brasil	29	Productos textiles, manufacturas de caucho, vinos y duraznos en conserva.	1 enero 1999
Paraguay	432	Textiles y calzado, alimentos, madera, papel y cartón, cueros, productos farmacéuticos, siderurgia muebles, maquinaria y equipos, jabón, manufacturas de vidrio, plástico, cemento.	1 enero 2000
Uruguay	958	Textiles y calzado, maquinaria y equipos, productos siderúrgicos, alimentos, productos farmacéuticos, químicos, plásticos, papel y cartón, manufacturas de vidrio, piedras y cerámicas, muebles, juguetes, madera.	1 enero 2000

Fuente: elaboración propia en base a las Decisiones 5/94, 19/94, 29/94 y 16/96, Resolución 48/94 y anexos correspondientes.

Los aranceles nacionales correspondientes a los productos incluidos en el régimen de adecuación debían converger en forma progresiva y automática hasta su total eliminación para el comercio intrazona a partir del 1 de enero de 1999 en el caso de Argentina y Brasil, y un año más tarde para Paraguay y Uruguay. A diferencia del mecanismo aplicado a las listas de excepción del período de transición, en el "régimen de adecuación" la protección disminuía progresivamente sobre la totalidad del universo de bienes incluidos.

4.2. Sectores con tratamiento especial: azúcar y automóviles

Al cabo del "período de transición" los sectores automotriz y azucare-ro fueron transitoriamente excluidos del libre comercio intrarregional y de las políticas comunes.[11] Las razones para ello fueron su sensibilidad y las asimetrías en las regulaciones públicas que prevalecían en cada uno de los países, especialmente en la Argentina y Brasil. La Decisión 29/94 adoptada en la cumbre de Ouro Preto estableció un Comité Técnico en el ámbito de la Comisión de Comercio del Mercosur cuyo objetivo sería elaborar un régimen común que debería entrar en vigencia a partir del 1° de enero de 2000. Dicho régimen debía incluir los siguientes elementos básicos: libre comercio intrazona, un arancel externo común, la ausencia de incentivos que distorsionaran la competencia dentro de la subregión, un régimen de importación de autopartes para terminales y autopartistas, un régimen de importación de vehículos, un índice de contenido regional, reglas de protección al medio ambiente y la seguridad, y un mecanismo de transición de los regímenes nacionales al régimen común, incluyendo la armonización de los mecanismos existentes de promoción. En esa Decisión también se estableció la renegociación de los acuerdos bilaterales Argentina-Brasil (Protocolo 21 del Pice), Brasil-Uruguay (en el marco del ACE2-PEC) y Argentina-Uruguay (Cauce) a fin de mejorar las condiciones de acceso a los mercados para el sector de la industria automotriz.[12]

El acuerdo bilateral entre la Argentina y Brasil incluía la aceptación brasileña de la vigencia del régimen de la industria automotriz argentina hasta el 31 de diciembre de 1999 y la admisión por parte de la Argentina del régimen del "auto popular" vigente en Brasil hasta fines de

[11]   El sector textil también recibió un tratamiento especial por cuanto los Estados parte fueron autorizados a aplicar medidas frente a las importaciones provenientes de extrazona, mientras no se definía una política común de importaciones para el sector, sin que esto implicara incluir nuevas excepciones al AEC. Paralelamente, se acordó que estos derechos específicos no se aplicarían sobre el comercio intrazona. En definitiva, este tratamiento especial consistió en una dispensa para continuar aplicando derechos específicos a las importaciones provenientes de extrazona, evitando que la defensa contra prácticas "desleales" de comercio asumiera la forma de nuevas excepciones al AEC.

[12]   El PEC (Programa Económico de Complementación) era el acuerdo bilateral entre Brasil y Uruguay negociado en el marco de la Aladi. El equivalente argentino-uruguayo era el Cauce (Convenio Argentino-Uruguayo de Complementación Económica).

1996.[13] La Argentina también se comprometía a reconocer como nacionales las autopartes brasileñas a los efectos del cómputo del índice de contenido nacional de su programa sectorial, sujeto al requisito de compensación con exportaciones a cualquier destino. Por su parte, las exportaciones argentinas de autopartes dirigidas a Brasil se multiplicaban por un coeficiente de 1.2 a efectos de la compensación de las autopartes importadas desde ese país. Brasil también consideraba como nacionales a las autopartes argentinas a los efectos de cumplir con el requisito de contenido nacional previsto para el entonces vigente programa del "auto popular". Entre las terminales establecidas también se fijó un régimen de libre comercio con arancel cero y sin restricciones cuantitativas.

El azúcar, por su parte, fue excluido del libre comercio intrazona y de las políticas comunes hasta el 1° de enero del 2001. En el ínterin los países miembros podrían mantener los aranceles nominales vigentes tanto para el comercio intrazona como para el extrazona. Asimismo, un grupo *ad hoc* creado en agosto de 1994 tendría como responsabilidad la definición de un régimen de transición para el sector con el objetivo de adecuarlo a la unión aduanera.

4.3. Las reglas de origen

La cumbre de Ouro Preto también definió un régimen general de origen con vigencia a partir del 1° de enero de 1995 y que sucedería al establecido por el Tratado de Asunción, originalmente con vigencia hasta el 31 de diciembre de 1994. Según lo establecido en ese acuerdo, debían aplicarse reglas de origen exclusivamente a productos exceptuados del AEC que se encontraran en convergencia descendente o ascendente hacia el nivel acordado, a productos con más de un 40% de su valor FOB en insumos importados exceptuados del AEC, a productos para los que existía una política comercial diferenciada (automotriz, azúcar, productos textiles, derechos *antidumping* y compensatorios aplicados a terceros países, regímenes especiales de importación, etc.) y otros casos excepcionales que eventualmente determinara la Comisión de Comercio del Mercosur (véase punto 4.4.).

---

[13] El régimen de la industria automotriz argentina era un régimen de promoción sectorial que incluía cuotas para la importación de vehículos terminados para los productores no establecidos y un arancel preferencial para la importación de vehículos terminados para productores establecidos, sujeto a un requisito de intercambio compensado.

R. Bouzas - J. M. Fanelli

Los criterios para la aplicación de las reglas de origen fueron los mismos que rigieron durante el "período de transición": el cambio de clasificación arancelaria, el requisito de 60% de valor agregado regional (cuando no hubiera cambio de clasificación arancelaria o cuando se lo exigiera explícitamente) y otros requisitos de carácter específico para ciertos productos (como productos de telecomunicaciones, siderurgia, química y bienes de capital).

4.4. Los nuevos órganos

En la cumbre de Ouro Preto realizada en diciembre de 1994 los Estados parte también aprobaron un Protocolo Adicional al Tratado de Asunción sobre la Estructura Institucional del Mercosur (denominado Protocolo de Ouro Preto, POP), a través del cual se crearon tres nuevos órganos, a saber: la Comisión de Comercio del Mercosur (CCM), la Comisión Parlamentaria Conjunta (CPC) y el Foro Consultivo Económico y Social (FCES). El único de los nuevos órganos con capacidad decisoria fue la CCM, ya que tanto la CPC cono el FCES fueron creados como órganos consultivos. El POP también extendió las responsabilidades de la Secretaría Administrativa creada por el Tratado de Asunción como un órgano de apoyo para las actividades del GMC.

La CCM fue establecida como el órgano responsable por la aplicación y seguimiento de los instrumentos acordados de política comercial común y otros temas vinculados con el comercio intrazona y con terceros países. La CCM también fue habilitada para considerar los reclamos originados por los Estados parte o por particulares en áreas de su competencia, y para administrar el mecanismo de consultas diseñado para agilizar la resolución de los conflictos comerciales. De la CCM dependerían varios comités técnicos especializados, como el de Aranceles, Nomenclatura y Clasificación de Mercaderías, Asuntos Aduaneros, Normas y Disciplinas Comerciales, Defensa de la Competencia, Defensa del Consumidor, Restricciones y Medidas No Arancelarias, Sector Automotriz y Sector Textil.

La Comisión Parlamentaria Conjunta fue creada como el órgano representativo de los Parlamentos de los Estados parte. Su propósito fue el de involucrar a los poderes legislativos, contribuyendo a acelerar los procedimientos internos para la entrada en vigor de las normas emanadas de los órganos decisorios ayudando, además, a la armonización de las legislaciones. El Foro Consultivo Económico y Social, por su parte, tenía como objetivo la representación de los sectores no gubernamentales y, al igual que la CPC, funciones estrictamente consultivas.

El Protocolo de Ouro Preto también extendió los procedimientos de solución de controversias establecidos en el Protocolo de Brasilia sobre Solución de Controversias, postergando la adopción de un mecanismo permanente hasta la plena convergencia hacia la unión aduanera prevista para el año 2006. El POP también definió los procedimientos para elevar reclamaciones a la CCM.

Box 5.2.
Otros temas acordados en la cumbre de Ouro Preto

- **Restricciones no arancelarias**

Durante el "período de transición" los negociadores se abocaron a la identificación de una serie de restricciones y medidas no arancelarias, tarea que concluyó para la cumbre de Ouro Preto con la definición de un listado consolidado desagregado por país, en el que se identificaron cerca de 250 medidas. En esa ocasión también se comprometió la armonización y/o eliminación de las restricciones no arancelarias que constituían un obstáculo al comercio, se establecieron los parámetros a considerar para su eliminación o armonización y se encomendó su tratamiento a un comité técnico creado especialmente en el ámbito de la CCM. Dicho comité también estaría encargado de actualizar el listado, identificando nuevas medidas no arancelarias con un impacto restrictivo sobre el comercio.

- **Defensa de la competencia**

En la cumbre de Ouro Preto también se acordaron las pautas básicas para la definición de una política común de defensa de la competencia, con el objetivo de posibilitar la acción coordinada de los Estados parte a fin de evitar prácticas contrarias a la libre competencia. Paralelamente, se estableció un Comité Técnico encargado de elaborar un Estatuto sobre Defensa de la Competencia para ser utilizado como referencia para la adecuación de las legislaciones nacionales, para su adopción como Protocolo (como finalmente ocurrió).

- **Políticas públicas que distorsionan la competencia**

Se decidió crear un comité técnico en el ámbito de la CCM con el objetivo de identificar aquellas medidas de política pública vigentes en cada Estado Parte que pudieran distorsionar las condiciones de competencia dentro de la región debido a su carácter discriminatorio. Dichas medidas debían ser clasificadas de acuerdo con ciertas categorías (tributarias, crediticias, compras gubernamentales y otras) para luego evaluar su compatibilidad con el funcionamiento de la unión aduanera, teniendo en cuenta criterios de eficiencia económica, los objetivos generales del Mercosur y las disposiciones multilaterales. Las medidas compatibles deberían ser armonizadas o justificadas, en tanto que las incompatibles deberían eliminarse progresivamente.

• **Incentivos a la exportación**
Los Estados parte acordaron no utilizar incentivos a la exportación
intrazona, con excepción del financiamiento de largo plazo a las exportaciones de bienes de capital (en condiciones compatibles con las
internacionales), la devolución o exención de impuestos indirectos de
acuerdo con la normativa multilateral hasta tanto fuera armonizada
la política tributaria y los regímenes aduaneros especiales (con ciertas
restricciones). Los regímenes aduaneros especiales (como el *draw back*
y la admisión temporaria) podrían ser utilizados en el comercio
intrazona sólo para productos que estuvieran sujetos a reglas de origen. Esta restricción se impuso para evitar que los beneficios de estos
regímenes (devolución o exención de aranceles a las importaciones)
se extendieran a proveedores de terceros países.

5. Una evaluación del período de transición

Los progresos que se registraron durante el "período de transición" se
concentraron en la liberalización de las restricciones arancelarias al comercio intrarregional de bienes. Durante este período también se avanzó
en la negociación y definición de ciertos instrumentos de política comercial externa común, como el AEC y el código aduanero. En contraste, en
materia no arancelaria, de armonización de regulaciones, de coordinación
macroeconómica y de eliminación de asimetrías los resultados fueron
mucho más modestos. En efecto, hacia el fin del "período de transición" la
mayor parte de los compromisos establecidos en el Cronograma de las
Leñas estaba aún pendiente de cumplimiento.

Box 5.3.
El Cronograma de las Leñas de 1992

En la cumbre presidencial de Las Leñas realizada a mediados de 1992
se definió un cronograma de medidas para lograr la armonización de
las políticas económicas antes de la finalización del "período de transición", estableciendo metas y plazos específicos para cada uno de
los subgrupos de trabajo del GMC. Las actividades incluidas en el
cronograma se vinculaban con los siguientes temas:
• Asuntos comerciales
• Asuntos aduaneros

- Normas técnicas
- Régimen cambiario
- Mercado de capitales
- Sistema financiero
- Seguros
- Inversiones
- Transporte
- Política industrial y tecnológica
- Medio ambiente
- Política agrícola
- Política energética
- Arancel externo común
- Sistemas tributarios
- Política macroeconómica
- Defensa del consumidor
- Servicios
- Trabajo y seguridad social

En cualquier caso, cuando se compara la experiencia del Mercosur durante el "período de transición" con la de otros procesos de integración entre países en desarrollo, el balance de los resultados es muy favorable. En efecto, a pesar de los temas pendientes y del progreso incipiente en algunas materias, la eliminación casi completa de las restricciones arancelarias al comercio de bienes y el establecimiento de un cronograma automático para eliminar los aranceles remanentes a partir de 1995, representaron un avance sustancial. Para explicar este desempeño es necesario hacer referencia a tres factores principales.[14]

El primero es el nuevo contexto de política comercial que coincidió con el "período de transición". Entre fines de los ochenta y principios de los noventa, tanto la Argentina como Brasil y Uruguay iniciaron ambiciosos procesos de reforma de las políticas comerciales y de apertura unilateral que crearon un marco más compatible con la liberalización intrarregional del comercio. Este contexto permitió, por un lado, que los costos de transición asociados a la apertura preferencial con frecuencia se confundieran con los efectos derivados de la apertura unilateral, reduciendo las resistencias sectoriales al proceso de integración y facilitando el cumplimiento

---

[14] Bouzas, R. "La Agenda Económica del Mercosur: desafíos de política a corto y mediano plazo", en Integración y Comercio, N° 0 Año 1. Buenos Aires. INTAL, enero-abril de 1996.

de las metas de liberalización. Por otra parte, la mejora en las condiciones de acceso a los mercados vecinos permitió que algunos sectores identificaran beneficios concretos derivados de la integración (especialmente en los países menores), estimulando la formación de coaliciones en apoyo del Mercosur.

El segundo factor se relaciona con el contexto de política comercial, pero en un sentido más instrumental. En contraste con la metodología de "listas positivas" que se había adoptado en el pasado, el Acta de Buenos Aires –y posteriormente el Tratado de Asunción– adoptaron un mecanismo de desgravación automático, progresivo y lineal que, una vez ratificado por cada parlamento nacional adquirió el estatuto de legislación interna. El resultado fue una modificación sustancial en la lógica de la negociación: el intercambio de concesiones producto por producto fue reemplazado por un mecanismo general de liberalización que sólo permitía (formalmente a través de la cláusula de salvaguardias o la aplicación de la legislación interna de "defensa comercial" o informalmente a través de medidas *ad hoc* como los acuerdos de ordenamientos de mercado del sector privado), tratar casos particulares como hechos excepcionales. Esta flexibilidad residual facilitó tratar situaciones sensibles (en los que la influencia de los intereses internos se expresaba con más peso) dentro de un contexto general de liberalización del comercio y en ausencia de políticas orientadas hacia la reconversión o la reestructuración sectorial.

Por último es necesario señalar la influencia de eventos exógenos (la "fortuna") que jugaron a favor del Mercosur durante el "período de transición". Probablemente el más importante fue la abundante disponibilidad de financiamiento externo en la primera mitad de los noventa. El fluido acceso a los mercados internacionales de capital permitió financiar fácilmente los desequilibrios de la cuenta corriente y reducir el carácter conflictivo de la acumulación de desequilibrios bilaterales en los flujos de comercio. La facilidad de acceso al crédito externo permitió compensar los efectos de la asincronía de los ciclos económicos internos (fuerte expansión en la Argentina y estancamiento o retroceso en Brasil) y la inestabilidad del tipo de cambio real bilateral (en parte derivada de un régimen de tipo de cambio fijo en la Argentina y un sistema de tipo de cambio ajustable o flotante en Brasil). El fuerte crecimiento en las corrientes bilaterales de comercio también contribuyó a que los gobiernos toleraran la flexibilidad residual a la que hicimos referencia, adoptando o aceptando decisiones puntuales en un contexto general de avance en la liberalización y de crecimiento de los flujos de comercio. A partir de 1994 la recuperación del crecimiento y la apreciación real de la moneda brasileña como consecuencia del programa de estabilización adoptado a mediados de ese año posibilitó la convergencia macroeconómica de facto entre los dos principales socios del Mercosur, justamente en la fase final de las negociaciones para poner en marcha la unión aduanera. El"boom" de demanda que siguió a la implementación del plan Real fue un elemento central para explicar el rápido crecimiento que experimentaron las exportaciones argentinas durante 1995, justamente en el crítico período que siguió a la"Crisis del Tequila".

Durante el período de transición, el comercio intraregional se expandió a una tasa promedio anual de más del 30%, dos veces y media mayor que la tasa de crecimiento del comercio extrarregional. De esta manera, la Argentina se convirtió en el segundo proveedor de Brasil (luego de EE.UU.) y en el segundo mercado de destino para las exportaciones brasileñas (en comparación con el quinto y décimo puesto que ocupaba, respectivamente, en 1990). Brasil, por su parte, conservó su lugar como segundo mayor proveedor de la Argentina, en tanto que se convirtió en el principal destinatario de sus exportaciones (en comparación con el segundo lugar que ocupaba en 1990). Durante el "período de transición" la cooperación interempresaria y las inversiones intrarregionales también experimentaron un notable dinamismo (particularmente entre la Argentina y Brasil), el que se reflejó en la concreción de *joint ventures,* la apertura de oficinas comerciales y la firma de acuerdos de complementación productiva y de representación. Los impactos sobre la inversión también se manifestaron en la adquisición de paquetes accionarios y en el establecimiento de filiales. Los sectores donde la cooperación interempresaria y las inversiones intrarregionales fueron más intensas fueron los alimentos y bebidas, y la industria automotriz y de autopartes, aunque también se registraron iniciativas en otros sectores como bancos, maquinaria y equipo, química y petroquímica.[15]

---

[15] Bouzas, R. "Integración económica e inversión extranjera: la experiencia reciente de Argentina y Brasil", en De la Balze, F. A. M. (comp.) (1995). Argentina y Brasil. Enfrentando el siglo XXI. Buenos Aires. Asociación de Bancos de la República Argentina.

Tabla 5.6.

Exportaciones de los Estados parte del Mercosur, según mercados de destino,
1990/1994 (millones de dólares y tasa de crecimiento anual)

	Argentina	Brasil	Paraguay	Uruguay
Cantidad de posiciones arancelarias	212	29	432	958
Principales productos	Productos siderúrgicos, textiles y calzado, papel y cartón, maderas, neumáticos, azúcar, electrodomésticos, jugo de naranja, café soluble y muebles.	Productos textiles, manufacturas de caucho, vinos y duraznos en conserva.	Textiles y calzado, alimentos, madera, papel y cartón, cueros, productos farmacéuticos, siderurgia muebles, maquinaria y equipos, jabón, manufacturas de vidrio, plástico, cemento.	Textiles y calzado, maquinaria y equipos, productos siderúrgicos, alimentos, productos farmacéuticos, químicos, plásticos, papel y cartón, manufacturas de vidrio, piedras y cerámicas, muebles, juguetes, madera.
Libre comercio en	1º enero 1999	1º enero 1999	1º enero 2000	1º enero 2000

Fuente: elaboración propia en base a Dataintal.

Box 5.4.
Una "puerta abierta" para Chile

El Tratado de Asunción incluyó una cláusula de adhesión que abrió la posibilidad de que los demás miembros de la Aladi pudieran negociar su incorporación al Mercosur después de cinco años de vigencia del acuerdo, o antes si el miembro no formaba parte de esquemas de integración subregional o de una asociación extrarregional. Dado que Chile era el único miembro de la Aladi sin compromisos intra (Comunidad Andina) o extrarregionales (México y el Tlcan), a través de este mecanismo se abrió formalmente la posibilidad de que Chile ingresara como miembro pleno del Mercosur sin otra restricción que la aceptación unánime de los miembros.

Los sucesivos gobiernos de Chile no usaron la "puerta abierta" por diversas razones. En primer lugar, a inicios de la década del noventa la credibilidad del Mercosur era muy limitada. En este contexto, la invitación a Chile para integrarse a una unión aduanera integrada por vecinos con una tradición de inestabilidad macroeconómica y volatilidad en las políticas no resultaba muy atractiva. En segundo lugar, la participación de Chile en la unión aduanera hubiera implicado resignar su autonomía de política comercial. Esto iría en contra de la estrategia implementada hasta el momento, que consistía en la negociación de tantos acuerdos preferenciales como fuera posible, ya sea con otros países de América latina o de fuera de la región (como Nueva Zelanda o la Apec). En particular, el gobierno chileno e importantes sectores internos veían con simpatía una posible incorporación al Nafta, algo que fue finalmente prometido por el presidente norteamericano Bill Clinton en la cumbre presidencial de Miami de diciembre de 1994. En tercer lugar, la negociación y adopción de un AEC por parte de Chile hubiera implicado un cambio importante en su estructura de protección, caracterizada por un arancel uniforme y una tarifa promedio inferior a la del Mercosur. Finalmente debe destacarse la influencia de los sectores opuestos a una incorporación al Mercosur, ya sea por razones ideológicas (debido al predominio de visiones geopolíticas que privilegiaban el conflicto con la Argentina) o por intereses sectoriales (como los de los agricultores de clima templado que veían su supervivencia amenazada por la competencia de sus vecinos más eficientes).

Si bien Chile no se incorporó a la unión aduanera, en junio de 1996 Chile y el Mercosur firmaron un acuerdo de libre comercio que entró en vigor en octubre de ese año como Acuerdo de Complementación Económica N° 35 de la Aladi. A mediados de 1997 el CMC aprobó la Decisión N° 12/97 por la que se establecieron las condiciones y modalidades para la participación de Chile en las reuniones de los órganos del Mercosur, apuntando a promover la profundización de la integración económica, particularmente en las áreas establecidas en el Acuerdo de Complementación Económica. La modalidad, frecuencia y forma en que se instrumentaría la participación de Chile quedó a criterio de cada uno de los órganos (SGT, Grupos Ad Hoc, Reuniones Especializadas y Reuniones de Ministros). Junto con Bolivia, Chile participa de las reuniones presidenciales, de los encuentros del CMC y, eventualmente, del GMC.

Capítulo 6

Después de Ouro Preto: implementando la Unión Aduanera

1. Introducción

Con el fin del"período de transición", el 1º de enero de 1995 se inició formalmente la implementación de la unión aduanera. Durante la segunda mitad de los noventa, la agenda del Mercosur se concentró no sólo en la adopción de políticas comerciales comunes, sino también en la remoción de las barreras remanentes al comercio de bienes. Aunque por lo que toca a la eliminación de aranceles este proceso fue bastante exitoso, para fines del decenio aún subsistían numerosos obstáculos no arancelarios al movimiento de bienes. Este capítulo examina la experiencia de implementación de la unión aduanera en la segunda mitad de los noventa revisando el progreso registrado en materia de liberalización del comercio intrazona, adopción de políticas comerciales comunes e implementación de la llamada"profundización"del Mercosur.

2. Liberalización del comercio y restricciones no arancelarias

A partir de 1995 el cronograma de reducción gradual y automática de aranceles para los productos incluidos en el"régimen de adecuación"se cumplió en los plazos originalmente establecidos. Así, desde el 1º de enero de 2000 todo el comercio entre los Estados parte (excepto el azúcar y los automóviles) goza de un margen de preferencia sobre el arancel NMF de 100%, a condición de que los bienes cumplan con los requisitos de

---

[1]   El comercio de azúcar está gravado con los aranceles nacionales. El comercio de automóviles entre Argentina, Brasil y Uruguay está regulado por los respectivos acuerdos bilaterales sectoriales. Estos acuerdos incluyen importaciones libres de aranceles sujetas a requisitos de intercambio compensado (Argentina y Brasil) o cupos (Argentina y Brasil con Uruguay) (véase, el punto 3 de este capítulo).

origen.[1] Sin embargo, a pesar de una preferencia del 100% sobre el arancel NMF los flujos de comercio intrazona no están completamente libres de gravámenes, por cuanto pueden tributar impuestos a la importación derivados de la aplicación de derechos compensatorios o *antidumping* de los Estados parte.[2]

Desde mediados de los noventa el principal obstáculo al acceso a los mercados no han sido los aranceles sino las restricciones no arancelarias. De hecho, esta eliminación registró muy pocos progresos. Como lo indica la experiencia internacional, a medida que se eliminaron los aranceles aumentó la incidencia de las restricciones no arancelarias, ya sea porque éstas se hicieron más visibles o bien porque fueron utilizadas con mayor frecuencia como mecanismo alternativo de protección.[3]

Hacia fines de 1997, el CMC dispuso que los Estados parte debían definir un cronograma para lograr la eliminación o armonización de las medidas y restricciones no arancelarias identificadas como prioritarias por su importancia para el comercio intrazona a partir del 1° de enero de 1999. Pero estas negociaciones no registraron prácticamente ningún progreso. En mayo de 1999 el listado consolidado ya contenía 351 medidas y restricciones no arancelarias (en su mayoría del área de agricultura, salud y reglamentos técnicos) y se había "tratado" un 57% de las mismas.[4] Como la mayoría de las medidas "tratadas" habían sido justificadas, aún permanecían vigentes.

Un buen número de obstáculos al comercio intrazona se origina en la persistencia de asimetrías en las normas técnicas y de control por ra-

[2] La Argentina recurrió con frecuencia a la aplicación de derechos *antidumping* a las importaciones desde Brasil. Entre 1991 y 1999 las autoridades argentinas abrieron un total de 146 investigaciones por *dumping*, de las cuales 40 correspondieron a Brasil, convirtiendo a ese país en el principal destinatario de esas investigaciones. En 1999 Brasil era el segundo principal destinatario de medidas vigentes (13 sobre un total de 47), sólo superado por China con 14.

[3] La experiencia del régimen multilateral de comercio muestra un fenómeno similar. Mientras que hasta fines de la década del sesenta el énfasis se puso en el desmantelamiento de la protección tarifaria, a partir de la década del setenta los principales obstáculos al comercio provinieron de medidas no arancelarias. Algunas de éstas se volvieron relevantes debido a la reducción de la protección arancelaria, mientras que otras fueron implementadas precisamente con el objetivo de compensar los efectos de la disminución de aranceles sobre los flujos de comercio.

[4] El tratamiento implica definir –en base a criterios predeterminados– si la medida en cuestión debe ser eliminada, armonizada o justificada.

zones sanitarias y/o de seguridad. Aun cuando se han realizado avances en estas materias, como se refleja en el número de reglamentos técnicos de armonización aprobados por el GMC, la eficacia de estas tareas ha sido relativa debido a los problemas de "transposición" de la normativa en cada uno de los Estados parte. En efecto, como en última instancia la vigencia de las medidas acordadas depende de la efectiva incorporación de los reglamentos comunes a las legislaciones o instrumentos nacionales pertinentes (proceso para el que no existen plazos ni obligaciones que vayan más allá del compromiso de "realizar todos los esfuerzos necesarios"), se ha desarrollado un brecha creciente entre los resultados formales de las actividades de armonización y su traducción en medidas nacionales concretas.[5]

Box 6.1.
La "transposición" de normas en el Mercosur

A pesar de que los "actos" de los órganos de toma de decisiones del Mercosur son obligatorios, no tienen "aplicación inmediata" ni "efectos directos". En la práctica, esto significa que los Estados parte asumen el compromiso de "internalizar", pero no necesariamente de "aplicar" las normas. Estos "actos" pueden concebirse, por lo tanto, como actos legales "incompletos", equivalentes a acuerdos internacionales firmados pero no ratificados.

En la experiencia comunitaria europea el principio de "aplicación inmediata" significa que las normas generadas a nivel internacional no necesitan "transponerse" en legislación doméstica para que tengan efectos plenos sobre los individuos. El principio de "efecto directo", por su parte, otorga a los individuos el derecho de invocar ante los tribunales nacionales o comunitarios las normas acordadas, aun cuando esas normas necesiten "transponerse" para desarrollar plenamente sus efectos.

En el caso del Mercosur todas las normas necesitan ser "transpuestas" a través de actos legislativos o administrativos internos, según lo establezca cada legislación nacional. Como no hay plazos obligatorios ni mecanismos efectivos para asegurar que se produzca la "transposi-

---

[5] Como vimos en el capítulo 6, un problema similar se produjo en la experiencia comunitaria europea, el que fue finalmente superado por la generalización del principio de "reconocimiento mutuo" como mecanismo complementario de la armonización.

ción", el proceso ha sido lento, heterogéneo y muy sensible a la disposición o a los obstáculos políticos, administrativos o legales enfrentados por cada gobierno.

Debido a la ineficacia de los mecanismos establecidos en el Protocolo de Ouro Preto, con el correr del tiempo los Estados parte tomaron medidas para facilitar y acelerar el proceso de transposición. Pero todas estas medidas fueron de carácter exhortativo, por lo que tuvieron un efecto prácticamente nulo sobre el desarrollo del proceso. A fin de tener un mecanismo de seguimiento del proceso de transposición, en 1998 se requirió a la Secretaría Administrativa la preparación de informes regulares sobre el estado de cada norma. Sin embargo, como estos informes son confidenciales contribuyeron muy poco a incrementar la transparencia.

La recurrencia de conflictos comerciales relacionados con medidas sanitarias o de evaluación de conformidad, junto con las crecientes dificultades en las tareas de armonización, impulsaron a los países del Mercosur a negociar acuerdos de reconocimiento mutuo. A tal efecto, el GMC aprobó a fines de 1998 una resolución habilitando la celebración, entre dos o más Estados parte, de acuerdos de equivalencia de los sistemas de control sanitario y fitosanitario, y de reconocimiento mutuo de procedimientos de evaluación de conformidad. El propósito era evitar la duplicación de controles nacionales y las diferencias en las respectivas normativas nacionales. Argentina y Brasil ya han firmado dos acuerdos marco en las áreas de salud e industria, en tanto que está pendiente el correspondiente al sector alimenticio.

No obstante el compromiso de *stand still* (no aplicación de nuevas medidas) incluido en el Tratado de Asunción, tanto durante el "período de transición" como posteriormente se implementaron nuevas medidas destinadas a contrarrestar el efecto de la reducción de aranceles o hacer frente a dificultades en sectores individuales. Tal fue el caso, por ejemplo, de la restricción en el plazo de financiamiento de las importaciones (con ciertas excepciones para los Estados parte del Mercosur, Chile y Bolivia) y el requisito de licencias previas no automáticas adoptado por las autoridades brasileñas en 1997 bajo el argumento de la existencia de problemas en la balanza de pagos. En la Argentina los efectos de la devaluación del real también dieron fuerte impulso al uso de medidas no arancelarias como las licencias previas no automáticas, las exigencias de etiquetado (calzado, papel), la aplicación de mecanismos de salvaguardia (tejidos de algodón) y la imposición de derechos *antidumping* (siderurgia).[6]

La aplicación de restricciones no arancelarias no ha sido sólo consecuencia de la acción de las administraciones federales sino también de otros poderes del Estado, como el legislativo o el judicial. Tal fue el caso, por ejemplo, de la disposición por parte del Tribunal Regional Federal de Porto Alegre de hacer lugar al recurso de amparo presentado por los productores arroceros brasileños en abril del año 2000, mediante el cual se prohibía el ingreso de arroz de la Argentina y Uruguay.[7] También en 1999, y antes de que la CNCE argentina verificara la existencia de daño a los productores domésticos de pollos causado por las importaciones provenientes de Brasil en supuestas condiciones de dumping, un juez federal de Entre Ríos estableció restricciones cuantitativas al ingreso de ese producto desde Brasil hasta tanto la Subsecretaría de Comercio (órgano de aplicación de las medidas de alivio comercial) emita su dictamen definitivo. El Ministerio de Economía elevó un recurso extraordinario, pero hasta octubre de 2000 la Corte Suprema de Justicia aún no se había expedido.

No sólo los poderes judiciales tomaron medidas restrictivas de este tipo, sino también los legislativos, reflejando un proceso de "politización" negativa de los conflictos comerciales. Un ejemplo fue la aprobación por parte del Congreso argentino de una ley nacional que condiciona la eliminación de aranceles a las importaciones de azúcar desde los socios del Mercosur, a la conclusión de los subsidios que otorga el programa brasileño proalcohol.

---

[6] Las autoridades argentinas aplicaron salvaguardias a las importaciones de tejido de algodón amparadas en el Acuerdo sobre Textiles y Vestido del GATT-1994. No obstante, como las salvaguardias al comercio intrazona caducaron con el fin del "período de transición", el tercer Tribunal *ad hoc* emitió un fallo estableciendo la remoción de la medida. En 1999 y en el clímax de los conflictos producidos por la devaluación brasileña, el gobierno argentino reglamentó la Resolución 70 de la ALADI que habilita la aplicación de salvaguardias internas a la ALADI. Tras la firme oposición del gobierno brasileño y una negociación a nivel presidencial, los Estados parte del Mercosur fueron excluidos del ámbito de la medida.

[7] La medida fue apelada por el Ejecutivo brasileño y finalmente revocada en junio de 2000 por el Supremo Tribunal de Justicia de Brasil.

3. La incorporación de los "sectores especiales": azúcar y automóviles

A fines de 1994 los Estados parte del Mercosur se comprometieron a liberalizar el comercio intrazona y a adoptar una política común para las importaciones de azúcar a partir del año 2001. Paralelamente, y hasta tanto no se aprobara el régimen común los países acordaron mantener sus aranceles nominales totales tanto para el comercio intrazona como para el extrazona. No obstante, hasta pocos meses antes del vencimiento del plazo no se habían registrado progresos en la negociación de un régimen común. La principal dificultad para incluir el sector azucarero en el régimen de libre comercio intrazona son las diferencias entre Brasil y la Argentina sobre cómo compatibilizar los compromisos de liberalización del comercio y las asimetrías existentes en las políticas sectoriales nacionales. La Argentina mantiene un sistema de protección al sector azucarero (tanto para el comercio intrazona como extrazona) que consiste de un arancel *ad valorem* del 23% más un derecho específico móvil fijado de acuerdo con la variación en el precio internacional del azúcar. Dada la importancia de la producción de azúcar para la región noroeste de la Argentina, las asimetrías regulatorias y las diferencias en el costo de producción con Brasil (principal productor mundial), es improbable que este bien sea incluido en el régimen de libre comercio a partir del año 2001.[8]

Los progresos fueron mayores en el sector automotriz, aunque éste tampoco se ha integrado plenamente al régimen de libre comercio. El comercio automotriz entre Argentina, Brasil y Uruguay se rige por las condiciones particulares establecidas en los acuerdos bilaterales negociados en el marco de la Aladi (Cauce, PEC y ACE-14), en tanto que Paraguay no tiene producción doméstica de vehículos. El acuerdo bilateral suscrito entre la Argentina y Brasil en Ouro Preto fue renegociado anticipadamente a principios de 1996 debido al conflicto suscitado por el nuevo programa de incentivos anunciado por el gobierno brasileño a mediados de 1995 (de características similares al argentino). Este acuerdo –cuyo vencimiento fue establecido para fines de 1999– básicamente adaptó el

---

[8]   Las autoridades brasileñas sostienen que no se ha demostrado la existencia de un nexo entre los subsidios al programa proalcohol y la producción de azúcar. Se ha sugerido que una alternativa para tratar estas asimetrías es permitir el acceso a los beneficios del programa a los productores de azúcar de todos los Estados parte. El caso del azúcar es un buen ejemplo de cómo las asimetrías en las políticas públicas generan distorsiones que dificultan el libre comercio.

acuerdo bilateral alcanzado en Ouro Preto para incorporar las disposiciones del nuevo régimen brasileño. En esa ocasión se decidió mantener el libre comercio de vehículos entre los dos países sujeto a los requisitos de desempeño establecidos por los regímenes nacionales (en ambos casos las importaciones podían ser compensadas con exportaciones a cualquier destino), reconociéndose mutuamente la vigencia de estos regímenes hasta el 31 de diciembre de 1999. También se mantuvo el reconocimiento de las autopartes originarias del socio como si se tratara de nacionales, a los efectos del cómputo del índice de contenido local, pero con una exigencia de que éstas fueran compensadas con exportaciones a cualquier destino. También se acordó el establecimiento de dos cupos sin compensación: uno para las terminales radicadas en uno solo de los países y el otro en reconocimiento del déficit comercial bilateral acumulado por la Argentina entre 1991 y 1994.

A fines de 1996 el gobierno brasileño anunció una nueva medida por la cual se ofrecían incentivos fiscales y arancelarios a terminales automotrices que se radicaran en las regiones norte, nordeste y centro-oeste antes del 31 de marzo de 1997. Esta medida provocó la reacción de las autoridades argentinas dado que estos beneficios no sólo "desnivelaban el campo de juego" sino que, además, podían extenderse más allá de la fecha planteada para la entrada en vigor del régimen común. Este conflicto dominó la escena por un largo tiempo y complicó las tareas de la armonización de los regímenes nacionales. Durante 1997 y 1998 se registraron pocos avances hacia la definición de un régimen automotriz común, principalmente debido a las diferencias entre los dos socios mayores del Mercosur, ya que al programa anunciado a fines de 1996 se agregaron, además, varias iniciativas de gobiernos de los estados brasileños que otorgaban incentivos a la radicación de empresas automotrices en sus distritos.

Recién a fines de 1998 los responsables de Industria del Mercosur alcanzaron un acuerdo por el que decidieron extender el período de transición hasta fines del año 2003, con un mecanismo de monitoreo de la producción, de las inversiones y del comercio. Sin embargo, las negociaciones volvieron a empantanarse debido a las diferencias en cuanto al tratamiento de los subsidios brasileños y del sector autopartes. La inminente finalización de los regímenes nacionales (y del acuerdo bilateral) llevó a

[9] La urgencia por definir un régimen común era ciertamente mayor para las autoridades argentinas, dado que buena parte de las inversiones realizadas en el sector durante la década del noventa estuvo influida por el acceso prefe-

sucesivas prórrogas del plazo establecido para definir los lineamientos de una política común.[9] Finalmente, en marzo del 2000 las autoridades de la Argentina y Brasil acordaron un régimen de transición por un período de seis años y normas comunes a aplicar a partir del año 2006. El régimen de transición conserva el requisito de intercambio compensado, pero admite un desfasaje comercial creciente hasta llegar al libre comercio. Las normas que regirán el régimen común incluyen la vigencia del libre comercio a partir del 1º de enero de 2006, un AEC de 35% para las importaciones de vehículos terminados provenientes de extrazona (que no estarán sujetas a cupo) y un requisito de contenido regional del 60%. Para las importaciones de autopartes provenientes de extrazona se acordó un AEC de entre 14% y 18%, con un cronograma de convergencia ascendente para la Argentina (actualmente las terminales radicadas en nuestro país pueden importar autopartes de extrazona con un arancel preferencial del 2%, en comparación con el 11.5% que tributan en Brasil).

Hasta octubre de 2000 las normas comunes negociadas por la Argentina y Brasil, no habían sido aceptadas por Paraguay y Uruguay. Paraguay no produce vehículos y se opone a aplicar un arancel del 35% para unidades terminadas. Uruguay, por su parte, produce una pequeña cantidad de unidades en el marco de los acuerdos bilaterales vigentes con Argentina y Brasil y su producción se verá amenazada si no existen mecanismos de comercio compensado a partir del año 2006. Debido al bajo volumen de producción y a su dependencia de regímenes preferenciales que lo atan a los mercados vecinos, los funcionarios uruguayos tampoco ven con buenos ojos un arancel del 35%.

La implementación del acuerdo bilateral también enfrentó dificultades. Las autoridades argentinas, que habían conseguido incluir una cláusula estableciendo que el 60% de contenido regional debía incorporar un 30% de partes nacionales, reglamentaron la forma de cálculo de ese porcentaje exigiendo que el cálculo tome en consideración exclusivamente los conjuntos armados a partir de piezas locales. La reglamentación, adoptada para favorecer a la industria local de autopartes, fue resistida tanto por las autoridades brasileñas como por las terminales radicadas en am-

rencial al mercado brasileño. No obstante, la Argentina contaba con la posibilidad de solicitar a la OMC una autorización para renovar su programa de incentivos sectoriales que originalmente caducaba en diciembre de 1999. En efecto, el acuerdo de las TRIM (Medidas sobre la Inversión que Afectan el Comercio) permitía esta posibilidad a la Argentina por cuanto su gobierno había informado oportunamente la existencia del régimen de promoción sectorial.

bos países. El sector de la industria automotriz es el principal rubro del comercio entre la Argentina y Brasil. En efecto, alcanza un valor promedio anual de casi 3.5 mil millones de dólares en el período 1996/99. Este monto es equivalente a aproximadamente un 26% del intercambio bilateral total.[10]

4. LA IMPLEMENTACIÓN DE LAS POLÍTICAS COMERCIALES COMUNES

Si bien el 1° de enero de 1995 se inició formalmente la unión aduanera con la vigencia del arancel externo común (AEC), su implementación tropezó con varios obstáculos. El AEC no se ha convertido en un instrumento de protección común, sino que presenta múltiples "perforaciones" producidas por:

- Reducciones arancelarias puntuales debido a razones de abastecimiento autorizadas con carácter excepcional y por tiempo limitado. Este mecanismo fue implementado en 1996, prorrogado y modificado en 1998 y estará en vigencia hasta diciembre de 2000.
- La permanencia de regímenes preferenciales bilaterales producto de la renovación de acuerdos preexistentes con otros países de la ALADI o su renegociación unilateral (por ejemplo, en el caso de la Argentina, Paraguay y Uruguay con México, y de Brasil y la Argentina con la Comunidad Andina).
- La subsistencia de regímenes especiales de importación, entre los que se destacan la admisión temporaria, el *draw back*, los llamados "ex tarifarios" (derechos arancelarios reducidos para las importaciones de bienes de capital no producidos en la región) y las exenciones/reducciones arancelarias permitidas por los regímenes de compras gubernamentales.
- La modificación unilateral de aranceles con base en la autorización de la CMC formulada en 1997, según la cual es posible elevar los aranceles nacionales para las importaciones de extrazona en una magnitud no mayor a los tres puntos porcentuales y por el período que se considere necesario (con límite en el 31 de diciembre de 2000).

---

[1] Corresponde a la sección XVII, Material de transporte, según el Sistema Armonizado.

Las "perforaciones" del AEC exigieron la aplicación de reglas de origen a la totalidad del universo arancelario, frustrando la libre circulación de bienes y anulando algunos de los principales beneficios de una unión aduanera, como una mayor transparencia y menores costos de transacción. La exigencia de reglas de origen para todo el universo arancelario implica que el AEC se cobra a todas las mercancías provenientes de extrazona, aunque éstas ya lo hayan pagado al ser "internadas" en algún otro de los Estados parte. Además, el cobro múltiple del AEC se ha tornado inevitable para preservar la recaudación arancelaria debido a que aún no se ha acordado un mecanismo de distribución de la renta aduanera.

La exigencia de requisitos de origen a la totalidad de los productos que ingresan desde los Estados parte, es la consecuencia práctica de que aún no se dispone de una lista consolidada definitiva de productos sujetos a reglas de origen ni de los requisitos aplicables a cada uno de ellos. Tras sucesivas postergaciones, los Estados parte se autorizaron a continuar exigiendo en forma generalizada la certificación de origen hasta el 30 de diciembre de 2000, mientras se finalizan las tareas de identificación de los regímenes especiales de importación y de otras políticas comerciales diferenciadas. Sin embargo, lo más probable es que esta autorización se extienda hasta el año 2006, ya que a mediados del año 2000 se amplió el plazo hasta esa misma fecha para la vigencia de los regímenes especiales de importación y el uso generalizado del *draw back* y la admisión temporaria para el comercio intrazona.

Box 6.2.
Las aduanas en el Mercosur

El funcionamiento de una unión aduanera requiere no sólo la vigencia de un arancel externo común, sino también la aplicación de un Código Aduanero Común que uniforme las normas de valoración y otros procedimientos aduaneros.

El Código Aduanero fue aprobado en 1994 pero no está vigente debido a que únicamente cuenta con la ratificación parlamentaria de Paraguay. En cualquier caso, la operatividad del código aprobado es incierta por cuanto en él se definen precariamente algunos temas. Esto abrió la puerta para la emergencia de disidencias aun después de aprobado, como ocurrió en relación a las infracciones aduaneras. Los Estados parte del Mercosur tampoco han conseguido acordar un Documento Unico Aduanero (Duam) debido a las diferencias sobre los datos que deberá incluir el documento y el alto costo de modificación de los sistemas informáticos en las aduanas.

Otro problema que enfrentan los servicios aduaneros nacionales es el insuficiente grado de informatización, lo que obstaculiza su interconexión. En el caso de la Argentina, por ejemplo, la informatización del sistema aduanero recién se completó a fines de 1999.

El Acuerdo de Recife (y su protocolo adicional) firmados en 1993, conjuntamente con otras normas posteriores, reglamentaron los aspectos que rigen la implementación de puntos integrados de frontera. En estos puntos las autoridades competentes de dos países limítrofes verifican con procedimientos compatibles –y si es posible simultáneamente– el cumplimiento de las disposiciones legales y administrativas referidas a la salida y entrada de personas y mercaderías. En la mayor parte de los puntos acordados, los controles integrados de frontera no se han implementado plenamente debido a problemas de infraestructura, falta de personal y persistencia de diferentes normas de control aduanero, como por ejemplo diferentes horarios de atención al público.

En una unión aduanera, entre las medidas de política comercial común también deben figurar reglamentos comunes en materia de salvaguardias y de defensa contra prácticas desleales de comercio respecto de las importaciones provenientes de terceros países. En el caso del Mercosur estas tareas fueron desarrolladas por un CT creado en el ámbito de la CCM. El reglamento común relativo a la aplicación de medidas de salvaguardia a las importaciones provenientes de extrazona fue aprobado a fines de 1996, siguiendo la normativa multilateral (Gatt/OMC) que rige la materia. Se contempló un período de transición de dos años (inicialmente hasta 1999 pero luego prorrogado hasta fines de 2000) para permitir la adecuación de las normas nacionales a las disposiciones del reglamento común. Finalizado ese período, el Mercosur podrá adoptar salvaguardias como entidad única o en nombre de uno de sus Estados parte. El Comité de Defensa Comercial y Salvaguardias será el que evalúe si existe daño o amenaza de daño grave a la producción nacional, inicie las investigaciones y, llegado el caso, adopte las medidas pertinentes.

En 1993 los Estados parte habían aprobado un Reglamento relativo a la defensa contra las importaciones que sean objeto de *dumping o subsidios provenientes de países no miembros del Mercosur,* pero a partir de la creación de la CCM se decidió encomendarle a un comité técnico la revisión del reglamento para adecuarlo a los compromisos asumidos en la rueda Uruguay. En diciembre de 1997 se aprobó el marco normativo del reglamento común de defensa contra el dumping de terceros países, en tanto que a mediados de 2000 se hizo lo propio con el marco normativo para subsidios. No obstante, aún restan aprobarse los respectivos reglamentos comunes donde se establecen las normas complementarias que permitirán su efectiva aplicación. Dichos trabajos están previsto para ser concluidos a fines de 2000.

Las dificultades y las demoras para poner en marcha normas comunes en materia de prácticas desleales de comercio se explican en parte porque su entrada en vigor implicaría que las medidas deberían ser adoptadas por un órgano cuatripartito (en este caso la Comisión de Defensa Comercial y Salvaguardia), que requeriría de consenso para adoptar decisiones.

5. El trato de las asimetrías regulatorias

Las asimetrías regulatorias pueden responder al objetivo expreso de obtener ventajas en la competencia o bien a diferentes "preferencias nacionales". No obstante, aun en este último caso pueden tener efectos distorsivos sobre la competencia en un mercado ampliado. Por lo tanto, estas asimetrías plantean la necesidad de establecer mecanismos y crear reglas para asegurar condiciones equitativas de competencia dentro de la subregión, permitiendo al mismo tiempo el respeto por la diversidad de preferencias nacionales en materia de políticas públicas. Este tema se plantea con particular intensidad en el marco de un proceso de integración, pero también es objeto de atención creciente en la agenda comercial multilateral.[11]

En el caso del Mercosur, la mayor parte de estas políticas se relacionan con medidas tributarias, financiero-crediticias, regímenes de compras estatales y regímenes especiales de importación. El Mercosur ha avanzado muy poco en el tratamiento de las asimetrías porque los Estados se han resistido a someter estas prácticas a una mayor disciplina regional. Algunas de ellas han sido consideradas, tradicionalmente, como pertenecientes al ámbito de lo "doméstico" y esta reticencia ha sido especialmente marcada en el caso de Brasil, que cuenta con el arsenal más desa-

---

[11] Esta nueva agenda se explica por el paso de un proceso de liberalización basado en la "integración superficial" (que enfatiza la eliminación de las barreras al comercio aplicadas en frontera) a un proceso de "integración profunda" (que tiene como objeto la remoción de las barreras no fronterizas). Véase Lawrence, R. Z. (1996). *Regionalism, Multilateralism and Deeper Integration.* Washington DC. The Brookings Institution.

rrollado de instrumentos de intervención pública.[12] La naturaleza y sensibilidad de las diferencias excedió claramente las capacidades del comité técnico encargado de proponer soluciones, que sólo consiguió realizar un relevamiento del conjunto de asimetrías vigentes en los Estados parte y elaborar un listado consolidado.[13] Ante la imposibilidad de lograr avances sustantivos se suspendieron las actividades del comité técnico respectivo y el tema pasó a consideración de un Grupo *ad hoc* creado en el marco del GMC.

El Protocolo de Defensa de la Competencia aprobado en diciembre de 1996, estableció el tratamiento de las conductas restrictivas a la competencia (abuso de posición dominante y prácticas colusorias), las sanciones, el órgano de aplicación y otros procedimientos para hacer frente a prácticas no competitivas. En él se incluyó una cláusula transitoria por la cual los Estados parte se comprometieron –dentro de un plazo de dos años a partir de la entrada en vigor del protocolo[14] – a elaborar normas y mecanismos comunes para disciplinar las ayudas del Estado que puedan distorsionar las condiciones de competencia en la subregión. En ese mismo lapso los Estados parte también deberán resolver el tratamiento de las fusiones y concentraciones de empresas.

Desde un principio las autoridades argentinas pretendían que el Protocolo incluyera compromisos específicos en materia de ayudas estatales. No obstante, las autoridades brasileñas sólo aceptaron admitir su tratamiento en un plazo de dos años a partir de la entrada en vigencia del Protocolo (como finalmente se acordó). Como contrapartida, los Estados parte se autorizaron a seguir aplicando la legislación nacional sobre dere-

---

[12] Un camino posible para reducir las asimetrías de estándares y política es lo que Lawrence (1996) ha llamado "armonización imperial", donde las prácticas de un Estado (hegemónico) son adoptadas por otro Estado (seguidor). Este proceso no ha tenido lugar en el Mercosur, como sí ha ocurrido en otras experiencias de integración, como el Tlcan.

[13] En la experiencia de integración europea las asimetrías de política pública y las ayudas estatales fueron tratadas a través del mecanismo de defensa de la competencia establecido en el Tratado de Roma. En la práctica, sin embargo, la aplicación de la política de defensa de la competencia al ámbito de las ayudas estatales recién comenzó a hacerse efectiva en la década del setenta. Algunos países, como Irlanda, han tenido gran éxito en la atracción de inversión extranjera directa sobre la base de ofrecer incentivos que fueron con frecuencia cuestionados por los órganos competentes de la CEE.

[14] El Protocolo todavía no entró en vigencia dado que para ello requiere la aprobación parlamentaria de al menos dos países miembros.

R. Bouzas - J. M. Fanelli

chos *antidumping* y compensatorios al comercio intrazona hasta el 31 de diciembre de 2000.

El disciplinamiento de la utilización de los incentivos a las exportaciones para el comercio intrazona, tal como fuera acordado en 1994, también enfrentó dificultades. Entre ellas se destacan las siguientes:

- Recién a principios de 1999 el gobierno brasileño eliminó la financiación de exportaciones a tasas subsidiadas (Proex) para el comercio intrazona para todos los productos, excepto los bienes de capital financiados a largo plazo, tal como lo establece el acuerdo del Mercosur.[15]
- En lugar de disminuir, las asimetrías entre los dos socios mayores con relación a los estímulos fiscales a la exportación se incrementaron. Mientras que el gobierno argentino redujo los beneficios fiscales para las exportaciones debido a restricciones presupuestarias, ocurrió lo opuesto en el caso de Brasil. En particular, se cuestionó la devolución de ciertos impuestos a las exportaciones destinadas al Mercosur. Finalmente, a principios de 1999 el gobierno brasileño anunció la suspensión del reintegro adicional a las exportaciones de los impuestos PIS/Pasep y Cofins.
- Los regímenes aduaneros especiales (admisión temporaria y *draw back*) continúan siendo utilizados en forma generalizada.

6. La agenda de "profundización" del Mercosur

En diciembre de 1995 los Estados parte aprobaron el "Programa de Acción hasta el año 2000", también conocido como Mandato de Asunción, en el que identificaron prioridades para la consolidación y perfeccionamiento de la unión aduanera y para la llamada "profundización" del Mercosur. Los temas que integran la agenda de "profundización" son varios, incluyendo entre otros la liberalización del comercio de servicios, la

---

[15] La decisión del gobierno de Brasil, que ajustó la práctica a los acuerdos preexistentes, se tomó después de la devaluación del real en enero de 1999 y en el marco de la reunión presidencial de San José de Campos organizada para descomprimir las tensiones y la incertidumbre creada por los primeros efectos de la devaluación. El Proex también había sido objeto de un cuestionamiento por parte de Canadá en el ámbito del mecanismo de solución de controversias de la OMC, por el cual Brasil obtuvo un dictamen negativo tanto en la instancia del panel como del órgano de apelaciones.

MERCOSUR: INTEGRACIÓN Y CRECIMIENTO

armonización de los regímenes de compras gubernamentales, el tratamiento de las inversiones, la protección del medio ambiente, los asuntos laborales, la cultura y la educación.

6.1. La liberalización del comercio de servicios

El objetivo del libre comercio de servicios fue planteado en el Tratado de Asunción como parte integral del proceso de establecimiento del mercado común. No obstante, en esa oportunidad no se asumieron compromisos ni en materia de plazos ni de procedimientos. Durante el "período de transición" no se registró ningún progreso en las negociaciones en materia de comercio de servicios, en parte debido a que las energías estuvieron concentradas en la liberalización del comercio de bienes. Este período también coincidió con la negociación del acuerdo del GATS en el ámbito multilateral, lo que redujo los incentivos para encarar una negociación en el ámbito subregional. De hecho, antes de embarcarse en tal proceso era razonable conocer cuál sería el grado de preferencias que podrían intercambiar los Estados parte en función de los compromisos multilaterales que eventualmente asumieran y las reglas que finalmente se adoptaran en el acuerdo del GATS.

Box 6.3.
El Acuerdo General sobre Comercio de Servicios (GATS)

El Acuerdo General sobre Comercio de Servicios (GATS) fue uno de los principales resultados de la rueda Uruguay de negociaciones multilaterales, que culminó en 1994. El objetivo del GATS es el de promover la liberalización multilateral del comercio de servicios mediante el establecimiento de reglas y disciplinas y el desarrollo de negociaciones periódicas de apertura de mercados. El GATS aún no ha producido una liberalización significativa del comercio de servicios, pero ha establecido el primer conjunto de principios y reglas generales para regir las transacciones internacionales en el sector, antes sujetas a disciplinas nacionales o a acuerdos bilaterales o multilaterales sobre ciertas actividades de servicios (como los acuerdos del transporte aéreo). El principio clave del gats es la no discriminación (NMF y trato nacional). El principio de NMF se aplica a todos los servicios, excepto aquellos incluidos como excepciones (lista negativa). El principio de trato nacional sólo rige para aquellos sectores definidos voluntariamente por los signatarios y está sujeto a las restricciones establecidas por éstos (lista positiva). El GATS incluye disposiciones en materia de transparencia, reconocimiento de licencias y certificaciones de proveedores de servicios, pagos y transferencias, regulaciones domésticas, monopolios públicos y salvaguardias.

El Gats comprende el "comercio" de servicios suministrados bajo cuatro modalidades diferentes. La primera es el abastecimiento transfronterizo (la forma convencional de comercio de bienes). La segunda modalidad es el consumo en el extranjero, que implica el traslado del consumidor al país proveedor (por ejemplo, turismo, enseñanza, reparación de buques, etc.). La tercera modalidad consiste en el suministro de un servicio mediante la presencia comercial del proveedor extranjero en el territorio del país consumidor (por ejemplo, sucursales bancarias o de empresas de seguros). La cuarta modalidad se refiere a la presencia de personas físicas, esto es, la admisión temporaria de personas extranjeras con el fin de que suministren servicios. El Gats es mucho más que un acuerdo tradicional de comercio; en efecto, la inclusión de la tercera modalidad de provisión implica regular el tratamiento de las inversiones en ese sector.

La producción de servicios representa una elevada proporción del PIB de todos los países. Por otra parte, el grado de internacionalización del sector es relativamente bajo en comparación con la producción de bienes. El potencial de crecimiento del comercio internacional en el sector de servicios es muy significativo. No sólo la producción de servicios ha crecido más rápido que la producción de bienes en las últimas décadas, sino que el número de servicios "transables" se ha incrementado notablemente como consecuencia del progreso técnico.

El Gats explícitamente excluye del ámbito del acuerdo los regímenes de compras gubernamentales, que en el ámbito de la OMC se encuentran regulados por un Acuerdo Plurilateral de participación voluntaria.

Las negociaciones también fueron demoradas por la asimetría en el grado de apertura del sector de servicios en la Argentina y en Brasil, lo que redujo los incentivos brasileños para encarar una negociación de acceso preferencial. En efecto, a diferencia de Brasil, durante las negociaciones multilaterales del Gats la Argentina consolidó un alto nivel de apertura en el mercado de servicios en consonancia con su programa de reformas estructurales y de apertura. Estos disímiles niveles de apertura luego se reflejaron en los compromisos asumidos por los Estados parte durante la primera fase de las negociaciones sobre el tema en el Mercosur.[16]

[16] La asimetría en el grado de apertura de los Estados parte dificultaba el intercambio de concesiones sobre una base de reciprocidad.

A los efectos de dar cumplimiento a los objetivos prioritarios planteados por el Mandato de Asunción; en 1995 se decidió crear un Grupo *ad hoc* sobre servicios en el ámbito del GMC. Este grupo debía elaborar un acuerdo marco para la liberalización del comercio de servicios, el que luego de tres años de negociaciones se aprobó en diciembre de 1997 con el nombre de Protocolo de Montevideo. En este documento los Estados parte asumieron el compromiso de liberalizar el comercio de servicios en un plazo máximo de diez años a partir de su entrada en vigor.

Basándose en la normativa multilateral, el Protocolo establece que cada Estado parte, concederá en forma inmediata e incondicional el trato de nación más favorecida a los prestadores de servicios del Mercosur. El trato nacional, entretanto, se restringió a los sectores incluidos en el listado de compromisos específicos. Este enfoque fue diferente del mecanismo utilizado para la liberalización del comercio de bienes, ya que en el caso de los servicios se volvió a un sistema de listas positivas que reproducía la modalidad implementada en las negociaciones de la OMC. Los compromisos asumidos en materia de apertura de mercados de servicios –tanto por lo que toca a la cobertura como a las restricciones para los sectores incorporados– se deberán ir profundizando a través de sucesivas rondas de negociaciones anuales, a los efectos de completar la liberalización total del comercio dentro de un período de diez años.

Las listas nacionales de compromisos iniciales (definidas durante 1998) y las disposiciones sectoriales (referidas a transporte aéreo, terrestre y por agua, movimientos de personas físicas proveedoras de servicios y servicios financieros) se corresponden esencialmente con los compromisos ya consolidados por los Estados parte del Mercosur ante la OMC, con algunos cambios menores como la inclusión de los servicios de informática por parte de Brasil.[17]

A pesar de que el protocolo se encuentra pendiente de aprobación parlamentaria en los cuatro países, durante 1999 se desarrolló la primera ronda de negociaciones. Sus resultados, aprobados por el CMC en junio de 2000, no implicaron avances significativos que permitieran profundizar los compromisos iniciales.

---

[17] BID-Intal, *Informe Mercosur. Período 1999-2000.* Año 5, N° 6, Buenos Aires. Intal.

6.2. Los regímenes de compras gubernamentales

Mientras que las compras de gobierno representan un componente importante de la demanda agregada total, las reglas que las gobiernan son esencialmente nacionales. Entretanto, la armonización de principios internacionales para regular dichas compras es aún incipiente. El Mercosur no ha sido ajeno a esta tendencia, de forma tal que las políticas de compras estatales se encuentran regidas por disposiciones internas sin ningún nivel de armonización entre los Estados parte.

La Argentina, que tiene un régimen de compras gubernamentales más abierto que el de Brasil, ha presionado por incluir las políticas de abastecimiento público dentro de la agenda de negociación subregional. Este proceso, sin embargo, ha sido lento. La reforma de la constitución de Brasil en 1994 ha facilitado la negociación en este campo, pero hasta el momento los progresos en la negociación han sido modestos.[18]

A instancias de la Argentina, en diciembre de 1997 se creó un Grupo *ad hoc* sobre compras gubernamentales, el que fue encargado de elaborar un régimen común en la materia, incluyendo disposiciones relativas a cobertura, trato nacional, disciplinas y procedimientos. El objetivo de las autoridades argentinas era contar en el Mercosur con un instrumento jurídico que comprometiera a los Estados Partes a eliminar la discriminación en las licitaciones públicas para la compra de bienes o la contratación de servicios. La propuesta, que debía estar terminada para antes de 1998, sufrió sucesivas prórrogas y aún no se ha completado.

6.3. El tratamiento de las inversiones

A pesar de que los regímenes regulatorios de la inversión han experimentado una significativa convergencia, durante la primera década subsistieron distintas asimetrías entre los Estados parte. En efecto, mientras que

[18] La constitución de 1988 dio rango constitucional al trato preferencial a las llamadas "empresas brasileñas de capital nacional" (controlada efectiva y permanentemente por personas físicas domiciliadas y residentes en el país o entidades de derecho público interno). La reforma constitucional de 1994 derogó el artículo que establecía esta distinción, colocando en igualdad de condiciones a todas las empresas brasileñas independientemente del origen del capital. No obstante, siguen existiendo preferencias para los proveedores nacionales en las compras públicas (véase: Barrios Barón, B. (1997). *Compras del sector público: opciones de negociación para la República Argentina*. Buenos Aires. Isen/Nuevohacer). El recientemente introducido régimen de compre nacional en la Argentina también implica un tratamiento preferencial para las firmas locales, ya que deberá convocarse a una segunda licitación cuando la diferencia de precios entre los proveedores locales y extranjeros sea menor a un cierto porcentaje.

la Argentina removió prácticamente la totalidad de las restricciones a la inversión extranjera durante los primeros años de los noventa, Brasil comenzó a avanzar en la apertura de ciertos sectores (como hidrocarburos, telecomunicaciones, etc.) sólo después de la reforma constitucional de 1994. Si bien los Estados parte han negociado algunos instrumentos, éstos prácticamente no han tenido ningún impacto sobre las prácticas nacionales.

En enero de 1994 los Estados parte del Mercosur firmaron un acuerdo sobre promoción y protección de inversiones intrazona –el Protocolo de Colonia–, por el que se comprometieron a conceder el trato de nación más favorecida o trato nacional a los inversores de la subregión. Sin embargo, los Estados parte también se reservaron el derecho de mantener excepciones al trato nacional para las inversiones intrazona por un período de tiempo no especificado. A pesar de haber sido concluido en 1994, este protocolo aún se encuentra en trámite parlamentario en los cuatro Estados parte. El Protocolo de Colonia, que prohíbe explícitamente la aplicación de requisitos de desempeño, podría tener algún impacto sobre el tratamiento de las inversiones intrazona, ya que una vez ratificado podría ser directamente invocado por inversores que eventualmente se sintieran afectados.

Los Estados parte también suscribieron un Protocolo sobre Promoción y Protección de Inversiones Provenientes de Terceros Países, en el que se establecieron principios jurídicos generales de cumplimiento mínimo para el tratamiento de las inversiones extrazona (en materia relativa a expropiación, transferencias, solución de controversias, etc.). Este protocolo esencialmente cristalizó a nivel cuatripartito los compromisos ya asumidos en acuerdos bilaterales de protección y promoción de inversiones. El Protocolo de Buenos Aires tampoco ha entrado aún en vigencia. En cualquier caso, no se espera que su implementación produzca un impacto significativo. Si bien en el preámbulo se menciona la necesidad de evitar distorsiones en los flujos de inversión, lo cierto es que el acuerdo no contiene ninguna disposición para evitar que los países miembros concedan incentivos para promover las inversiones extranjeras en sus respectivos territorios. [19]

---

[19] En el año 2000 se decidió crear un subgrupo de trabajo dentro del GMC cuyas funciones son, entre otras, analizar las dificultades existentes para la aprobación e implementación de los citados protocolos. El Congreso brasileño no ha aprobado ninguno de los acuerdos bilaterales de inversión suscritos por el Ejecutivo. La razón radica en las disposiciones sobre solución de controversias, las que a juicio de los legisladores otorgan más derechos a los inversores extranjeros que a los nacionales (especialmente en lo que se refiere a la posibilidad de recurrir a arbitrajes y a jurisdicciones internacionales).

Box 6.4.
Medio ambiente. Asuntos laborales y sociales. Cultura y educación

Los logros en las negociaciones cuatripartitas sobre medio ambiente han sido modestos. El subgrupo encargado se encuentra analizando diversos proyectos, entre los cuales se destaca la elaboración del un Protocolo Adicional al Tratado de Asunción sobre Medio Ambiente. El Protocolo Adicional al Tratado de Asunción sobre Medio Ambiente tendría el objetivo de determinar un marco jurídico con pautas básicas para el establecimiento de una política ambiental del Mercosur, al mismo tiempo que intentaría orientar el proceso de armonización de la legislación ambiental vigente en los Estados parte. La Argentina se ha opuesto a la aprobación del proyecto de Protocolo por su disenso en cuestiones tales como prevención de la bioseguridad (vinculado al uso de transgénicos) y la redacción del principio precautorio, que podrían dar lugar a la aplicación de medidas paraarancelarias.

En materia de asuntos laborales y sociales, los avances han sido más bien declarativos. Los Estados parte aprobaron un Acuerdo Multilateral de Seguridad Social (1997) y suscribieron una Declaración Sociolaboral del Mercosur (1998). El primero establece que los sistemas de seguridad social reconocerán a los trabajadores que presten o hayan prestado servicios en cualquiera de los Estados parte los mismos derechos y obligaciones que a los trabajadores nacionales. La segunda, por su parte, consagró derechos reconocidos en convenciones internacionales e instituyó un mecanismo de acompañamiento de su aplicación (la Comisión Sociolaboral del Mercosur creada en marzo de 1999). En junio de 2000 los presidentes de los Estados parte del Mercosur, Bolivia y Chile también aprobaron la Carta de Buenos Aires sobre Compromiso Social, esencialmente una declaración de principios sin efectos sustantivos más allá de promover la institucionalización de una reunión de las autoridades responsables en materia de desarrollo social.

En materia educativa se han registrado algunos avances, entre los cuales destaca la aprobación de protocolos para el reconocimiento de los títulos universitarios de grado otorgados por universidades reconocidas en cada país al solo efecto de la prosecución de estudios de posgrado. El Protocolo de Integración Cultural (diciembre de 1996) procura:

a. impulsar la coproducción de eventos artísticos;
b. promover:
   - la formación común de recursos humanos en el área cultural;

- la investigación en temas culturales e históricos comunes;
- la cooperación entre las instituciones responsables de la preservación del patrimonio histórico y cultural;

c. facilitar el ingreso temporario de las obras artísticas y la circulación de agentes culturales.

Capítulo 7

Las negociaciones externas

1. Introducción

El rasgo característico de una unión aduanera es la implementación de una política comercial externa común. Esto implica no sólo adoptar un mismo arancel externo y procedimientos aduaneros comunes (en última instancia aboliendo las aduanas interiores) sino negociar con los no miembros como una sola parte. Luego de algunos progresos a mediados de los noventa con la firma de los acuerdos de libre comercio con Chile y con Bolivia, el Mercosur enfrentó múltiples obstáculos para llevar adelante negociaciones comerciales en forma conjunta. Prueba de ello son los acuerdos preferenciales bilaterales con los restantes miembros de la Aladi (la Comunidad Andina y México), que aún continúan vigentes –después de sucesivas renegociaciones– debido a las dificultades para subsumirlos en un marco normativo común. Por otra parte, si bien el Mercosur ha participado como un colectivo en las negociaciones del Area de Libre Comercio de las Américas (Alca) y con la Unión Europea, en ambos casos todavía no se ha pasado de las etapas preparatorias, por lo que aún no se han asumido compromisos en materia de acceso a los mercados o disciplinas comunes. Si estos procesos llegan a alcanzar esa etapa en los próximos años, colocarán sobre el Mercosur demandas más exigentes que las planteadas por las negociaciones hasta ahora frustradas con la Comunidad Andina y México.

Las dificultades que ha tenido el Mercosur para desarrollar negociaciones comunes son comprensibles. En primer lugar, la unión aduanera es relativamente reciente y hasta ahora no ha completado la implementación del arancel externo común, que ocurrirá recién en el año 2006. En segundo lugar, el desarrollo de negociaciones conjuntas ha obligado a arbitrar –no siempre con éxito– las diferencias de agenda e intereses que caracterizan a los Estados parte. La supervivencia de acuerdos bilaterales que "perforan" el arancel externo común debe ser vista como el resultado de la dificultad de resolver tales diferencias en el proceso de construcción de una agenda común. Finalmente, es necesario destacar también que durante la década pasada ha habido una proliferación de negociaciones preferenciales, lo que ha planteado una agenda extensa y compleja en un contexto de recursos técnicos y burocráticos escasos. Por otra parte, la inexistencia de un *locus* técnico-burocrático en el Mercosur que proyecte una visión sobre los "intereses comunes" y la brecha señalada entre demandas y capacidades han conspirado contra el ejercicio de una negociación conjunta efectiva.

La dificultad del Mercosur para construir y llevar adelante una agenda de negociaciones externas común no es un hecho menor, por cuanto una de las ventajas de una unión aduanera es, precisamente, la de permitir mejorar la capacidad de negociación internacional de los miembros en relación con la que cada uno tendría separadamente. Sin embargo, si en la práctica dicho potencial no se ejerce los presuntos beneficios no se materializan. A menos que el proyecto de construcción de una unión aduanera se deje de lado, no hay duda de que en los próximos años el Mercosur deberá mejorar su capacidad de identificar y gestionar una agenda común de manera muy significativa. El proceso del Alca pronto entrará en una fase crítica de negociación y, si esto ocurre, las negociaciones con la Unión Europea probablemente dejen de ser un ejercicio esencialmente diplomático. Para enfrentar tales procesos el Mercosur precisará no sólo mejorar sus recursos técnicos y burocráticos, sino realizar un esfuerzo significativo de identificación de intereses comunes y arbitrar satisfactoriamente aquellas diferencias que distinguen las agendas de los Estados parte.

2. El mercosur y sus miembros asociados: Chile y Bolivia

Antes del establecimiento de la unión aduanera cada estado miembro del Mercosur era parte de la red de acuerdos preferenciales bilaterales concluidos en el marco de la Aladi. Cuando formalmente se estableció la unión aduanera el 1° de enero de 1995, dichos acuerdos bilaterales debían haber sido renegociados y "plurilateralizados" en la llamada modalidad "cuatro más uno". Si así no se hiciera, en tanto cada acuerdo bilateral incluía preferencias diferentes para distintos productos, el propósito de implementar un arancel externo común se habría frustrado. Si bien el Tratado de Asunción había dejado la puerta abierta para que cualquier miembro de la Aladi se adhiriera al Mercosur, previamente debía transcurrir un plazo de cinco años (excepto para los miembros de la Aladi que no fueran parte de un acuerdo subregional, categoría en la que sólo entraba Chile).[1] Durante ese período de transición, por lo tanto, los acuerdos de cada uno de los Estados parte con los restantes miembros de la ALADI debían haberse fundido en un único acuerdo entre los cuatro estados parte del Mercosur y el tercer país. Bolivia fue el primer miembro de la ALADI que formalizó un acuerdo de "plurilateralización" de las preferencias preexistentes con el Mercosur, en diciembre de 1995. La rápida conclusión de un acuerdo con Bolivia (el único que se concluyó) se explica por la pequeña dimensión de la economía boliviana y el carácter poco conflictivo de la agenda bilateral. A partir de este antecedente, durante el año siguiente se concluyeron sendos acuerdos de libre comercio con Chile y Bolivia.

2.1. El acuerdo de libre comercio Mercosur-Chile

Los miembros del Mercosur, especialmente los dos mayores, siempre vieron con simpatía el ingreso de Chile. Para la Argentina implicaba fortalecer los vínculos económicos con un socio comercial importante y con un vecino con el que existía una fuerte tradición de conflicto. En Brasil el ingreso era visto como un fortalecimiento del agrupamiento regional que, implícitamente, ese país aspiraba a liderar. Sin embargo, los sucesivos gobiernos chilenos fueron reticentes a un ingreso pleno a la unión aduanera. Se inclinaron, en cambio, por la negociación de un acuerdo de libre comercio.

Para los miembros del Mercosur los incentivos para negociar un acuerdo de libre comercio con Chile no eran totalmente convergentes.[2] En particular, los socios menores (Paraguay y Uruguay) recelaban de la erosión que tal acuerdo produciría sobre las preferencias de acceso a los mercados más grandes (especialmente Brasil), dado que Chile obtendría beneficios similares de acceso sin tener que adoptar el arancel externo común y otras políticas comerciales comunes como los miembros plenos del Mercosur.

Aunque la firma de un ALC con Chile también erosionaba la preferencia de la Argentina en el mercado brasileño, su gobierno fue el que mostró mayor entusiasmo para alcanzar un acuerdo. Para la Argentina la importancia de dicho acuerdo residía en la oportunidad de mejorar el acceso a un mercado dinámico (Chile ya se había convertido en el tercer mayor

[1] Bouzas, R. (1999). "Las negociaciones comerciales externas de Mercosur: administrando una agenda congestionada", en Roett, R. (comp.). *Mercosur: integración regional y mercados mundiales.* Isen-Nuevohacer. Buenos Aires.

[2] Bouzas, R. (1998); "Strategic issues and market access negotiations in the Americas: a perspective from Mercosur". *Documento de Trabajo Nro. 15.* Departamento de Humanidades, Universidad de San Andrés. Buenos Aires, octubre.

mercado para las exportaciones argentinas)[3], al mismo tiempo que se esperaba que los compromisos conexos de desarrollo de infraestructura facilitaran el acceso de ciertos productos (fundamentalmente regionales) a los puertos del Pacífico.

Pero para la Argentina las consideraciones decisivas probablemente fueron de orden estratégico y vinculadas a la política exterior. Un ALC con Chile contribuía a poner punto final a una etapa difícil de las relaciones bilaterales, las que habían llegado casi al conflicto militar a fines de la década del setenta. Las autoridades argentinas también parecían creer que un ALC entre Chile y el Mercosur reforzaría el poder de negociación de la región en el proceso del ALCA y contribuiría a equilibrar la influencia de Brasil dentro del Mercosur.

El gobierno brasileño no tenía la actitud entusiasta del argentino, pero el mercado chileno no era en modo alguno despreciable para las exportaciones industriales de Brasil. Por otra parte, las condiciones de acceso a ese mercado se habían visto deterioradas por la conclusión de un acuerdo de libre comercio entre Chile y México en 1998 (Acuerdo de Complementación Económica N° 41). Para todos los miembros del Mercosur el acuerdo con Chile serviría como precedente para las futuras negociaciones que debían entablarse con los demás socios de la ALADI.

Por parte de Chile el acercamiento al Mercosur obedeció a un cambio en su estrategia de internacionalización después del retorno de la democracia a comienzos de los años noventa.[4] A partir de entonces Chile, una economía con un patrón de comercio regionalmente muy diversificado, comenzó a desarrollar una estrategia activa de negociación de acuerdos de libre comercio con varios de sus socios comerciales, como el Mercosur, el resto de la ALADI, el TLCAN, la UE y APEC.

Tres razones explican este cambio estratégico.[5] En primer lugar, el bajo nivel de protección arancelaria redujo las ganancias potenciales derivadas de una estrategia de apertura unilateral como la que Chile había implementado hasta ese momento. En segundo lugar, la proliferación de acuerdos preferenciales entre socios comerciales de Chile dio origen a estímulos de

---

[3] En el período 1990/99 las exportaciones argentinas a Brasil y Chile aumentaron prácticamente a la misma tasa promedio anual (16.6% y 16.8%, respectivamente).

[4] Agosin, M. (1997). "La Asociación entre Chile y el Mercosur: costos y beneficios a un año de funcionamiento", en *Informe Mercosur* N°. 3, Año 2. BID-INTAL. Buenos Aires.

[5] Agosín, M. (1997); *op. cit.*

carácter defensivo orientados a evitar el costo de la discriminación o la caída de preferencias preexistentes, tanto en el caso del Mercosur como del TCLAN y la posible expansión de la UE hacia los países de Europa Oriental. Por último, Chile tenía un incentivo evidente para negociar la reducción de las barreras comerciales (reales o potenciales) que enfrentaban sus exportaciones en terceros mercados, para lo cual una estrategia bilateral podía resultar funcional y más rápida que el marco multilateral del GATT-OMC.

Así, luego de dos años de negociaciones el Mercosur firmó su primer acuerdo de libre comercio con Chile en junio de 1996. Los principales obstáculos en las negociaciones fueron la resistencia del sector agrícola chileno a liberalizar el comercio de esos productos. Dicha oposición fue vencida por una combinación de intereses contrarios por parte de los potenciales beneficiarios de un acuerdo con el Mercosur (los exportadores de manufacturas) y un tratamiento muy cauteloso para la desgravación de los productos más sensibles (como el trigo y la harina de trigo).

El acuerdo entre Chile y el Mercosur incluye un programa de liberalización comercial que contempla desgravaciones arancelarias progresivas y automáticas, con diferentes plazos según la categoría de los productos. Una peculiaridad del acuerdo es que no incluye excepciones de ningún tipo, ya que los compromisos de desgravación alcanzan a la totalidad del universo arancelario. Los países signatarios también se comprometieron a identificar y eliminar las restricciones no arancelarias y prohibieron la implementación de nuevas medidas que obstaculizaran el comercio (*stand still*). También se incluyó un régimen de origen (similar al del Mercosur) y un mecanismo transitorio de solución de controversias. A instancias de la Argentina el acuerdo incluyó un protocolo de integración física con compromisos de coordinación de inversiones para mejorar la interconexión terrestre.

Box 7.1.
El Acuerdo de Libre Comercio Chile-Mercosur

El acuerdo entre Chile y el Mercosur establece un programa de liberalización comercial que comprende desgravaciones arancelarias progresivas y automáticas con diferentes plazos según cinco categorías de productos; por ejemplo, lista de desgravación general, sensibles, sensibles especiales, excepciones y tratamiento particular.

El cronograma de desgravación es el siguiente:

• Los aranceles de la lista de desgravación general se reducen en forma lineal en un plazo de ocho años con una preferencia inicial del 40%.

- Los productos sensibles se desgravan inicialmente un 30% y a partir del cuarto año los aranceles comienzan a reducirse linealmente hasta el décimo año.
- Los productos incluidos en la categoría de sensibles especiales no tienen desgravación durante los primeros tres años y luego se desgravan en forma lineal hasta el décimo año.
- Los productos de excepción recién comienzan el proceso de desgravación lineal a partir del décimo año, prolongándose por un período de cinco años.
- Los productos con tratamiento particular son el azúcar (cuya desgravación comienza en el onceavo año y concluye en el decimosexto año) y el trigo y la harina de trigo (que se desgravarán totalmente en el año decimooctavo con una metodología todavía por definirse).

Los países miembros del Mercosur y Chile también asumieron el compromiso de identificar y eliminar las restricciones no arancelarias, al mismo tiempo que se prohibió la implementación de nuevas medidas que obstaculicen el comercio recíproco (*stand still*). Además, se definió un régimen general de origen (similar al del Mercosur) basado en el cambio de posición arancelaria, complementado con un requisito de 60% de contenido regional y requisitos específicos para determinados productos.

Los regímenes nacionales de *draw back* y admisión temporaria podrán utilizarse para los productos comprendidos en el programa de liberalización comercial hasta el quinto año del acuerdo. En materia de prácticas desleales de comercio, incentivos a las exportaciones, valoración aduanera, reglamentos técnicos y medidas sanitarias y fitosanitarias las partes simplemente se acogieron a la normativa multilateral. Chile asumió el compromiso de no incluir nuevos productos ni modificar los mecanismos de su banda de precios de manera de no deteriorar las condiciones de acceso a su mercado.

Ambas partes suscribieron un protocolo de integración física tendiente particularmente a coordinar las inversiones en materia de interconexiones viales. También, se establecieron plazos más cortos para la notificación de nuevos acuerdos y la negociación de concesiones y compensaciones que los establecidos en el art. 44 del Tratado de Montevideo de ALADI. Además, se creó una Comisión Administradora con la función de administrar y evaluar el acuerdo.

Por último, a fines de 1999 se aprobaron dos protocolos adicionales estableciendo un régimen general de salvaguardias y un mecanismo de solución de controversias.

Como miembro asociado del Mercosur, Chile comenzó a participar (junto con Bolivia) de las reuniones presidenciales y del CMC y, cuando las partes lo consideren necesario, del GMC. A mediados de 1997 se establecieron mayores detalles sobre los lineamientos para la participación de Chile en los distintos foros negociadores (Subgrupos de Trabajo, Grupos *ad hoc*, Reuniones Especializadas y Reuniones de Ministros). Junto con Bolivia, Chile participa también del proceso de coordinación macroeconómica que en estos momentos se encuentra en la fase de armonización estadística.

A partir de la asunción de los nuevos presidentes de la Argentina (De la Rúa, en diciembre de 1999) y de Chile (Lagos, en marzo de 2000), la idea de la incorporación plena de ese país al Mercosur volvió a colocarse en un primer plano. El renovado interés entre los países del Mercosur por la incorporación de Chile se relaciona con el fortalecimiento de la credibilidad del agrupamiento regional y la recuperación del dinamismo que podría provocar el acceso de Chile, después de un período de agudización del conflicto y pérdida de credibilidad. Los socios menores del Mercosur también ven la incorporación de Chile como un medio para alterar el balance subregional de poder y "nivelar el campo de juego". Esta nivelación tendría un doble sentido: por una parte, sentando las bases para una coalición más sustantiva y "equilibrar" la influencia de Brasil; por la otra, obligando a Chile a adoptar las disciplinas comunes del Mercosur, como contrapartida de los beneficios de acceso preferencial al mercado del Mercosur que obtuvo con el acuerdo de libre comercio. Para el gobierno de Chile el ingreso al Mercosur constituye un mecanismo para consolidar sus vínculos políticos y económicos en la subregión, aunque es difícil que ello se haga a expensas de su autonomía para conducir las restantes prioridades de relacionamiento económico externo.

El ingreso pleno de Chile al Mercosur no será una tarea sencilla. Si el Mercosur mantiene su objetivo de establecer una unión aduanera (y, por consiguiente, la incorporación de Chile implicaría su ingreso a la unión aduanera), el proceso requerirá acordar un cronograma de convergencia de las respectivas estructuras arancelarias. Ese proceso de convergencia enfrentará dos escollos. El primero es la diferencia de aranceles promedio entre Chile y el Mercosur: mientras que en Chile el arancel promedio llegará a 6% en el año 2003, en el Mercosur se ubica ligeramente por arriba del 11%. No obstante, es razonable esperar una reducción en el arancel promedio del Mercosur en los próximos años tomando en consideración las posiciones e intereses de los socios más pequeños y la creciente receptividad brasileña a una reducción en el nivel de protección para mejorar la eficiencia. El segundo problema es más complejo, ya que se vincula no con el arancel promedio sino con la estructura de protección arancelaria; en efecto, mientras que el Mercosur tiene un arancel escalonado de once niveles, Chile ha implementado un sistema de arancel plano (único). A pesar de que el arancel plano tiene algunas ventajas desde el punto de vista de la transparencia, de la uniformidad de los incentivos para la asignación de recursos y del combate a la corrupción aduanera, su implementación a partir de una estructura de aranceles diferenciados normalmente acarrea elevados costos de transición. En este sentido, resulta difícil prever que una economía con una estructura de producción tan diversificada como la de Brasil que exhibe, al mismo tiempo, problemas de competitividad, adoptaría ese mecanismo en un plazo de tiempo razonable.[6] Por otro lado, dado que Chile ya ha pagado los costos de transición hacia un instrumento de ese tipo, resulta difícil entrever cuáles serían los incentivos que podrían inducir al país trasandino a revertir esa política.

Por otra parte, los sucesivos gobiernos de Chile han manifestado su intención de conservar la autonomía para negociar acuerdos comerciales con terceros países. En el caso de Chile esta postura está lejos de carecer de fundamento, por cuanto se trata de una economía pequeña con una estructura regional de comercio muy diversificada. Chile es el primer candidato a ingresar al Tlcan (tal como prometiera el presidente Bill Clinton en diciembre de 1994) y difícilmente dejaría pasar esa oportunidad si se le presentara. La compatibilización de los múltiples acuerdos bilaterales que Chile ya tiene en marcha en el hemisferio (como los acuerdos de libre comercio con Canadá y México) y fuera de él, también constituiría un problema.

Por consiguiente, la incorporación plena de Chile al Mercosur (si por ello se entiende su participación en la unión aduanera) deberá sortear múltiples obstáculos en el corto y mediano plazo. En un horizonte más extenso, en cambio, algunos de estos obstáculos podrán superarse. En particular, si el Alca avanza como está planeado hacia un área de libre comercio que se implementará a partir del año 2005, este solo hecho serviría para "armonizar" el tratamiento arancelario entre socios del hemisferio. Esto permitiría que el Mercosur y Chile avanzaran en otros campos del proceso de integración en los que el Alca no adopte compromisos "profundos". La pregunta que subsiste es, en este caso, si los modelos "regulatorios" y las disciplinas por las que Chile se inclinaría en una amplia gama de actividades serían congruentes con los enfoques prevalecientes en el Mercosur, los que muy probablemente acabarán muy influidos por las preferencias brasileñas.[7]

---

[6] Es conveniente recordar que Chile adoptó un arancel único en el contexto de un régimen político fuertemente autoritario durante el gobierno de Pinochet.

[7] Un esquema posible para incrementar la presencia de Chile en el Mercosur lo provee el Area Económica Europea (EEA, por sus siglas en inglés) que vincula

2.2. El acuerdo de libre comercio Bolivia-Mercosur

Poco después de la firma del acuerdo con Chile, el Mercosur finalizó un segundo acuerdo de libre comercio, esta vez con Bolivia. Para concluir el acuerdo Bolivia debió obtener una autorización especial de la Comunidad Andina, de la cual forma parte. Precisamente por esto, formalmente debe subordinar su política arancelaria, por cuanto esta Comunidad constituye una unión aduanera de hecho. A diferencia del acuerdo con Chile, entre los incentivos de los miembros del Mercosur para concluir un acuerdo con Bolivia las consideraciones comerciales no ocuparon un lugar relevante. En efecto, Bolivia es una economía pequeña, con un bajo nivel de ingreso *per capita* y con un limitado potencial de crecimiento del comercio. Las razones, por consiguiente, deben buscarse en el interés "estratégico" por consolidar los vínculos con un vecino con el que existen estrechas relaciones económicas y sentar las bases de una red de acuerdos comerciales en las cuales el Mercosur desempeñe el papel de "organizador", tanto por su posición central como por su capacidad para establecer las disciplinas y marcos regulatorios.

Para Bolivia, en cambio, un acuerdo con el Mercosur revestía particular importancia debido a la significatividad del mercado de los países mayores de la subregión. La participación de los mercados regionales en las exportaciones bolivianas se incrementará a partir de que entre en funcionamiento pleno el gasoducto que vincula los yacimientos bolivianos de gas natural con el mercado consumidor del área de San Pablo.

Al igual que el acuerdo con Chile, el ALC con Bolivia contempla un cronograma de desgravación arancelaria progresiva y automática con diferentes ritmos según los productos. El acuerdo también incluyó normas en materia de restricciones no arancelarias, reglas de origen, solución de controversias, y un protocolo de integración física. Bolivia participa tanto en las reuniones de los foros políticos del Mercosur como en las tareas de coordinación macroeconómica.

---

a la UE con las restantes economías del Area de Libre Comercio Europea (excepto Suiza). A través de la EEA, los países del Alce adoptan disciplinas y principios regulatorios clave de la UE, aun manteniendo su independencia de política arancelaria. Esta hipótesis requeriría, entretanto, que el Mercosur avanzara de manera efectiva en la definición de ciertos marcos regulatorios y disciplinas comunes aún incipientes.

3. Las relaciones del Mercosur con la Comunidad Andina

Las negociaciones conjuntas del Mercosur con la Comunidad Andina (CA) y México resultaron más complejas que las de Chile y Bolivia, al mismo tiempo que los incentivos para llegar a un acuerdo y resolver las diferencias se revelaron bastante menores. Inicialmente, las negociaciones con la Comunidad Andina se demoraron debido a la indefinición sobre si ésta negociaría como un grupo con el Mercosur o si seguiría un esquema"4+1", similar al adoptado por Bolivia y Chile. La suspensión temporaria de la participación de Perú en la CA también afectó el ritmo de las negociaciones entre ambos bloques. Finalmente, cuando los países de la CA decidieron llevar adelante las negociaciones en forma conjunta comenzaron a explicitarse diferencias sustantivas entre ambas partes, referidas a materias tales como el carácter temporario o permanente de las excepciones, la extensión de las listas de productos sensibles, las reglas de origen, el comercio de la agricultura o el trato a otorgar a las zonas de procesamiento de exportación.

Una diferencia principal entre ambos agrupamientos se vinculó con el tratamiento de las excepciones. Mientras que la CA pretendía que ciertos productos quedaran excluidos permanentemente del acuerdo, el Mercosur se inclinaba por un convenio de cobertura amplia y sin exclusiones, aunque admitiendo la posibilidad de excepciones temporarias o calendarios más prolongados de desgravación para ciertos productos sensibles, tal como se había hecho oportunamente en el caso de los acuerdos con Chile y con Bolivia. Esta cuestión ya había sido materia de álgido debate en las negociaciones con estos dos países, habiéndose finalmente impuesto la preferencia del Mercosur por un acuerdo sin excepciones. La posición del Mercosur no era el resultado de una actitud de principio, sino de una demanda de consistencia frente a la posición adoptada ante los países más pequeños del bloque (Paraguay y Uruguay). En efecto, si Paraguay y Uruguay no habían obtenido excepciones de ningún tipo en el marco del Mercosur, resultaba difícil justificar (y hacer aceptar a todas las partes) que ese tratamiento sí se otorgara a países que no eran miembros plenos de la unión aduanera. Aun más, una vez que ese principio había sido aceptado por Chile y Bolivia (con mucha reticencia debido, especialmente, a la oposición del sector de agricultura templada en el primero) resultaba difícil renunciar a su inclusión en nuevos acuerdos.

Enseguida las diferencias se trasladaron a la extensión de la lista de productos sensibles. Apoyándose en su status de países de menor desarrollo relativo, los miembros de la CA sugirieron una lista de productos sensibles que fue considerada muy extensa por los miembros del Mercosur. También hubo diferencias respecto al ritmo de la liberalización y la distribución de los costos y beneficios potenciales del acuerdo entre los participantes. Por una parte, entre los miembros del Mercosur prevalecían visiones diferentes respecto a lo que se consideraba un resultado aceptable. Mientras que para la Argentina y Uruguay resultaba poco atractivo un acuerdo que postergara la liberalización del comercio de productos agrícolas (un sector sensible para la CA), Brasil estaba más dispuesto a hacer concesiones en esta área a cambio de un acceso preferencial más acelerado y amplio al mercado de manufacturas. En efecto, Brasil mostraba particular interés en lograr un entendimiento con la CA, y fundamentalmente con Colombia y Venezuela, países que habían firmado un acuerdo de libre comercio con México en 1995. Razonablemente, Brasil temía perder posiciones en los mercados colombiano y venezolano –hacia donde exporta mayoritariamente manufacturas– debido al avance de los productos industriales provenientes de México (en particular del sector automotriz y autopartes). Además, tampoco dentro de la CA existían posiciones homogéneas. Los países andinos relativamente más industrializados (particularmente Colombia) temían que un acuerdo de libre comercio con cobertura amplia y una lista reducida de excepciones no sólo expondría a sus productores domésticos a la competencia con el Mercosur, sino que también erosionaría las preferencias de acceso a los mercados de otros países de la CA.

La magnitud de las diferencias entre el Mercosur y la CA impidió incluso la concreción de un acuerdo menos ambicioso de"plurilateralización" de las preferencias bilaterales preexistentes. Este acuerdo fue obstaculizado por el hecho de que algunos de los productos beneficiados por el tratamiento preferencial de alguna de las partes resultaban sensibles para otras o, incluso, se habían vuelto con el tiempo sensibles en el país que originalmente concedió el beneficio.[8]

Frente a estos obstáculos en abril de 1998 el Mercosur y la CA firmaron un acuerdo marco en el que los gobiernos acordaron su voluntad para crear una zona de libre comercio con entrada en vigencia a partir del año 2000, propósito que tampoco fue cumplido. En agosto de 1999 Brasil suscribió un acuerdo de renegociación de las preferencias bilaterales preexistentes con la CA por un período de dos años, incorporando ade-

---

[8]   Bouzas, R."Las Negociaciones Comerciales Externas del Mercosur: Administrando una Agenda Congestionada", en Roett, R., (comp.) (1999). *Mercosur: Integración regional y mercados mundiales*. Buenos Aires. Editorial Nuevohacer.

más un número importante de nuevas concesiones. Argentina hizo lo propio en mayo de 2000 pero –a diferencia del convenio celebrado por Brasil– las concesiones no fueron demasiado significativas. La vigencia de este acuerdo se fijó en concordancia con la caducidad del firmado por Brasil (agosto de 2001), contemplando la posibilidad de su cancelación anticipada en el caso de negociarse un acuerdo del tipo "4+4". Las negociaciones entre Uruguay y la CA actualmente se encuentran en una fase avanzada, en tanto que en el caso de Paraguay los resultados son poco relevantes hasta el momento.

4. El Mercosur y México

Las negociaciones del Mercosur con México fueron igualmente complejas, aunque por razones diferentes. A nivel político, las relaciones entre ambas partes (Mercosur y México) se deterioraron después de que el país azteca se negara a extender a los restantes miembros de la Aladi los beneficios que había concedido a sus socios del Tclan, según lo establecido en el art. 44 del Tratado de Montevideo. En ese marco, y a diferencia de las negociaciones con la CA, los países del Mercosur no pretendieron firmar un ALC con México sino que se inclinaron por un acuerdo de "plurilateralización" de las preferencias bilaterales preexistentes, que incluía la fijación de compensaciones por la no extensión de las preferencias otorgadas a los otros socios del Tclan.

Pero en verdad, los obstáculos a un acuerdo con México eran más profundos. Desde la firma del Tclan en 1993 este país ha seguido una exitosa estrategia de negociaciones de acuerdos comerciales preferenciales en el hemisferio y fuera de él. Esta estrategia negociadora ha convertido a México en el país con mejor acceso preferencial al mayor número de mercados en el hemisferio. En efecto, México no sólo tiene acceso especial al mercado de Estados Unidos y Canadá (los mayores del hemisferio), sino que también tiene un acuerdo de libre comercio vigente con Chile, otro con Venezuela y Colombia, otro con el llamado "triángulo del norte" (Guatemala, Honduras y El Salvador), y acaba de concluir un acuerdo de libre comercio con la Unión Europea. En este contexto, consolidar un acceso preferencial a los mercados relativamente protegidos del Mercosur constituía para el gobierno mexicano una estrategia coherente con el resto de su política.

En el Mercosur, entretanto, el cuadro era diferente. Las estructuras productivas de las economías de Brasil y México son bastante competitivas. Pero al mismo tiempo la economía mexicana ha atravesado un proceso de apertura y modernización mucho más acelerado que Brasil, por lo que no debe sorprender que las resistencias internas a un acuerdo amplio con México hayan sido tan fuertes en Brasil, especialmente por parte de algunos sectores en los cuales las ventajas mexicanas eran relativamente evidentes (como en la industria automotriz, electrónica y de telecomunicaciones). Por la otra, para países como Argentina y Uruguay el acceso preferencial al mercado mexicano no era trivial debido a las fuertes importaciones de alimentos que realiza México y a la discriminación negativa que los productores del Mercosur enfrentaban como consecuencia de los acuerdos del Tclan.

Dejada de lado transitoriamente la opción de un acuerdo de libre comercio, las negociaciones se orientaron a un acuerdo de "plurilateralización". Allí el problema fue la desigual distribución de costos y beneficios entre los miembros del Mercosur y la disímil extensión de los acuerdos bilaterales preexistentes. Mientras que las demandas de México se concentraban en concesiones que acarreaban un costo potencial mayor para Brasil (automóviles y telecomunicaciones, por ejemplo), la liberalización prometida del comercio agrícola en México beneficiaría particularmente a Argentina y a Uruguay. Por otra parte, el acuerdo bilateral de México con Uruguay tenía una cobertura muy amplia que hubiera sido difícil trasladar a los restantes socios del Mercosur por las razones expuestas.

En este contexto de intereses divergentes, las negociaciones conjuntas se interrumpieron cuando Brasil decidió denunciar su acuerdo bilateral a fines de 1997, eliminando así las preferencias comerciales otorgadas a México. En contraste, durante 1998 la Argentina, Paraguay y Uruguay celebraron sendos acuerdos de renegociación de las preferencias preexistentes, incluyendo las compensaciones por el ingreso de México al Tclan, con vigencia por un período de dos años.

En la cumbre del Mercosur realizada en junio de 2000 y como parte de la agenda de relanzamiento del bloque, los países miembros reafirmaron el compromiso de llevar adelante las negociaciones externas en forma conjunta. Con este impulso, los socios del Mercosur intentarán superar una etapa que se prolongó por más de dos años, durante la cual las negociaciones externas con México y la CA se llevaron adelante en forma aislada. Asimismo acordaron que antes del 31 de diciembre de 2001 deberán reiniciar las negociaciones con México y la CA, y en el caso de que no sea posible concluir las negociaciones, las preferencias vigentes sólo podrán mantenerse hasta junio de 2003.

5. Las negociaciones del Alca

Los Estados parte del Mercosur han demostrado un entusiasmo diverso frente al proceso de integración hemisférica. No obstante, hasta el momento han articulado una estrategia común. Esto se vio facilitado por el hecho de que hasta ahora no ha habido negociaciones sustantivas sobre acceso a los mercados u otras disciplinas. También ayudó otro factor. El gobierno norteamericano no ha tenido una autorización del Congreso para negociar bajo el mecanismo de *fast track*, con lo cual el proceso ha experimentado un déficit de credibilidad del cual aún no se recupera.

Desde un inicio el gobierno argentino fue el más entusiasta con el proyecto del Alca, así como originalmente lo había sido con la posibilidad de acceder al Tclan. Este interés estaba mucho más apoyado en consideraciones de credibilidad que en razones de naturaleza estrictamente comercial. La posición del gobierno brasileño fue siempre más reticente. Desde el punto de vista político, la iniciativa del Alca fue siempre percibida como un instrumento para aumentar la influencia norteamericana en la región, algo tradicionalmente resistido por el establishment brasileño de política exterior. Pero, en verdad, los problemas iban mucho más allá de la política. Brasil es aún una economía relativamente protegida y con una base productiva diversificada que debería pagar altos costos de transición por participar de un acuerdo de libre comercio hemisférico que incluyera a Estados Unidos. Por otro lado, aun cuando muchas de las exportaciones brasileñas al mercado norteamericano enfrentan importantes barreras de acceso, prevalecía en ese país una visión pesimista sobre las perspectivas de que dichas restricciones pudieran removerse de manera significativa. De acuerdo con el argumento oficial, la economía brasileña venía además de implementar políticas de apertura unilateral, preferencial y multilateral que requerían de un período de "digestión", antes de estar en condiciones de asumir nuevos compromisos. Desde el punto de vista de la economía política interna de Brasil, el peso que aún conserva el sector industrial vinculado a la sustitución de importaciones contribuye a explicar el respaldo y el aliento que esta posición oficial encontró durante la década de los noventa.

Sin embargo, y más allá de las reticencias brasileñas, la iniciativa de comenzar un proceso de preparación de las negociaciones con vistas a implementar un área de libre comercio hemisférica era difícilmente recusable debido a la intensidad de los "incentivos defensivos". En efecto, más allá del costo diplomático de no tomar parte de la iniciativa, el impacto económico de quedar al margen de un acuerdo preferencial de alcance prácticamente hemisférico sería significativo, especialmente para un país como Brasil que ha tenido en los mercados de América latina y el Caribe el principal destino para sus exportaciones de productos manufacturados.[9]

Box 7.2.
El Congreso norteamericano y el mecanismo del fast track

Como el Congreso norteamericano tiene la autoridad constitucional para formular la política de comercio exterior, todos los acuerdos negociados por el Ejecutivo requieren de su ratificación. Esto plantea un problema de credibilidad de los negociadores, ya que un acuerdo alcanzado por el ejecutivo puede luego ser revisto en la etapa de tratamiento legislativo. Cuando las negociaciones comerciales externas se referían esencialmente a la reducción de aranceles, el procedimiento para evitar este problema era simple: el Congreso autorizaba al Ejecutivo a negociar reducciones arancelarias sujetas a un límite y mientras el Ejecutivo se mantenía dentro de los límites de la autorización, el Congreso no volvía a participar.

El tema se hizo más complejo cuando las negociaciones pasaron del recorte de aranceles al tratamiento de las políticas no arancelarias. En estos casos, como el acuerdo final debía implementarse a través de legislación doméstica, el Congreso tenía nuevamente la posibilidad de introducir enmiendas a la legislación presentada por el Ejecutivo y desvirtuar el alcance de la negociación y el acuerdo realizado con la otra parte. Para evitar este problema la Ley de Comercio de 1974 introdujo la fórmula del *fast track*, por medio de la cual el Congreso se compromete a tratar la legislación de implementación que someta el Ejecutivo en un plazo determinado y sin enmiendas. Así, aunque el Congreso retiene el poder de aprobar o rechazar la legislación presentada, renuncia a su capacidad de formularle enmiendas.

De esta forma, el otorgamiento de la autorización para negociar bajo el amparo de este mecanismo se ha convertido en un indicador de la disposición del Congreso (y, por extensión, de la opinión pública) a negociar acuerdos comerciales. Si bien no es formalmente necesario que el Ejecutivo cuente con dicha autorización para llevar adelante negociaciones, su concesión implica un respaldo político a la iniciativa, a la vez que define los marcos dentro de los cuales ésta podrá moverse. Por consiguiente, no sólo es relevante que dicha autorización se conceda o no, sino también los términos bajo los cuales se otorga.

---

[9]   Para un análisis de los "incentivos defensivos" véase Bouzas, R. y Ros, J. "The North-South Variety of Economic Integration: Issues and Prospects for Latin America", en Bouzas, R. y Ros, J. (ed.) (1994). *Economic Integration in the Western Hemisphere.* Notre Dame, Ind. University of Notre Dame Press.

El resultado fue que todos los países, aun los más reticentes frente a la iniciativa hemisférica, participaron de la cumbre presidencial de Miami de diciembre de 1994 y suscribieron la declaración en que se establece el objetivo de negociar un acuerdo de libre comercio para el año 2005. A partir de este hecho se desarrolló una intensa actividad preparatoria en el marco de grupos de trabajo especializados temáticamente, en los que se realizó un intercambio preliminar de información sobre flujos, regulaciones y disciplinas en una amplia variedad de ámbitos. Después de esta fase preliminar, en abril de 1998 se lanzaron formalmente las negociaciones en ocasión de la segunda cumbre presidencial realizada en Santiago de Chile.

En la declaración de Miami, paralelalemente con el establecimiento de los objetivos se definieron ciertos principios fundamentales. Entre éstos se destaca el principio que establece que el acuerdo final deberá ser compatible con la OMC y que los compromisos se implementarán simultánea e integralmente como un paquete único (*single undertaking*). La incorporación de este principio fue vista como un mecanismo para asegurar un resultado lo más equilibrado posible en un ambiente caracterizado por asimetrías estructurales de acuerdo con el tamaño del mercado y el nivel de desarrollo. No obstante, también se estableció que de existir consenso entre los participantes sería posible implementar anticipadamente algunos acuerdos (*early harvest*).

Las negociaciones del ALCA deberán enfrentar varios temas controvertidos. Uno de ellos es el referido al alcance y profundidad de los compromisos. Tal como ocurrió en los acuerdos de libre comercio que Estados Unidos firmó con Canadá y México, los negociadores norteamericanos están interesados –además de mejorar el acceso a los mercados de bienes– en acordar disciplinas en una serie de temas que trasciende la agenda tradicional del GATT y de la OMC. Esta agenda comprende la liberalización y la inversión del comercio en el sector de servicios, la protección de los derechos de propiedad intelectual, las reglas de tratamiento de la inversión extranjera directa, las políticas de competencia, los regímenes de compras gubernamentales y los estándares laborales y medioambientales.

Pero no todos los participantes comparten esta agenda ambiciosa. Para algunos países, como es el caso de Brasil, la reticencia a incluir una agenda tan vasta se apoya en un cierto escepticismo respecto a la posibilidad de obtener concesiones relevantes en áreas más tradicionales, como el acceso a los mercados altamente protegidos de productos textiles, acero o agricultura; a la implementación menos discrecional de la política de "defensa comercial"; o a los subsidios al sector agrícola.

También es probable que el ALCA deba dar un tratamiento más explícito al tema de la distribución de costos y beneficios que lo que se hizo en el acuerdo Estados Unidos-Canadá o aun en el Tclan. En efecto, las grandes disparidades en el nivel de ingreso *per capita*, el tamaño de las economías y el grado de desarrollo permiten prever que un proceso de liberalización y adopción de disciplinas comunes que contenga como único mecanismo de excepción cronogramas diferenciados de desgravación y adopción de disciplinas, probablemente será insuficiente para administrar las tensiones resultantes de la transición. En este sentido, la experiencia de la UE con las políticas estructurales y los fondos de cohesión ilustra adecuadamente las demandas redistributivas que se instalan cuando se integran mercados con diferencias estructurales significativas y, al mismo tiempo, cuando existe el objetivo de contener las tendencias a la "polarización". No obstante, este tema hasta el momento ha recibido una atención marginal y básicamente ha sido reemplazado por la negociación de mecanismos de asistencia técnica para las "economías pequeñas".

De todas formas, más allá del resultado final de las negociaciones, no hay duda de que el proceso del Alca ha adquirido una dinámica significativa y que el costo político de una reversión sería considerable para todas las partes, incluyendo el gobierno norteamericano. Por eso resulta razonable prever que en lo que resta de las negociaciones es probable que los países participantes alcancen algunos acuerdos significativos que hasta incluyan compromisos de acceso a los mercados. En este sentido, la sucesión de presidencias designada para lo que resta del período de negociaciones muestra un período clave de negociación final, en el que se contempla una presidencia compartida entre Estados Unidos y Brasil. Este hecho, unido a la intensidad de los "incentivos defensivos" para participar del acuerdo si el nuevo gobierno norteamericano obtiene el respaldo político del Congreso, permiten anticipar algunos resultados concretos.

Box 7.3.
El Area de Libre Comercio de las Américas

En la cumbre ministerial de San José de Costa Rica realizada en marzo de 1998, se decidió establecer el Comité de Negociaciones Comerciales (CNC) a nivel de viceministros. El CNC es el responsable de guiar el trabajo de los grupos de negociación, decidir sobre la estructura general del acuerdo y los asuntos institucionales, asegurar la plena participación de todos los países en el proceso del ALCA y garantizar que los aspectos vinculados con las economías de menor desa-

R. Bouzas - J. M. Fanelli

rrollo relativo sean tratados en cada grupo de negociación. El CNC debe reunirse tantas veces como sea necesario, aunque no menos de dos veces al año. La presidencia y vicepresidencia del CNC es rotativa por períodos de 18 meses.

En esa misma oportunidad se crearon nueve grupos de negociación (que reemplazaron a los grupos de trabajo del período 1994-98), que deberán reportar sus resultados al CNC a más tardar en diciembre de 2000. Los objetivos de los nueve grupos de negociación son los siguientes:

Acceso a los mercados: eliminar progresivamente los aranceles y las barreras no arancelarias, así como otras medidas de efecto equivalente que restringen el comercio.

Inversión: establecer un marco jurídico que promueva la inversión sin crear obstáculos a las inversiones provenientes de fuera del hemisferio.

Servicios: establecer disciplinas para liberalizar progresivamente el comercio de servicios.

Compras del sector público: ampliar el acceso a los mercados para las compras del sector público de los países del ALCA.

Solución de diferencias: establecer un mecanismo para la solución de controversias entre los países del ALCA y diseñar los medios para facilitar y fomentar el uso de arbitraje y otros canales alternativos para la solución de controversias entre privados.

Agricultura: tratar el acceso a los mercados de los productos agrícolas abarcando además las reglas de origen, los procedimientos aduaneros y las barreras técnicas. Asegurar que las medidas sanitarias y fitosanitarias no se apliquen como restricciones encubiertas al comercio, eliminar los subsidios a las exportaciones agrícolas e identificar otras prácticas que distorsionen el comercio de estos productos a los efectos de someterlas a una mayor disciplina.

Derechos de propiedad intelectual: promover y asegurar una adecuada y efectiva protección de los derechos de propiedad intelectual.

Políticas de competencia: garantizar que los beneficios del proceso de liberalización del ALCA no sean menoscabados por prácticas empresariales anticompetitivas.

Subsidios, *antidumping* y derechos compensatorios: lograr un mayor cumplimiento de las disposiciones de la OMC en la materia y, si correspondiera, examinar maneras de profundizar y mejorar las disciplinas existentes sin crear obstáculos injustificados al comercio.

Los países participantes se han puesto como objetivo que la próxima reunión de ministros de comercio a realizarse en Buenos Aires a comienzos del año 2001, considere un borrador de acuerdo que incluya todas las diferencias entre las partes. Aunque este borrador estará ciertamente repleto de excepciones y "corchetes", no hay duda de que constituirá un paso importante hacia un texto final. Para ello, desde septiembre de 1998 han estado trabajando nueve grupos de negociación que han comprometido llegar a esa fecha con textos acordados, bajo la coordinación del Comité de Negociaciones Comerciales integrado por los viceministros de comercio.

Las perspectivas del ALCA plantean para los otros procesos de integración en el hemisferio, y en particular para el Mercosur, desafíos significativos. Si el ALCA se constituye en un área de libre comercio, los procesos subregionales de integración tenderán a diluirse en ese marco más amplio, a menos que hayan registrado avances en otras áreas en las cuales puedan ensayar mecanismos de "integración profunda" que aún no son viables económica o políticamente a nivel continental. Lamentablemente, las dificultades por las que ha atravesado el Mercosur en los últimos años ha atrasado considerablemente el tratamiento de esta agenda, debilitando la posición de agrupamiento regional de cara al proceso hemisférico.

6. LAS NEGOCIACIONES CON LA UNIÓN EUROPEA

Las negociaciones entre el Mercosur y la Unión Europea (UE) se iniciaron en diciembre de 1995 con la firma del Acuerdo Marco Interregional de Cooperación, cuyos objetivos fueron institucionalizar un diálogo político regular y establecer un marco para desarrollar las relaciones entre ambas regiones incrementando y diversificando los intercambios comerciales. El antecedente de este acuerdo fue un convenio interinstitucional (Comisión Europea y GMC) concluido en mayo de 1992, cuyo principal objetivo fue brindar asistencia técnica, entrenamiento de personal y apoyo institucional al proceso de integración del Mercosur (particularmente en lo referido a regulaciones aduaneras y normas técnicas). El nuevo acuerdo marco no fue firmado sólo por la Comisión Europea, sino también por los quince países miembros, lo que le da un alcance más amplio que el anterior.

La intensificación de las negociaciones entre la UE y el Mercosur se explica por diversos factores, entre ellos los estrechos vínculos económicos que existen entre ambas regiones. La UE es el principal socio comercial del Mercosur y uno de los principales orígenes de IED (inversión extranjera directa). De hecho, durante la década de los noventa las inversiones europeas en la región se expandieron rápidamente alentadas por los procesos de reforma estructural y por las privatizaciones. Los países del Mercosur también mantienen fuertes vínculos culturales y políticos con los países europeos, especialmente con España, Italia y Portugal. Para la UE la importancia del Mercosur como mercado de destino de las exportaciones y de la inversión es menos relevante, en buena medida por una simple cuestión de tamaño relativo. No obstante, durante la década de los noventa los mercados de la región se contaron entre los más dinámicos para las exportaciones europeas.

Las negociaciones recientes entre la UE y Mercosur se han visto estimuladas por los acontecimientos que han tenido lugar en el ámbito hemisférico. En efecto, la iniciativa del ALCA ha reforzado la influencia y presencia de Estados Unidos en la región y, de concluir las negociaciones en un área de libre comercio, colocaría a los exportadores e inversionistas europeos en una posición de clara desventaja relativa. Como ya lo demostró la experiencia de México en el TCLAN, la sustitución de importaciones provenientes de las economías europeas por importaciones desde Estados Unidos no es un hecho menor, lo que en parte explica la rapidez con que la UE negoció un acuerdo de libre comercio con México a mediados del año 2000. En este contexto, un acuerdo de alcance hemisférico tendría un impacto mucho más significativo y afectaría la relación con economías como las de Brasil y Argentina, que representan una alta proporción de los círculos comerciales y de inversión de la UE en la región. Esta sería la razón de que la presencia del ALCA haya constituido un poderoso incentivo para inducir un proceso de negociación y una presencia más activa por parte de la UE.

Box 7.4.
El "nudo" agrícola en las relaciones UE-Mercosur

Los productos agrícolas de los países del Mercosur enfrentan fuertes barreras para acceder a los mercados de la Unión Europea, como consecuencia de los mecanismos establecidos por la Política Agrícola Común (PAC) creada a principios de los años sesenta. La PAC, que tenía como objetivo defender la seguridad alimentaria y el ingreso de los agricultores, se fue transformando con el tiempo en un instrumento de protección y subsidio que condujo a la generación de importantes excedentes en productos como carnes bovinas, cereales, lácteos y azúcar. Estos excedentes de producción, que luego se colocan en el mercado internacional con fuertes subsidios a la exportación, determinan que los países productores que no subsidian (como los del Mercosur), no sólo enfrenten obstáculos para acceder a los mercados europeos, sino que además son afectados negativamente por la disposición de excedentes en terceros mercados con fuertes subsidios.

Para los países del Mercosur la inclusión del tema agrícola en una negociación con la Unión Europea reviste una importancia capital. Sin embargo, los incentivos de la UE para realizar concesiones sustantivas en esta materia en un ámbito bilateral no son muy fuertes. Por otra parte, las resistencias internas a la reforma de la PAC continúan siendo importantes, aunque progresivamente se han ido articulando coaliciones de intereses que no ven con simpatía las políticas de protección y subsidio agrícola. En particular, las exigencias sobre el presupuesto comunitario de replicar los niveles de ayuda del pasado a los potenciales miembros de Europa central y oriental, han inducido modificaciones en el alcance de dichas políticas. La subsistencia de la PAC en las últimas décadas confirma que las consideraciones de eficiencia no son las únicas, y ni siquiera las más importantes, a la hora de diseñar la política comercial.

Las barreras que enfrentan los países del Mercosur para el ingreso a los mercados de la UE y el rápido crecimiento de las importaciones de productos manufacturados desde ese destino, explican la significativa acumulación de déficit comerciales por parte del Mercosur durante la década de los noventa.

Por lo que toca a las economías del Mercosur, también para estos países mantener un patrón equilibrado de relaciones económicas externas tiene sentido, en razón de la alta diversificación regional de su comercio exterior. La elevada presencia de sectores domésticos con vínculos importantes con las economías europeas, también contribuye a entender la simpatía con que ha sido visto un progreso simétrico hacia acuerdos preferenciales tanto con el Alca como con la UE.

Las negociaciones Mercosur-UE abarcan una amplia variedad de temas y han avanzado lentamente. En una primera etapa se realizó un relevamiento e intercambio de información sobre flujos comerciales recíprocos, políticas comerciales y legislaciones sobre bienes, servicios y normas técnicas que pueden afectar el intercambio comercial entre ambas partes. Esta fase preparatoria precedió a la Cumbre de Jefes de Estado del Mercosur y la UE realizada en Río de Janeiro a mediados de 1999, donde se acordó un cronograma de tareas que estableció que hasta mediados del año 2001 los países discutirían los temas relacionados con las trabas no arancelarias. Posteriormente, y sin fecha de conclusión, las negociaciones abordarían los temas vinculados a aranceles, acceso a los mercados y comercio agrícola.

En abril de 2000 tuvo lugar la primera ronda de negociaciones entre las partes. En esa oportunidad se delinearon los objetivos de trabajo y la estructura de los grupos de negociación, al tiempo que tuvo lugar un primer intercambio de pedidos recíprocos de información que actualizan bases anteriores. Asimismo, se acordó la vigencia del principio de compromiso único (*single undertaking*) y que ningún sector será excluido de la negociación, si bien se tendrá en cuenta la existencia de sectores sensibles para cada una de las partes respetando las reglas de la OMC.

A diferencia de lo que sucede en el Alca, las negociaciones con la UE todavía no tienen objetivos claros en cuanto a sus alcances y objetivos finales. Tampoco se ha precisado una fecha para su conclusión, si bien informalmente se apunta a culminar las negociaciones en forma paralela a las del acuerdo hemisférico, es decir, para el año 2005. El aspecto más conflictivo de las negociaciones con la UE pasa por el tratamiento del comercio y la política agrícola. La política agrícola común de la UE constituye un mecanismo fuertemente proteccionista de subsidios significativos, que ha tenido un impacto muy negativo sobre los países del Mercosur. La UE, que tradicionalmente ha tenido una política defensiva con relación a la PAC, aceptó su inclusión dentro de las reglas del Gatt recién en la rueda Uruguay que concluyó en 1994. Sin embargo, esas negociaciones no alcanzaron resultados significativos en materia de liberalización del comercio agrícola. Más bien, sirvieron sólo para incorporar a la agricultura las reglas generales y abrir un proceso de negociación que se encuentra aún en sus primeras fases.[10]

Por lo tanto, la disposición de la UE de llevar adelante una negociación sustantiva en materia de agricultura con el Mercosur depende en buena medida de la evolución del marco multilateral. Difícilmente el Mercosur consiga, en su posición de"demandante", modificaciones sustanciales en la política agrícola de la UE, la que tiene un obvio incentivo para"retener" las posibles concesiones para realizarlas en un marco multilateral a cambio de otros temas de su interés. La exclusión de la agricultura de un acuerdo entre el Mercosur y la UE no parece tampoco una alternativa razonable, ya que buena parte de los incentivos del Mercosur para participar en dicho acuerdo se encuentran, precisamente, en mejorar las condiciones de acceso en ese sector.

Un segundo obstáculo para el avance de las negociaciones es la prioridad que la UE le asigna a su política de ampliación e incorporación de

---

[10] Si bien el Acuerdo sobre Agricultura de la Rueda Uruguay estableció que debían reabrirse negociaciones a partir del año 2000, éstas han avanzado muy lentamente y las perspectivas de progreso son poco optimistas. En efecto, aún no se han fijado objetivos ni calendarios para concluir dichas negociaciones.

los países de Europa del Este. En efecto, dentro de la escala de prioridades de la UE, los países de Europa central y oriental ocupan un primer
lugar, seguidos de cerca por los países de la cuenca del Mediterráneo. En
este contexto, una variable que puede alterar los incentivos relativos actualmente en juego es un progreso del Alca. Esto permitiría prever que,
de producirse, ambos procesos avanzarán de manera paralela y a ritmo
similar.

Capítulo 8

La evolución del Mercosur y los desafíos del crecimiento

1. Introducción

Las últimas dos décadas se han caracterizado por una globalización creciente tanto de los flujos de comercio como de capitales. Por ello no es sorprendente que, a la hora de diseñar las políticas de crecimiento, el objetivo de lograr una inserción ventajosa en la economía internacional aparezca en un lugar de privilegio. La conformación del Mercosur puede interpretarse como una de las estrategias de peso que los países de la región están ensayando para enfrentar el desafío de desarrollarse en un mundo que se globaliza. De esto se sigue que el éxito del bloque regional estará íntimamente relacionado con su capacidad para potenciar la competitividad y acelerar el crecimiento de cada uno de los países que lo componen; esto es, con su capacidad para estructurar un espacio económico ampliado que estimule el ritmo de aumento de la productividad.

En los capítulos precedentes de esta segunda parte hemos pasado revista a las cuestiones institucionales asociadas a la creación y el desarrollo del Mercosur y de los desafíos que surgen en el plano de las negociaciones internacionales. En este capítulo queremos centrarnos en el análisis de la evolución de un conjunto de variables clave para evaluar el desempeño comercial del bloque. Además de cumplir con la indispensable tarea de presentar una descripción sistemática de lo ocurrido en los diez años posteriores al Tratado de Asunción, nuestro propósito es evaluar en qué medida el Mercosur está cumpliendo con el objetivo de crear un espacio económico de las características mencionadas en el párrafo anterior. Para la selección de las variables a estudiar y para la evaluación serán muy útiles los conceptos de economía internacional que desarrollamos en el primer módulo.

Existen razones para la formación de un acuerdo regional que superan el ámbito estrictamente económico y esas razones no estuvieron ausentes en la constitución del Mercosur. De hecho, el acuerdo jugó un papel muy positivo en el afianzamiento de las relaciones políticas y de cooperación entre los estados miembro (ver capítulo 4). En el caso del Mercosur, sin embargo, es posible asumir sin riesgo de equivocarse demasiado que el motivo económico fue determinante. Al lanzar el acuerdo, las autoridades enfatizaron que lo concebían como una herramienta destinada a crear comercio y acelerar el crecimiento económico.

Ahora bien, ¿tiene sentido concebir el Mercosur en estos términos? Tres cuestiones surgen natural y secuencialmente al tratar de contestar esta pregunta. Primera, ¿era efectivamente el crecimiento un problema en la región al firmarse el acuerdo? Si la contestación es afirmativa, la segunda pregunta es: ¿pueden asociarse los obstáculos al crecimiento con la "falta" de comercio? Si la respuesta es igualmente afirmativa, la tercera cuestión que surge en la secuencia es: ¿puede considerarse que el Mercosur constituye una buena respuesta a los problemas de bajo intercambio comercial y débil crecimiento? Uno de los principales incentivos para escribir este libro fue, justamente, contribuir a clarificar esta última pregunta. En función de ello, nuestra estrategia en este capítulo será la siguiente. Comenzaremos examinando las dos primeras preguntas en el punto 2. Luego, en el punto 3, estudiaremos las variables más estrictamente relacionadas con la evolución del comercio y trataremos de evaluar el potencial del Mercosur como instrumento para aumentar el volumen del intercambio de los países del bloque. La evolución del comercio puede examinarse desde diferentes perspectivas. Nosotros adoptamos la de un observador ubicado en la Argentina. Por lo tanto, el énfasis estará puesto en identificar los efectos del Mercosur sobre los flujos de comercio en ese país. Finalmente, y a manera de conclusión del libro, en el último punto de este capítulo abordaremos la tercera y fundamental pregunta referida a la relación entre el Mercosur y el crecimiento.

2. El Mercosur en el mundo, el crecimiento y la apertura

No cabe duda de que los problemas de crecimiento eran de relevancia en el momento en que se puso en marcha el acuerdo regional. Los primeros pasos en la dirección de la integración entre la Argentina y el Brasil se dieron en la segunda mitad de la década de los ochenta. En esos años, América latina atravesaba un período de fuertes turbulencias macroeconómicas y estancamiento que eran una consecuencia directa de la "crisis de la deuda" que había comenzado en 1982, cuando México declaró una moratoria que terminó por afectar a prácticamente la totalidad de los países de la región. En realidad, la evolución de América latina fue tan decepcionante en el plano económico que la del ochenta fue bautizada como la "década pérdida".[1] Dentro de América latina, Argentina y Brasil se contaban entre los países con mayores problemas de falta de crecimiento y marcada inestabilidad macroeconómica. En Uruguay y Paraguay, los desequilibrios macroeconómicos eran algo menos pronunciados, pero ninguno de ellos estaba en condiciones de garantizar un proceso de crecimiento sostenido.

Las perspectivas económicas para América latina habían mejorado sensiblemente en 1991 cuando se firmó el Tratado de Asunción. Sin embargo, los efectos de la crisis de la deuda aún se hacían sentir de manera marcada. Los cuatro países firmantes del acuerdo estaban todavía lejos de ser percibidos como capaces de consolidar un proceso de crecimiento. Esto era particularmente así en las dos economías más grandes. Brasil continuaba mostrando rasgos de inestabilidad alarmantes, que se reflejaban en una tasa de inflación extremadamente alta acompañada de un crecimiento económico magro. La Argentina acababa implementar el Plan de Convertibilidad y, aunque estaba logrando una sustancial reducción en sus tasas de inflación, venía de atravesar dos años de extrema inestabilidad, que habían incluido dos episodios de hiperinflación[2] En este contexto, una iniciativa estratégica como la formación del Mercosur tenía un valor muy significativo para estos países, pues evidenciaba una voluntad de dejar atrás el decepcionante período de la crisis apostando al potencial de crecimiento de la región como un todo.

[1]   En el plano político, en cambio, la trayectoria fue mucho más brillante. Durante la década, los gobiernos autoritarios de origen militar fueron desapareciendo uno tras otro de manera sistemática. En este sentido, la década podría ser también bautizada, con un espíritu algo más optimista, como la "década de la restauración democrática".

[2]   Uruguay, por su parte comenzaba un período de convergencia hacia tasas de inflación menores y, en términos relativos, Paraguay era el país con la mejor trayectoria en términos de inflación.

Gráfico 8.1
PBN per cápita U$S

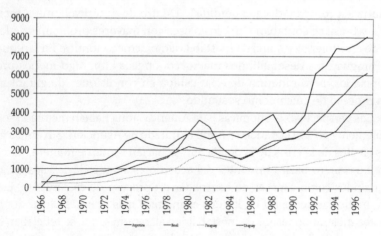

Fuente: *World Development Indicators*, 1999, Washignton, World Bank.

Este gráfico 1 registra la evolución del ingreso *per capita* en el período 1966/97, medido según la metodología del Banco Mundial. En el mismo puede observarse el marcado retroceso en el ingreso por habitante de los cuatro países luego de la crisis de la deuda. Está claro, asimismo, que el período que sigue a la firma del acuerdo de integración se caracteriza por un fuerte crecimiento[3]. Los dos países más beneficiados, sin lugar a du-

---

[3] Cabe una aclaración. Explicar la tasa de crecimiento de un país es una de las tareas más difíciles para un economista y tendría poco sentido esperar que hubiera una relación simple entre crecimiento e integración. Entre otras cosas, porque en la economía se producen en todo momento y simultáneamente una variedad de eventos. Así, podría ocurrir que aun cuando la integración tuviera un efecto positivo sobre el crecimiento, la formación de un bloque regional coincidiera con una fuerte crisis internacional que contrabalanceara los resultados positivos de la integración. Otro problema es que no conocemos con precisión cuánto tiempo debe transcurrir para que se produzcan los efectos esperados. Podría darse el caso de que esos resultados se dieran sólo a muy largo plazo y que el período transcurrido desde la formación del bloque fuera muy breve para realizar una evaluación. Por esta razón, aun cuando un objetivo primario de la integración es el crecimiento, no podríamos confiar sólo en la observación de la tasa de aumento del PBI para juzgar si la economía se está moviendo en la dirección correcta. Estamos obligados a realizar un análisis más detallado incorporando otras variables. Obviamente, dentro de las variables a incorporar, las ligadas al comercio jugarán un rol central.

das, son Argentina y Uruguay que muestran una tasa muy alta de aumento del producto luego de 1991. La tasa correspondiente al Brasil es más baja pero claramente positiva a partir de 1994.

Los indicadores de inestabilidad macroeconómica también experimentaron una evolución favorable en el período posterior al Tratado de Asunción. En particular, la tasa de inflación, que es un indicador clave de inestabilidad, resultó mucho más baja. Esto no significa, sin embargo, que el grado de estabilidad macroeconómica logrado haya sido suficiente como para convertir los desequilibrios de magnitud en un hecho del pasado. En 1994/95 la región fue golpeada por el llamado"efecto tequila"del cual, no obstante, se recuperó de manera rápida. A fines de 1998 el"contagio"de la crisis rusa volvió a sacudir a los países del acuerdo y, esta vez, la recuperación no fue tan fácil. Brasil se vio obligado a modificar su régimen cambiario y a inducir una fuerte depreciación del real al tiempo que la Argentina entraba en un largo período recesivo. Estos hechos tuvieron consecuencias negativas para el proceso de integración, tanto por el cambio en la competitividad relativa de los socios inducido por la depreciación del real, como por la depresión de las exportaciones intrabloque a causa de la recesión en las economías más grandes. Volveremos sobre esta cuestión más adelante.

Vayamos a la segunda pregunta. ¿Es la"falta"de comercio un problema para los países del Mercosur? Una forma sencilla de evaluar la importancia de las transacciones comerciales externas que realiza una economía es calcular su coeficiente de *apertura*. El coeficiente de apertura se define como la suma de las exportaciones más las importaciones en relación al PBI. Obviamente, cuanto mayor sea este coeficiente, más abierta resultará la economía pues será mayor el intercambio que realiza con el resto del mundo. ¿Cómo es el coeficiente de apertura de los países del Mercosur comparado con el de otras economías y regiones del mundo? El gráfico 2 siguiente, muestra la evolución del coeficiente de apertura del bloque en los últimos treinta años y lo compara con otras regiones.

Esperamos que al seguir el estudio que realizaremos en el texto, el lector haya percibido plenamente la utilidad de haber invertido un importante esfuerzo en comprender los conceptos básicos de economía internacional de los capítulos 1 y 2. En realidad, fue en gran medida la necesidad de realizar el tipo de evaluación que hacemos en este capítulo, lo que llevó a los economistas a elaborar esos conceptos de economía internacional.

Gráfico 8.2
Apertura. X+M como % del PBI

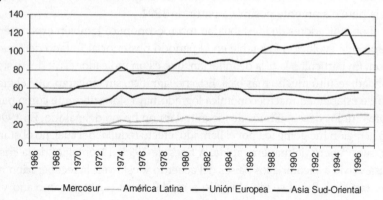

Fuente: ídem gráfico 1

Del gráfico surge claramente este dato: América latina es una región bastante cerrada, pero que el Mercosur es un bloque aún más cerrado que ella. Podemos concluir, entonces, que efectivamente la "falta" de comercio era un problema de larga data al crearse el Mercosur. En el gráfico 8.3. puede verse que, no obstante, existe una amplia diferencia dentro del bloque en lo que respecta a los niveles de apertura y que ésta tiende a correlacionarse inversamente con el tamaño. Mientras Uruguay y Paraguay muestran niveles de apertura superiores al 30%, Argentina y Brasil están por debajo del 20%. El coeficiente de apertura exhibe un cierto incremento en los últimos años en la Argentina. Pero ese incremento es muy suave como para eliminar el problema de la debilidad de los intercambios comerciales con el resto del mundo.

Gráfico 8.3
Apertura. X+M como % del PBI

Fuente: ídem gráfico 1

Los cuatro países del Mercosur realizaron ingentes esfuerzos por incrementar su grado de apertura en la última década. Además de la liberalización del comercio en el marco del acuerdo regional, implementaron iniciativas bastante profundas de apertura unilateral como parte de las reformas estructurales de los noventa. Como resultado, muy poco quedó del sesgo anticomercio que la *estrategia de sustitución de importaciones* había introducido en la posguerra. En la actualidad los niveles de protección son muy bajos. Es justamente en función de esto último que resulta sorprendente que el coeficiente de apertura no haya experimentado un aumento significativo en los últimos años. Desde nuestro punto de vista, este hecho indica que existen obstáculos estructurales que no favorecen el aumento del comercio y que van más allá de los efectos anticomercio que pueden haber tenido ciertas políticas de la etapa sustitutiva. De ser correcta esta hipótesis, las políticas orientadas a incentivar los intercambios deberían constituir una preocupación permanente.

Hay varias razones que, *a priori*, aparecen como relevantes a la hora de buscar razones por las cuales está resultando tan difícil abrir estas economías. En el caso de Brasil, un factor de peso es que se trata de una economía de gran tamaño y es conocido el hecho de que cuanto más grande sea una economía menor será su coeficiente de apertura. Nótese, en este sentido, que las economías más pequeñas del acuerdo son las más abiertas. En el caso de la Argentina y Uruguay, un hecho importante es que tienen una dotación de factores que les otorga ventajas comparativas en la producción de bienes agrícolas y los sectores más protegidos en el mundo desarrollado son, justamente, los relacionados con ese tipo de producción. Un elemento que agrava las cosas es que esos países no sólo protegen su producción sino que, adicionalmente, otorgan subsidios a sus exportadores. Bajo esas condiciones, los países de la región encuentran serias dificultades para competir y aumentar el volumen de comercio. Además, los subsidios agrícolas deprimen el valor de la riqueza de estos países. En este sentido, para economías con la dotación de factores como los de la Argentina o el Uruguay el proceso de globalización aparece como bastante asimétrico. Mientras la globalización torna a los mercados cada vez más competitivos, estos países deben lidiar con un nivel de protección agrícola que representa un resabio mercantilista en un mundo que se supone orientado al libre comercio.

Otro factor importante que introduce un sesgo anticomercio es la geografía. En los estudios empíricos de economía internacional, la distancia actúa como una fuerza de repulsión y la población y el nivel de ingresos como factores de atracción del comercio. La región está separada por grandes distancias de las zonas de mayor densidad tanto poblacional como de ingresos *per capita*. Este es un dato para nada despreciable. Por poner un ejemplo: aun cuando la Argentina cuenta con una dotación de gas importante, no tiene la posibilidad de construir un gasoducto para vender energía a los países ricos de Europa, como es el caso de Holanda, por ejemplo.

Podemos concluir, entonces, que efectivamente el crecimiento y la falta de apertura comercial son problemas para la región y que, por lo tanto, está plenamente justificado que los gobiernos busquen alternativas novedosas como el Mercosur que permitan "despertar" a unas economías aletargadas en su capacidad de crecimiento y en sus relaciones comerciales con el resto del mundo. Sin embargo, no deberíamos aceptar automáticamente que el Mercosur es la respuesta apropiada. Para estar en mejores condiciones de evaluar si ello es efectivamente así resulta necesario incorporar nuevos elementos a nuestro estudio. Con este propósito, seguidamente estudiaremos tres cuestiones que son clave para sopesar la capacidad de crear comercio y generar crecimiento de un bloque regional:

1. ¿cuál es la dimensión y el potencial del Mercosur en cuanto espacio económico *vis à vis* con el resto del mundo?;
2. en función de la ubicación y el nivel de desarrollo de los países del bloque, ¿es razonable apostar a una alta tasa de crecimiento en el largo plazo?;
3. dado que la acumulación de capital es uno de los determinantes básicos del crecimiento, ¿está el Mercosur realizando las inversiones necesarias para sostener el crecimiento?

Las siguientes tablas 8.1. y 8.2. aportan información al respecto.

Tabla 8.1
Población (en miles de habitantes)

País / Región	1990	1999	2010 Proy
Argentina	32,527	36,578	41,474
Brasil	148,030	168,495	192,240
Paraguay	4,219	5,359	6,980
Uruguay	3,106	3,313	3,566
Mercosur	187,882	213,745	244,260
América latina y el Caribe	436,341	507,306	591,539
Unión Europea	365,900	375,800	375,700
Estados Unidos	254,200	277,100	298,900
Japón	121,200	126,000	126,100
Europa Oriental y CEI	383,900	403,200	403,900
Asia Oriental	1,140,900	1,287,200	1,396,200
Asia Sudoriental	356,500	415,900	459,300
Mundo	5,127,600	5,933,600	6,721,600
% Mercosur / América latina	43%	42%	41%
% Mercosur / Mundo	4%	4%	4%

Agregados: Mercosur: Argentina, Brasil, Paraguay, Uruguay.

América latina: Antigua y Barbuda, Antillas Neerlandesas, Argentina, Bahamas, Barbados, Belice, Bolivia, Chile, Colombia, Costa Rica, Cuba, República Dominica, Ecuador, El Salvador, Granada, Guadalupe, Guatemala, Guyana, Haití, Honduras, Jamaica, México, Nicaragua, Paraguay, Panamá, Perú, St. Kitts and Nevis, Santa Lucía, San Vicente y Granadinas, Trinidad y Tobago, Uruguay, Venezuela.

Unión Europea: Alemania, Austria, Bélgica, Dinamarca, España, Finlandia, Francia, Grecia, Irlanda, Italia, Luxemburgo, Países Bajos, Portugal, Reino Unido, Suecia.

Europa Oriental y CEI: Albania, Armenia, Azerbaijan, Belarus, Bulgaria, Croacia, Eslovaquia, Eslovenia, Estonia, Federación Rusa, Georgia, Hungría, Kazakstán, Kirguistán, Letonia, Lituania, Macedonia, Moldova, Polonia, República Checa, Rumania, Tayiskistán, Turkmenistán, Ucrania, Uzbekistán.

Asia Oriental: China, Hong Kong, Mongolia.

Asia Sudoriental: Filipinas, Indonesia, Malasia, República de Corea, Singapur, Tailandia.

(Fuente: Oficina de CEPAL en Buenos Aires ,*World Development Indicatons 1999* del Banco Mundial.)

Tabla 8.2
Superficie (miles km²) y Densidad (hab./km²)

País / Región	Sup.	Dens.
Argentina	2,767	13.2
Brasil	8,512	19.8
Paraguay	407	13.2
Uruguay	177	18.7
Mercosur	11,863	18.0
América latina y el Caribe	20,505	24.7
Unión Europea	3,237	116.1
Estados Unidos	9,364	29.6
Japón	358	352.0
Europa Oriental y CEI	24,354	16.6
Asia Oriental	16,268	79.1
Asia Sudoriental	3,148	132.1
Mundo	133,478	44.5
% Mercosur / América latina	58%	
% Mercosur / Mundo	9%	

Ver Fuentes y Agregados de países en 8.1.

Las tablas 8.1. y 8.2. brindan información para evaluar el peso de la población y la geografía del Mercosur en el concierto de las naciones. De los mismos surge lo siguiente: aun cuando el Mercosur representa 4% de la población mundial, posee casi el 9% del territorio y, asimismo, su densidad poblacional es una de las más reducidas del planeta. Si bien esta baja densidad es hoy un factor que actúa deprimiendo el volumen de comercio intrarregional, este rasgo unido a que se trata de una región muy importante por su peso territorial en el mundo, habla en favor de un apreciable potencial de crecimiento económico en el largo plazo. Específicamente, existe la posibilidad cierta de aumentar el ritmo de crecimiento mediante la incorporación de mano de obra extrazona. Recordemos que la tasa de crecimiento puede aumentar no sólo por la vía del incremento del valor agregado por hombre ocupado sino también por la del aumento en el tamaño de la población económicamente activa y de la proporción de gente que trabaja (los flujos migratorios tienden a elevar esta última proporción). Aun cuando en el presente estas economías tienen problemas para generar empleo, en una perspectiva de largo plazo la región parece reunir las condiciones para convertirse en un factor de atracción de inmigración, en la medida en que experimente tasas de crecimiento sostenidas por períodos prolongados. Los enormes flujos migratorios que atrajo históricamente la región, por otra parte, hablan a favor de la plausibilidad de esta hipótesis.

La tabla 8.3. registra el ingreso de los cuatro países de la región y su proporción en relación al resto del mundo.

Tabla 8.3
PBI a precios de mercado (miles de millones de U$S)

País / Región	1970	1980	1990	1998
Argentina	31.6	77.0	141.2	298.1
Brasil	42.4	234.9	465.0	778.3
Paraguay	0.6	4.6	5.3	8.6
Uruguay	2.0	10.1	8.4	20.2
Mercosur	**76.6**	**326.5**	**619.8**	**1105.2**
América latina y el Caribe	174.8	764.1	1104.7	2076.5
Unión Europea	570.9	2582.6	5101.8	8329.7
Estados Unidos	1008.9	2709.0	5554.1	8210.6
Japón	203.7	1059.3	2970.0	3783.1
Europa Oriental y CEI	5.5	128.3	1018.1	1138.0
Asia Oriental	95.3	230.2	429.4	1390.5
Asia Sudoriental	38.5	241.9	578.0	769.9
Mundo	2097.6	7715.3	16756.3	28854.0
% Mercosur/América latina	44%	43%	56%	53%
% Mercosur/Mundo	**4%**	**4%**	**4%**	**4%**

Ver Fuentes y Agregados de países en 8.1.

Como se ve, el PBI de la región en su conjunto representa más del 50% del de América latina y 4% del total mundial. Se trata de una porción nada despreciable por cierto. Es superior al de los"tigres"del sudeste asiático y similar al de la China (incluyendo Hong Kong) y al de los países de Europa Oriental y de la CEI. Por otra parte, dado que la participación del PBI y la población en relación al mundo son parecidas, se deduce esta conclusión: el PBI *per capita* del Mercosur es similar al promedio mundial. En función de esto podría decirse, algo figuradamente, que el Mercosur es un agrupamiento de países de"clase media"y, en realidad, cuando se toma una medida más precisa del bienestar, como el PBI *per capita* de "paridad de poder adquisitivo (PPP)", resulta evidente que concebir al Mercosur como una agrupación de clase media es bastante acertado. Precisamente, el gráfico 8.4. muestra que el PBI *per capita* de paridad del Mercosur es muy similar al promedio del planeta.

Gráfico 8.4
PBI PPP per cápita U$S

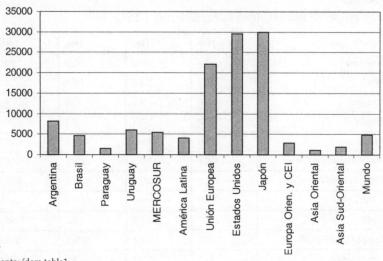

Fuente: ídem tabla1

¿Y qué se espera de un país de clase media en cuanto a crecimiento? La evidencia recogida por los estudiosos del tema sugiere que los países más pobres deben crecer más rápido que los ricos. A este fenómeno se lo conoce con el nombre de *convergencia*. La convergencia implica que el Mercosur debería crecer más rápido que el "primer mundo" y más lentamente que los países pobres. La respuesta a la pregunta anterior es, entonces, que por ser de clase media, el Mercosur cuenta con un sustancial potencial de crecimiento.

El gráfico 8.4. también pone de manifiesto otra característica distintiva del Mercosur: existen fuertes disparidades de ingreso dentro de la región. En función de la discusión del primer capítulo, deberíamos clasificar al espacio económico conformado por el Mercosur como un espacio económico dual. Esta dualidad es evidente en el hecho de que la Argentina, el Uruguay y el Sur de Brasil tienen un PBI *per capita* muy superior al resto y en que existen zonas con niveles de ingreso extremadamente bajos en el nordeste brasileño y el Paraguay. Esto implica que también "dentro del bloque" debería darse un fenómeno de convergencia según el cual las zonas más atrasadas deberían tender a crecer a una tasa más alta. Desde este punto de vista, está claro que Brasil aparece como el motor natural del crecimiento de la región, no sólo por su tamaño sino también por su menor PBI *per capita* promedio. En este sentido, tener una relación "privilegiada" con un país del potencial de crecimiento de Brasil aparece como un buen negocio para los socios más desarrollados (Argentina y Uruguay).

En el primer módulo estudiamos cómo, al crearse un espacio económico común por la vía de una unión aduanera, la competencia tiende a homogeneizar la productividad y a hacer desaparecer la dualidad. No debemos olvidar, sin embargo, que los procesos de equiparación de la productividad entrañan cambios estructurales complejos y lentos que suelen inducir fuertes relocalizaciones de factores productivos y obsolescencia de inversiones y de habilidades adquiridas. Manejar cooperativa y coordinadamente estos procesos es uno de los desafíos importantes que enfrentará, sin duda, la construcción de un espacio económico común en la región, lo que demandará una *ingeniería institucional* compleja e iniciativas de política audaces.

Por supuesto que la convergencia no es un proceso automático. Que un país más pobre pueda crecer más rápido no implica que efectivamente vaya a ocurrirle eso. Una condición fundamental para pasar de la potencia al acto en este aspecto es que se realicen las inversiones de capital requeridas, pues la tasa de inversión determina la velocidad a la que crece el stock de capital disponible para producir. Asimismo, esa variable también es importante para la incorporación de tecnología, pues en buena medida el progreso técnico viene incorporado en los bienes de capital. Cuando las firmas renuevan su equipo de producción, es normal que se aprendan nuevas técnicas y se incorpore personal más calificado y se entrene al existente.

Tabla 8.4
Inversión Interna (% del PBI

País / Región	1970	1980	1990	1998
Argentina	24	25	14	22
Brasil	21	23	20	21
Paraguay	15	32	23	21
Uruguay	0	17	11	13
Mercosur	**22**	**24**	**19**	**21**
América latina y el Caribe	22	25	20	22
Unión Europea	26	23	22	19
Estados Unidos	18	20	17	18
Japón	39	32	32	30
Europa Oriental y CEI	34	29	28	23
Asia Oriental	29	35	33	38
Asia Sudoriental	23	29	35	34
Mundo	23	24	23	20

Ver Fuentes y Agregados de países en 8.1.

La tabla 8.4. muestra la tasa de inversión de los países del Mercosur y la de las demás regiones que estamos considerando. Si bien la tasa de inversión es similar al promedio mundial, está muy por debajo de los países de alto crecimiento. Nótese en particular la gran diferencia con las zonas de alto crecimiento del Asia, lo que sugiere que los países de la región deberían realizar un esfuerzo por incrementar la tasa de inversión. No se trata, sin embargo, de una tarea sencilla. La inversión se financia con el ahorro de la sociedad y, por lo tanto, a nivel macroeconómico el ahorro y la inversión deben ser iguales. Cuando los países aumentan la tasa de inversión sin hacer lo propio con el esfuerzo local de ahorro, se ven en la obligación de recurrir al ahorro externo. Las entradas de capital financiero son el vehículo de ese ahorro externo. Por ello los países en los cuales la inversión supera al ahorro dependen de los flujos de capital. No hay nada inconveniente en esto. Ya hemos explicado cómo los países se benefician mutuamente intercambiando consumo presente por consumo futuro.

Sin embargo, aun cuando no existe ninguna objeción de principio sí hay una de hecho. En la actualidad, los mercados de capital internacional están todavía poco desarrollados. Por lo tanto, no están en condiciones de cumplir su papel primordial: ser el canal a través del cual el ahorro de los países ricos fluye hacia la inversión en los países más pobres. Las imperfecciones que hoy existen en los mercados de capital internacional pueden, bajo ciertas circunstancias, poner a los países en desarrollo en una situación de alta vulnerabilidad financiera. Una consecuencia de esto es la volatilidad de los movimientos de capital, ya que en contextos de crisis, es frecuente que se produzcan fuertes variaciones en la cuantía y la dirección de los flujos internacionales de fondos. En consecuencia, si el financiamiento de la inversión de un país depende excesivamente del ahorro externo, la volatilidad de los flujos se transmitirá a la inversión y, como consecuencia, el proceso de crecimiento lejos de ser sostenido resultará algo errático con las consiguientes repercusiones negativas sobre la estabilidad macroeconómica. La conclusión del argumento es la siguiente: los países del Mercosur deberán acompañar el aumento de la inversión con un esfuerzo concomitante de ahorro. Un análisis más detallado de esta cuestión, lamentablemente, está fuera del alcance del presente estudio.

3. Los flujos de comercio luego del Tratado de Asunción

Uno de los hechos de relevancia identificados en el punto anterior fue que el nivel de apertura de las dos economías más grandes del bloque es bajo. La tabla 8.5. muestra una tendencia que apunta en el mismo sentido.

Tabla 8.5
Comercio exterior 1998(mill.U$S)

País / Región	Exportaciones	Importaciones
Argentina	25,227	31,402
Brasil	50,992	60,980
Paraguay	1, 021	3,050
Uruguay	2, 848	1,465
Mercosur	80,088	96,897
América latina y el Caribe	270,876	337,406
Unión Europea	2,171,276	2,069,551
Estados Unidos	682,977	944,586
Japón	387,965	280,531
Europa Oriental y CEI	249,450	309,720
Asia Oriental	404,011	317,709
Asia Sudoriental	448,089	354,561
Mundo	5,414,844	5,358,567

Las exportaciones totales del bloque regional representan solamente el 1.5% del total mundial y el 29% de las de América latina. Recordemos que el ingreso de la región era el 4% mundial y más de la mitad del de América latina. Si el bloque se propusiera el objetivo de exportar en proporción a su participación en el PBI mundial, sus ventas externas deberían más que duplicarse. Esto es, en vez de exportar 80.000 millones debería llegar a los 217.000 millones y, si Argentina mantuviera su proporción en el Mercosur, debería pasar a exportar unos 68.000 millones. Está claro que el desafío competitivo que enfrentan estos países sólo para actuar en armonía con su peso específico en el mundo, es de magnitud. Enfrentarlo, por otra parte, está lejos de ser una cuestión deportiva, sino que es vital para el crecimiento. En un contexto de mercados de capital que adolecen de sustanciales imperfecciones, los países suelen experimentar dificultades para endeudarse. Bajo estas circunstancias, el nivel de las exportaciones pone una cota máxima a las importaciones y esa cota limita la tasa de crecimiento al restringir la capacidad de importar bienes de capital.

Dada la importancia de lograr un mayor volumen de comercio, vale la pena examinar en mayor detalle qué ocurrió con el intercambio internacional de bienes y servicios luego de la creación del Mercosur. La tabla 8.6. muestra la participación en el PBI del comercio total y con el Mercosur en la década del noventa.

Tabla 8.6.
Evolución del comercio (X+M/ PBI,%)

Año	Mercosur	Total
1990	2,2	13,3
1991	2,2	12,1
1992	2,9	13,0
1993	3,3	12,2
1994	3,7	14,1
1995	4,4	15,5
1996	5,0	17,0
1997	5,9	18,8
1998	5,8	18,8
1999	4,5	16,8

X = exportaciones; M = importaciones.
Fuente: Fanelli, J. M., González Rozada, M. y Keifman, S. "Comercio, régimen cambiario y volatilidad. Una visión desde la Argentina de la coordinación macroeconómica en el Mercosur", en *Mimeo*. Cedes. Buenos Aires. .

Las cifras correspondientes a la participación de las exportaciones e importaciones en el PBI sugieren que el acuerdo jugó un rol positivo como incentivo al intercambio internacional. El volumen de comercio total de la economía argentina muestra una tendencia creciente en toda la década del noventa y, como consecuencia, la participación de las exportaciones e importaciones en el PBI se eleva. El aumento en el nivel de apertura, no obstante, dista de ser espectacular. En parte, ello se debe a que el PBI creció junto con el incremento en el monto de las importaciones y exportaciones.

Es importante notar, de cualquier forma, que los intercambios con el bloque regional crecieron más que con el resto del mundo. El comercio de la Argentina con los países del bloque pasó de representar el 2.2 % del PBI en el año anterior al Tratado de Asunción, a casi el 6% en el bienio 1997-98. Entre 1990 y 1998, como puede deducirse de las cifras que aparecen en la tabla, el coeficiente de apertura se elevó en 5.5 puntos porcentuales del PBI; de ellos, 3.6 puntos están explicados por el aumento de los intercambios dentro del bloque. La tabla 8.7. confirma este hecho y no deja dudas respecto de la importancia creciente del bloque para la Argentina: la participación de los países del Mercosur en el comercio argentino pasó de 16% en 1990 a 30% en 1998.

Tabla 8.7.
Participación del comercio con el Mercosur en el intercambio total (%)

Año	M	X	X+M
1990	20	15	16
1991	21	17	18
1992	25	19	22
1993	24	28	26
1994	22	30	26
1995	23	32	28
1996	24	33	29
1997	25	36	30
1998	25	36	30
1999	25	30	27

Fuente: ídem tabla 6

La tendencia positiva del comercio intrabloque, no obstante, se resiente como consecuencia de la crisis brasileña a principios de 1999. La recesión y la depreciación hicieron declinar la participación del comercio con el

Mercosur en 1.5 puntos porcentuales del PBI. Esto tuvo como contrapartida una disminución en la porción del comercio total explicada por el intercambio con los tres países del bloque, que bajó al 27%. Cabe hacer notar,
no obstante, que el factor clave en la explicación de la reducción de los flujos comerciales del bloque debe buscarse más en los efectos negativos sobre la demanda de la recesión en Brasil y la Argentina, que en la variación
abrupta en el tipo de cambio inducida por Brasil. Sin negar la relevancia de
este último factor, Heyman y Navajas[5] probaron que el nivel de actividad
de los socios tiene una importancia clave para los flujos de comercio. Desde
este punto de vista, es de gran interés para cada uno de los socios que el
resto esté en condiciones de mantener una tasa de crecimiento estable.

Bajo ciertas circunstancias, este hecho puede dar lugar a dilemas de
política. Específicamente, a priori, está claro que a un país no le conviene
que su socio deprecie la moneda. Sin embargo, si tal depreciación es útil
para que el socio mantenga su estabilidad macroeconómica y para que su
demanda global crezca de manera sostenida, una depreciación podría ser
a la larga beneficiosa para ambos. Por esta razón, más allá del "ruido" que
genera en la opinión pública y en los medios una devaluación del real o
del peso, para una correcta evaluación se requiere analizar todo el conjunto de repercusiones, tanto a corto como a mediano plazo, que una medida
así tiene sobre los flujos de comercio intrabloque.

La tendencia al aumento en la importancia de las exportaciones destinadas a los socios regionales, fue un fenómeno generalizado en la región.
Esto es, las exportaciones de los otros socios hacia la Argentina también
fueron ganando participación en las exportaciones totales. En el caso de
Brasil, por ejemplo, las exportaciones hacia el bloque pasaron de representar el 7.3% del total de exportaciones al 17% en 1998. La mayor parte
de esas exportaciones, obviamente, tiene como destino el mercado argentino. Como proporción del PBI, en tanto, las exportaciones al Mercosur
prácticamente se duplicaron: pasaron de 0.6% a 1.1%. Entre 1990 y 1998,
las exportaciones brasileñas totales se expandieron un 9.7% por año y las
destinadas al Mercosur lo hicieron al 22.4%.

A diferencia de las exportaciones, en el caso de las importaciones no
se verificó un aumento significativo en la participación de los socios en el
total. Esto es, mientras que una proporción cada vez más grande de las

---

[5] Ver Heyman, D. y Navajas, F. "Coordinación de políticas macroeconómicas en
Mercosur: Algunas reflexiones", en Cepal. *Ensayos sobre la inserción regional de
la Argentina*. Documento de Trabajo N° 81, Comisión Económica para América latina y el Caribe. Cepal. Buenos Aires, 1998.

exportaciones de Argentina y Brasil se dirigían al Mercosur, la participación de cada socio en las importaciones del otro se mantuvo constante o sólo subió levemente. El hecho de que la participación de los socios en las importaciones de los otros no haya mostrado un gran aumento habla en contra de la hipótesis de que el Mercosur en vez de crear comercio lo destruyó o desvió. En efecto, recordemos que cuando existe destrucción (desvío) de comercio, una fuente regional ineficiente reemplaza a otra extranjera eficiente y, por lo tanto, más barata[6]. Si la razón principal del incremento de las importaciones dentro del Mercosur fuera el desvío, deberíamos observar que luego del Tratado de Asunción, las importaciones provenientes del bloque desplazan a las extrabloque y ganan, por ende, participación en las importaciones totales de cada país. Como las importaciones totales se estaban incrementando sustancialmente, el desvío de comercio podría incluso haber tomado simplemente la forma de un aumento más rápido de las importaciones provenientes del bloque. Pero esto tampoco ocurrió. En definitiva, como hubo un aumento en la proporción de las exportaciones con destino al bloque pero, concomitantemente, dentro de cada país la proporción importada desde el bloque se mantuvo constante, es razonable concluir que en términos globales, el efecto de creación de comercio dentro del Mercosur fue de relevancia y superó en magnitud los desvíos puntuales que pueden haberse producido.

En los noventa, las importaciones aumentaron de manera explosiva tanto en Brasil como en la Argentina. Al salir de la "década perdida" durante la cual las importaciones fueron mínimas a causa de la crisis, estas economías estaban "sedientas" de productos importados. Al aceitar los mecanismos del comercio intrabloque, el Mercosur hizo que los países que lo componen se beneficiaran con la explosión en la demanda de importaciones. Este hecho generó efectos de derrame muy positivos. En el caso específico de la Argentina, la creciente demanda proveniente del Brasil resultó funcional para cerrar la brecha del sector externo luego del lanzamiento de la convertibilidad. Esto fue especialmente así cuando, luego de ocurrido "el efecto Tequila", el dinamismo de las exportaciones hacia Brasil fue clave para amortiguar las presiones que sufría el sector externo. Cabe recordar, en relación con esto, que en junio de 1994 Brasil implementó el Plan Real que resultó en un fuerte aumento en la demanda de productos argentinos en los años siguientes.

Sería erróneo, sin embargo, concluir que el desvío de comercio estuvo

---

[6] En el ejemplo del capítulo 2, ello ocurría cuando las camisas brasileñas desplazaban a la oferta china más eficiente

ausente o que preocuparse por él es irrelevante. Los países que conforman una unión aduanera imperfecta como el Mercosur deben estar alerta de manera permanente y trabajar para reducir a un mínimo los fenómenos de desvío del comercio. Esto es particularmente relevante en relación con los bienes importados que se utilizan en la producción: insumos y bienes de capital. Si los insumos se encarecen como consecuencia del desvío de comercio, sus efectos negativos sobre la competitividad se multiplican al cargarse esos mayores costos en la elaboración de otros bienes y servicios. Si los bienes de capital se pagan más caros, la tasa de crecimiento del Mercosur se resiente porque una misma cantidad de ahorro financia una tasa de inversión más baja. De hecho, algo así parece haber ocurrido durante el período de sustitución de importaciones. La Argentina, por ejemplo, en ese período contaba con una tasa de ahorro alta pero su tasa de crecimiento era relativamente baja debido a que la protección encarecía los bienes de capital. Insistimos con esto pues justamente es posible que en sectores como el de bienes de capital, el arancel externo común sea aún muy alto. Obviamente, es muy difícil realizar una unión aduanera que evite completamente los costos de desviar comercio. Pero, precisamente por eso, las autoridades deben estar alerta para minimizar esos costos.[7]

Para ser totalmente equitativos en el tratamiento de los posibles efectos de la unión aduanera sobre los precios, también hay que recordar que la unión aduanera puede tener efectos positivos y no sólo negativos sobre éstos. Específicamente, como consecuencia de la competencia de los socios del bloque, los precios de los competidores extrabloque pueden caer, mejorando de esa forma los términos del intercambio. La evidencia recogida en el caso del Mercosur sugiere que, efectivamente, estos efectos no estuvieron ausentes. Un estudio del Banco Mundial revela que la entrada de Brasil en el Mercosur estuvo acompañada por una caída de significación en los precios de las importaciones desde los países no miembros, en particular desde los Estados Unidos.[8]

Una de las conclusiones de nuestra aproximación a los temas de economía internacional en el primer módulo fue que el comercio juega un papel clave en la determinación del patrón de especialización de los países. Tiene sentido, entonces, examinar en mayor detalle las consecuencias

[7] Para una visión pesimista sobre el desvío de comercio ver: Yeats, Alexander J. "Does Mercosur's Trade Perfomance Raise Concerns about the Effects of Regional Trade Arrangements?", en *The World Bank Economic Review*, vol. 12, N° 1, 1998.

[8] Banco Mundial (1999). *Trade Blocs and Beyond: Political Dreams and Practical Decisions*. Washington. Banco Mundial.

del Mercosur sobre tal patrón. Comencemos por estudiar qué ocurrió con los flujos de comercio de los distintos tipos de bienes. Las tablas 8.8. y 8.9. registran la composición sectorial de las importaciones y exportaciones correspondientes al comercio total y al Mercosur.

Tabla 8.8.
Composición de las importaciones totales y del Mercosur (%)

Total	1990	1991	1992	1993	1994	1995	1996	1997	1998	1999
Alimentos	4,3	5,7	6,0	5,4	6,4	6,3	5,0	5,8	5,3	5,2
Mat. primas agrícolas	4,0	2,6	1,9	1,9	1,6	2,0	1,9	1,5	1,5	1,5
Minerales y metales	7,5	4,3	2,9	2,3	2,1	2,7	2,6	2,1	2,1	2,1
Combustibles	8,3	5,7	2,9	2,4	2,9	4,2	3,6	3,0	2,5	2,6
Manufacturas	76,0	81,7	86,3	87,8	86,9	84,6	86,9	87,6	88,6	88,6
Mercosur	**1990**	**1991**	**1992**	**1993**	**1994**	**1995**	**1996**	**1997**	**1998**	**1999**
Alimentos	9,2	1,0	10,1	9,0	9,4	9,7	8,0	8,7	9,0	8,5
Mat. primas agrícolas	3,9	2,4	1,5	1,6	1,5	1,8	1,5	1,3	1,7	1,8
Minerales y metales	18,5	7,9	5,8	4,7	4,5	6,1	5,6	4,7	5,1	5,0
Combustibles	1,7	0,6	1,0	2,5	2,3	2,9	2,8	2,7	2,9	3,8
Manufacturas	66,7	79,1	81,6	82,1	82,3	79,5	82,1	82,6	81,4	80,9

Fuente: ídem tabla 6.

Tabla 8.9.
Composición de las exportaciones totales y del Mercosur (%)

Total	1990	1991	1992	1993	1994	1995	1996	1997	1998	1999
Alimentos	56,3	60,1	61,0	55,3	51,8	49,8	51,9	49,6	51,5	50,3
Mat. primas agrícolas	3,9	3,8	2,8	2,1	3,4	4,3	3,9	2,9	2,1	2,1
Minerales y metales	2,4	1,7	1,2	1,2	1,3	1,6	1,2	1,5	2,7	3,3
Combustibles	8,0	6,4	8,8	9,4	10,4	10,3	13,0	11,7	8,6	12,1
Manufacturas	29,3	28,0	26,2	32,0	32,9	33,9	30,0	34,3	34,9	32,2
Mercosur	**1990**	**1991**	**1992**	**1993**	**1994**	**1995**	**1996**	**1997**	**1998**	**1999**
Alimentos	45,4	44,6	42,6	34,4	36,0	35,3	31,0	26,5	31,1	31,2
Mat. Primas agrícolas	1,6	1,3	1,4	0,8	2,6	1,8	3,0	3,2	2,2	2,4
Minerales y metales	1,7	1,2	0,7	0,7	0,7	0,9	0,6	0,6	0,8	1,3
Combustibles	5,9	7,8	12,4	18,4	16,2	14,0	19,6	14,5	9,0	13,8
Manufacturas	45,4	44,9	42,8	45,8	44,4	48,1	45,8	55,1	56,9	51,3

Fuente: ídem tabla 8.6.

Las cifras de estas tablas ponen de manifiesto muy claramente que el patrón de especialización de la Argentina está íntimamente ligado a su dotación relativa de recursos. Los alimentos, materias primas agrícolas y combustibles explican dos tercios de sus exportaciones totales, al tiempo que el 89% de las importaciones están constituidas por manufacturas industriales.

Cuando se observa separadamente lo que ocurre con el Mercosur, sin embargo, se constatan diferencias muy importantes en el patrón de especialización: en el intercambio de Argentina con el bloque, el mayor peso no corresponde a alimentos y materias primas sino a bienes manufacturados, que representan más del 50% de las exportaciones (tabla 9). Nótese, no obstante, que la composición de las importaciones es similar a lo observado para el resto del mundo. Podemos concluir, entonces, lo siguiente: el Mercosur introduce un sesgo proindustrial en el patrón de especialización de la Argentina. Este sesgo, no obstante, está muy relacionado con factores de escala y con el régimen automotor y no tanto con la dotación relativa de los factores. Esto sugiere que, mientras la Argentina se incorpora al mundo en función de la explotación de las ventajas comparativas implícita en su dotación de factores, el Mercosur resulta funcional para explotar, adicionalmente, economías de escala y aprendizaje. Y ya explicamos en el primer módulo que una especialización en ramas con alto contenido de aprendizaje puede tener efectos dinamizadores de relevancia sobre la tasa de crecimiento de largo plazo.

Hay una forma bastante sencilla de evaluar si, efectivamente, las economías de escala son un factor importante en el Mercosur. Cuando el comercio es regido por las ventajas comparativas tiende a predominar el intercambio entre industrias; por ejemplo, un país exporta café y el otro petróleo. Cuando el intercambio es motorizado por la especialización en base a las economías de escala, en cambio, las transacciones entre países tienden a darse mucho más dentro de una misma industria; en la automotriz, por ejemplo, un país puede especializarse ganando escala en automóviles y el otro aumentando su escala en camiones. En el primer caso se dice que el comercio es *interindustrial* y, en el segundo, *intraindustrial*. La tabla 8.10. muestra la evolución del comercio interindustrial e intraindustrial con los países del Mercosur y con el resto del mundo.

Tabla 8.10.
Comercio inter e intraindustrial de manufacturas según región (%)

	1990	1992	1993	1994	1995	1996	1997	1998	1999
Total									
Comercio intraindustrial *	33	22	25	23	30	32	37	37	34
Comercio interindustrial	67	78	75	77	70	68	63	63	66
Mercosur									
Comercio intraindustrial *	37	28	37	40	40	43	48	51	50
Comercio interindustrial	63	72	63	60	60	57	52	49	50
Resto del mundo									
Comercio intraindustrial *	26	16	15	12	16	15	15	15	19
Comercio interindustrial	74	84	85	88	84	85	85	85	81

* Indices de Grubel y Lloyd en base a 5 dígitos de la Cuci ("clasificación uniforme del comercio internacional").
Fuente: ídem tabla 8.6.

En el nivel de toda la industria, un tercio del comercio argentino es intraindustrial y dos tercios interindustrial. Este hecho es compatible con la hipótesis antes sugerida: la inserción argentina en la división internacional del trabajo está determinada básicamente por la dotación de factores más que por la escala. La participación del comercio intraindustrial con el Mercosur y con el resto del mundo, sin embargo, es muy diferente. Mientras en la región ese tipo de comercio explica alrededor del 50% del total de las transacciones de manufacturas, en el caso del resto del mundo sólo un quinto del comercio de manufacturas tiene carácter intraindustrial. Por otra parte, mientras el intercambio intraindustrial con los países extrabloque se mantiene estable o cae, con los países del bloque ocurre lo contrario. En suma, podemos asumir que estas cifras confirman la hipótesis de que el Mercosur ha tenido una influencia favorable en los intercambios basados en industrias con economías de escala y aprendizaje.

Los factores que determinan el patrón de especialización, hacen sentir su efecto en el largo plazo. Pero al tratar la relación entre macroeconomía y comercio, vimos que en el corto plazo podían provocarse desequilibrios que dañaran la competitividad de un país. Básicamente esto ocurría cuando se producía una inconsistencia entre el nivel de productividad y los costos internos. Típicamente (aunque no necesariamente), este tipo de desequilibrios toma la forma de déficit insostenibles en la cuenta comercial. Por lo tanto, una forma sencilla de ver cómo se inserta la Argentina en el Mercosur en términos de su competitividad es examinar la evolución de su cuenta comercial. La tabla 8.11. ofrece información al respecto.

Tabla 8.11.
Composición del saldo comercial total y con el Mercosur (millones de dólares)

Total	1990	1991	1992	1993	1994	1995	1996	1997	1998	1999
Alimentos	6773	6718	6569	6341	6830	9165	11178	11351	11959	10416
Mat. primas agrícolas	326	236	56	-42	182	503	467	293	97	111
Minerales y metales	-3	-149	-287	-232	-246	-204	-332	-242	55	240
Combustibles	649	296	657	832	1018	1323	2224	2186	1485	2151
Manufacturas	525	-3402	-9626	-10546	-13552	-9928	-13487	-17607	-18591	-15094
Otros	6	4	-7	-20	16	-17	-1	1	27	0
Total	8276	3703	-2637	-3666	-5751	841	49	-4019	-4968	-2175

Mercosur	1990	1991	1992	1993	1994	1995	1996	1997	1998	1999
Alimentos	755	709	621	904	1280	1943	1994	1886	2218	1667
Mat. primas agrícolas	-3	-16	-22	-37	53	36	150	210	76	60
Minerales y metales	-124	-113	-196	-165	-180	-218	-278	-297	-327	-220
Combustibles	95	145	250	574	669	812	1387	1184	621	733
Manufacturas	276	-486	-2003	-1620	-1803	-397	-1136	-991	-1102	-1465
Otros	1	0	0	0	0	0	1	0	0	0
Total	999	239	-1349	-345	20	2176	2118	1992	1485	775

Fuente: ídem tabla 8.6.

Como se ve, en seis de los diez años de la década de los noventa, la Argentina registró un déficit en su cuenta comercial. Sin embargo, cuando el saldo con el Mercosur se desagrega del resto, la tabla que surge es totalmente diferente: en el Mercosur la Argentina tuvo superávit en casi todos los años, con excepción de 1992 y 1993. Surge así una pauta muy clara, la Argentina financia parte de su desequilibrio con el resto del mundo con su superávit en la región. Esto sugiere que, si se trata de examinar los problemas de competitividad del país, el Mercosur no es el lugar por el cual habría que empezar.

Es muy interesante, adicionalmente, tomar en cuenta el perfil sectorial de los superávit y déficit que aparecen en la tabla 8.11. La Argentina muestra de manera sistemática un enorme superávit en alimentos y combustibles y un déficit también de gran magnitud en bienes manufacturados. En 1999, por ejemplo, el superávit conjunto de alimentos y combustibles supera los 12.500 millones de dólares y el déficit en productos industriales llega a más de 15.000 millones de la misma moneda. Así, en consonancia con su patrón de especialización la Argentina financia la compra de bienes industriales con su superávit de productos de origen agrícola y energético. Si bien en el comercio con el Mercosur esta pauta se repite, gracias a las mayores exportaciones de origen industrial el saldo neto es un superávit y no un déficit.

La evidencia sobre competitividad y patrón de especialización que hemos estado estudiando sugiere esta conclusión: en el ámbito del Mercosur la Argentina tiene oportunidades a explotar para diversificar su comercio exterior, que no se le presentan en otros ámbitos geográficos. Es muy importante en relación con esto, tomar en cuenta que no encontramos evidencia contundente de un desvío de comercio de magnitud. La creación del Mercosur, por lo tanto, permite abrigar la esperanza de que la Argentina y el resto de los socios estarán en mejores condiciones de beneficiarse con ventajas mutuas de comercio. Entre los elementos que deberían jugar un papel en este sentido cabe mencionar la distancia, las afinidades culturales y la posibilidad de tomar iniciativas conjuntas en el marco del acuerdo regional, tanto para incentivar la especialización en base a la escala como para avanzar en temas complicados de negociar en otros ámbitos; tal, por ejemplo, el caso de la desregulación de los servicios y la integración profunda en general.

4. A MODO DE CONCLUSIÓN: EL MERCOSUR Y EL DESAFÍO DE CRECER

¿Es el Mercosur un espacio económico con potencial desde el punto de vista del crecimiento? Esta pregunta es crítica. Es cierto que un acuerdo regional es en principio una estrategia para la integración en la economía internacional. Pero en el módulo uno hicimos ya notar que el comercio de bienes, servicios y factores no es un fin en sí mismo. El propósito último que justifica las actividades de intercambio es el de aumentar el bienestar de la población. No perder de vista esta cuestión es particularmente relevante en el caso del Mercosur, pues se trata de un agrupamiento regional de ingreso medio. Para países de ingreso medio un factor clave es cómo integrarse en el mundo de forma tal de garantizar que *la convergencia hacia el ingreso per capita de los países desarrollados efectivamente se produzca.*

Aun cuando las condiciones estén dadas, esta convergencia sólo se producirá en el largo plazo. Por ello el crecimiento está destinado a ser un factor de preocupación permanente de la política económica. En la actualidad, sin embargo, a esta razón que podríamos llamar estructural se suman otras dos de carácter más coyuntural que contribuyen a que la preocupación por crecer ocupe el centro de la escena. La primera es que las consecuencias del estancamiento de la década pérdida aún no han sido totalmente superadas, pues a pesar de que en los noventa la tasa de crecimiento se recuperó, sigue siendo baja. Con el ritmo actual de crecimiento se está revelando como muy difícil lograr la reversión del deterioro en la distribución del ingreso y en las condiciones de vida que se produjeron a partir de la crisis de la deuda.

La segunda razón que contribuye a privilegiar el objetivo de crecer es macroeconómica. Los dos socios mayores han encontrado serios inconvenientes para superar las turbulencias que siguieron a la crisis rusa de 1998. En los últimos años, tanto la Argentina como Brasil han experimentado situaciones de sustancial fragilidad financiera externa. Ello deterioró la percepción sobre su real grado de solvencia y, por ende, para ambas economías es crítico despejar toda duda sobre su salud financiera. Una de las condiciones que más ayuda a que un país sea percibido como solvente es, justamente, crecer de manera sostenida en el tiempo. Esto es estrictamente así en el caso de la Argentina actual: para asegurar su solvencia financiera el país necesita alcanzar una tasa de crecimiento razonable y sostenida, tanto de su PBI como de sus exportaciones.

Más arriba hemos aportado evidencias respecto del potencial de crecimiento del Mercosur en términos de factores geográficos, demográficos y de comercio. Una manera alternativa de aproximarse a la cuestión es preguntarse si existen indicios de que el resto del mundo considere efectivamente a ésta como una región con futuro. Una de las características de la actual globalización es la puja de los diferentes países y regiones por atraer inversión. Por ende, una forma simple de evaluar cuán atractivo es el bloque consiste en examinar qué ocurre con los flujos de inversión extranjera directa hacia el Mercosur *vis à vis* con el resto del mundo. La tabla 8.12. registra los flujos de inversión extranjera directa hacia las distintas regiones que hemos venido utilizando en el análisis.

Tabla 8.12
Inversión extranjera directa 1997

País / Región	Mill.U$S	Porcentaje
Argentina	6,645	1.7
Brasil	19,652	4.9
Paraguay	250	0.1
Uruguay	160	0.0
Mercosur	26,707	6.7
Unión Europea	100,541	25.1
Estados Unidos	93,448	23.3
Japón	3,200	0.8
Europa Oriental y CEI	21,411	5.3
Asia Oriental	44,243	11.0
Asia Sudoriental	26,225	6.5
Mundo	400,394	100.0
% Mercosur / América latina	43,4%	
% Mercosur / Mundo	6,7%	

Ver: fuentes y agregados de países en tabla 8.1.

Sin lugar a dudas, el Mercosur es un receptor privilegiado de inversión extranjera directa. En 1997 atrajo casi el 7% del total mundial, lo que debe medirse teniendo en cuenta que sólo representa el 4% del ingreso y menos del 2% del comercio del planeta. Claramente, el poder de atracción de los dos socios mayores es muy significativo. La Argentina y Brasil están entre los cuatro países en desarrollo que más inversión extranjera directa han recibido entre 1994 y 1999. De hecho, desde la formación del Mercosur la inversión extranjera directa ha mostrado un comportamiento muy dinámico. Por ejemplo, entre 1984 y 1989, la región recibía 1.600 millones de inversión extranjera por año, pero en el bienio 1997-99 recibió más de 40.000 millones[9]. Esto sugiere que el Mercosur puede haber resultado un factor de atracción. Obviamente, con esto no queremos implicar que el salto en la inversión se debe, en primer lugar, al proceso de integración. Es muy difícil realizar comparaciones entre períodos históricos que son diferentes en muchos aspectos. En particular, es razonable asumir que el proceso de reforma estructural y las privatizaciones han constituido un factor

---

[9] Hemos tomado estas cifras de Chudnovsky, D. y López, A.; "El boom de la inversión extranjera directa en el Mercosur en los Años 1990. Características, determinantes e impactos", en *Mimeo*, (2000). CENIT, Buenos Aires.

de atracción de gran importancia en los noventa. Pero también es cierto que el flujo de inversiones no se interrumpió una vez pasado el período de mayor actividad en cuanto a la enajenación de empresas públicas y que muchas de las inversiones se hicieron con la intención de aprovechar las ventajas del mercado ampliado.

Creemos que los hechos que hemos identificado en el libro junto con esta preferencia revelada de los inversores por la región, aportan evidencias suficientes como para abonar el optimismo en relación a la potencialidad del bloque. En realidad, la observación del Mercosur desde la perspectiva del crecimiento y del proceso de inversión sugiere nuevas posibilidades que superan, en cierto sentido, los límites estrictos de una discusión sobre integración comercial. Específicamente, esas posibilidades aparecen cuando se hace este ejercicio: concebir al Mercosur como *el proceso de construcción de un espacio económico común que sirva de base para acelerar el crecimiento de la productividad.* Esto implicaría diseñar una estrategia de desarrollo basada en la explotación cooperativa de las ventajas, que crearía la ampliación de los mercados dentro de un espacio común. Estas ventajas, obviamente, estarían asociadas con los aumentos de productividad que vendrían de la mano de la escala, el mejoramiento en la asignación de recursos, los mercados de capital de mayor tamaño, los incentivos renovados a la inversión y una movilidad de factores gradualmente incrementada.

Concebir un *Mercosur para la productividad,* no implica desconocer el papel primordial del comercio sino adoptar una visión orgánica del proceso de integración según el cual no es posible explotar plenamente las ventajas mutuas del intercambio sin asegurar el desarrollo correlativo de la infraestructura física, financiera, institucional y política del mercado ampliado.

El ejemplo de los mercados de capital puede ser útil para mostrar la utilidad de un enfoque orgánico de la integración y los beneficios potenciales de una ampliación del tamaño de los mercados financieros dentro del espacio económico común. Actualmente, el nivel de profundización financiera de la región es bajo y su acceso a los mercados internacionales muy imperfecto. La dificultad en el acceso al mercado internacional aumenta el riesgo país y ello se traduce en una alta tasa de interés que actúa como un peso muerto sobre la rentabilidad de la inversión (Uruguay es el único de los socios que tiene el grado de inversión pertinente). Asimismo, se observan períodos en los que el acceso a los mercados de crédito es nulo. Cuando se interrumpe el acceso al mercado, aun cuando el mismo sea temporal, la normal refinanciación de la deuda y los déficit de cuenta corriente se interrumpen. Ello resulta en estrangulamientos de pagos externos y en fragilidad financiera.

Obviamente, la solución a este problema no podría ser el de prescindir del ahorro externo, pues ello sería ineficiente para una región de ingreso medio que cuenta con proyectos de alta rentabilidad. En consecuencia, la estrategia correcta es mejorar las condiciones de acceso al crédito externo. Una condición para ello es la estabilidad macroeconómica, pero otra fundamental es lograr una ampliación de los mercados de capital locales. Más allá de que la volatilidad de los flujos internacionales es muy negativa, es clave no perder de vista que, en gran medida, las dificultades para acceder a los mercados externos tiene su origen en la debilidad de las relaciones financieras nacionales. Por una parte, al ser el mercado de capitales reducido, existen muy pocas firmas nacionales que acceden al crédito en las instituciones locales, lugar donde deberían construir una reputación que les permitiera acceder al crédito externo. Por otra parte, al ser los mercados nacionales muy pequeños, las variaciones relativamente reducidas en las condiciones externas –aun cuando implicaran movimientos de capital no muy pronunciados en términos internacionales–, tienen efectos sustanciales sobre las tasas de interés y sobre la disponibilidad de créditos domésticos.

El débil desarrollo de los mercados de capital afecta a la productividad. En el primer módulo insistimos en el papel de esos mercados en la asignación eficiente de los recursos existentes, en el manejo de los riesgos y en el apoyo de la actividad de los empresarios innovadores. Si se generan oportunidades de negocios por la vía de la liberalización comercial y la creación de una unión aduanera y, al mismo tiempo, no se oferta el crédito que los emprendedores necesitan, las oportunidades sólo podrán ser aprovechadas por aquéllos que dispongan de acceso al crédito. En el actual contexto, los que gozan de tal acceso de manera privilegiada son, en primer lugar, las empresas multinacionales que no tienen dificultades para conseguir fondos en el mercado internacional y las empresas nacionales grandes. Los emprendedores regionales potencialmente exitosos y de menor tamaño, en cambio, no están en igual posición. Un síntoma de que la restricción de crédito podría estar frenando la capacidad transformadora del empresario local es que buena parte de la inversión extranjera directa ha tomado la forma de adquisición de empresas existentes, que son "recicladas" posteriormente con el propósito de aprovechar el contexto de reforma estructural y apertura.

De lo anterior se sigue que una mayor profundización financiera tendría el doble efecto positivo de mejorar las condiciones locales y externas de acceso al crédito. El Mercosur podría realizar un aporte significativo si se avanzara en la integración de los sistemas financieros y los mercados de bonos y acciones regionales. En este plano es muy poco lo realizado y, lo que es más preocupante, no parece haber una clara percepción de la importancia de abrir camino de manera rápida y decidida hacia la armonización de las bases institucionales, legales y normativas de los mercados. En la actualidad, la globalización ha instalado una fuerte tendencia a que las transacciones se concentren en unos pocos mercados de capital. Como consecuencia, los mercados de la región y, en particular en la Argentina, sufren una dura competencia que tiende a "vaciarlos" de transacciones. Una integración regional, por la vía de la escala, podría reducir los costos de transacción, proveer mejor información sobre las oportunidades de inversión y, quizás, disminuir la volatilidad al aumentar el volumen de transacciones y la liquidez de los papeles.

Un Mercosur con mercados de capital integrados "profundamente" podría acelerar el aumento de la productividad. En la literatura financiera aparecen evidencias importantes de que los mercados locales tienen ventajas comparativas sobre los internacionales a la hora de "seleccionar a los ganadores", porque tienen un acceso muy superior a la información sobre las oportunidades de inversión y las características de los deudores. Desde este punto de vista, no contar con un nivel adecuado de profundización financiera tiene un alto costo en términos del desarrollo de una clase empresarial local y, por ende, en términos de crecimiento. En cierto sentido, avanzar en la integración comercial regional sin hacerlo en el plano financiero es, como mínimo, ineficiente y, probablemente, inconsistente. Creemos que el caso de los mercados de capital ejemplifica muy bien la necesidad de adoptar un enfoque orgánico e integrado al diseñar los pasos a seguir en la integración. Pero un enfoque tal debe abarcar todo el proceso de formación del espacio económico común, pues las fallas de mercado no son privativas del ámbito financiero. Hemos ya llamado la atención en el capítulo 2 sobre la necesidad de garantizar las condiciones para crear los mercados faltantes y reforzar los existentes. Para ello la base institucional y normativa es de primer orden de importancia.

¿Por qué un Mercosur para la productividad podría ayudar a superar las dificultades que hoy condicionan el crecimiento y, por ende, retrasan la convergencia? Al evaluar la experiencia de la región en el actual contexto de globalización creciente, surge un obstáculo nítidamente: la debilidad de las fuerzas que impulsan la competitividad en el largo plazo. La evidencia más importante de la falta de dinamismo en la competitividad es la reducida participación de los países del bloque en el comercio internacional que, como vimos, no guarda relación con el peso económico específico de la región en el mundo. Las dificultades para lograr una expansión sostenida en las exportaciones, así como un grado razonable de diversificación de las mismas, aumenta la vulnerabilidad de la región a los shocks de origen externo. Recientemente, han sido particularmente perjudiciales los shocks originados en los mercados de capital ("efecto Tequila" y crisis rusa). Un Mercosur para la productividad incentivaría la competitividad, pues el aumento de la misma es la forma más beneficiosa para mejorar la capacidad para disputar mercados en la arena internacional.

En el corto plazo, los países del bloque podrían tratar de ganar competitividad internacional y participación de mercado por la vía de la devaluación. Sin embargo, esta vía tiene tres problemas. El primero es que los efectos de la devaluación tienden a diluirse en el largo plazo. El segundo es que la depreciación de la moneda de uno de los países del bloque resiente la competitividad del resto de los socios y genera "ruido" en el proceso de construcción del espacio económico común. El tercero y, quizás, más importante, es que por medio de la devaluación no es posible al mismo tiempo mejorar la competitividad y los ingresos reales de la población. La única forma de ganar competitividad y aumentar el nivel de vida simultáneamente, es incrementar la productividad.

El comercio es una forma de aumentar la productividad. Por lo tanto, la elección de cualquier iniciativa que lo incentive debería ser positiva para, simultáneamente, ganar competitividad sin reducir salarios. En la coyuntura actual, sin embargo, esa elección no es tan sencilla. Hay dos razones que vale la pena resaltar. En primer lugar, hemos visto que la globalización es bastante asimétrica en algunos aspectos: las políticas mercantilistas de protección sectorial (por ejemplo, en la agricultura) son un escollo sustancial para la explotación de las ventajas comparativas de los países del bloque. En segundo lugar, aún existe una miríada de regulaciones que hacen que el mundo esté muy lejos de constituir un campo sin imperfecciones donde desarrollar el juego de la competencia. En una visión bastante afín a la del regionalismo abierto, podríamos afirmar que, lejos de existir una relación de sustitución, las estrategias de liberalización multilateral y el regionalismo muestran zonas de complementación que pueden ser explotadas con alto beneficio en un mundo con sustanciales asimetrías de poder y todavía muy regulado. Por ejemplo, es bastante probable que si se logra algún avance en reducir el proteccionismo agrícola, ello ocurrirá como fruto de negociaciones en el marco multilateral. Pero, por otra parte, hay una serie de normas que violan la no discriminación en el acceso a mercados, que pueden ser tratadas de manera mucho más eficiente en el nivel regional.

La ingeniería de un espacio económico común necesita de tres elementos básicos:

1. una infraestructura física apropiada,
2. una infraestructura legal y de instituciones que actúe como soporte de los mercados regionales compartidos, y
3. ámbitos adecuados para la práctica de la negociación y de la coordinación de políticas.

A priori, un acuerdo regional como el Mercosur parece reunir ventajas en relación con los tres elementos. La cooperación para la construcción de la infraestructura física del comercio (caminos, puertos, explotación conjunta de recursos naturales) es más fácil de coordinar y puede ser más rentable entre países vecinos. Un acuerdo regional que promete incrementos importantes en los niveles de intercambio puede actuar, en este sentido, como un catalizador de inversiones, reduciendo al mismo tiempo la probabilidad de ocurrencia de conflictos armados. Frecuentemente, el hecho mismo de construir una carretera donde no la había es una señal muy fuerte de que ciertas hipótesis de conflicto se han debilitado y que la apuesta política es la de reforzar los lazos del bloque natural.

En lo que hace a la construcción institucional, la armonización de regulaciones y la adopción de prácticas comunes, la tarea parece en principio más sencilla entre países que comparten fronteras e idiomas y poseen raíces históricas, culturales y jurídicas similares. El ámbito regional, asimismo, puede tornar más manejable la asignación de los costos y beneficios de la integración, la negociación para la armonización de normas y la coordinación de políticas. En las negociaciones multilaterales la presencia de los países más pequeños económicamente, se desdibuja y tienden a predominar la visión y los intereses de los países con mayor peso, que suelen fijar el contenido y las prioridades de la agenda de negociación, y aun cuando se logran concesiones, la puesta en práctica de lo acordado no siempre puede darse por descontada, como lo está demostrando el período posterior a la ronda Uruguay en relación al proteccionismo agrícola. En este sentido, podríamos afirmar lo siguiente: la globalización necesita de una nueva institucionalidad con canales de participación para los países más chicos y que el Mercosur puede concebirse como parte de los esfuerzos por construirla.

Con esto no queremos sugerir, obviamente, que la construcción del espacio económico regional compartido sea una tarea fácil. De hecho, en la actualidad aparecen desafíos muy importantes en el horizonte, a los cuales habrá que dar rápida respuesta para que el impulso integrador no pierda fuerza. Entre ellos, se destaca la necesidad de avanzar en la coordinación macroeconómica, a lo cual vale la pena referirse brevemente, pues las mudanzas en los regímenes cambiarios brasileño y argentino –con las consiguientes depreciaciones del real y del peso a inicios de 1999 y 2002 respectivamente–, generaron tensiones que pusieron en claro que la macroeconomía puede resultar un escollo importante para el proceso de integración.

En el episodio brasileño, los sectores que fueron afectados por la depreciación percibieron que Brasil había actuado en forma unilateral sin tener en cuenta las repercusiones sobre sus socios. Esto dio lugar a un vívido debate con quienes afirmaban que, en realidad, todo lo que Brasil había hecho era corregir un tipo de cambio real que era insostenible en el largo plazo. De hecho, este último argumento es consistente con la evidencia sobre el comportamiento del tipo de cambio real bilateral entre Argentina y Brasil. Esta evidencia indica que, cuando se producen desvíos significativos como la fuerte revalorización del real frente al peso entre 1994 y 1999, el tipo de cambio real tiende posteriormente a revertirse hacia su valor promedio[10].

En la discusión sobre regímenes cambiarios para el bloque se abren en la actualidad tres posibilidades concretas. La primera es mantener el statu quo, sin coordinación macroeconómica. La segunda es la dolarización que podría ser unilateralmente decidida por cada país o, menos probablemente, por el bloque de manera conjunta. La tercera es intentar la coordinación, cuyo último paso eventualmente sería la formación de una unión monetaria. La evidencia empírica y la dinámica política reciente no hablan a favor de la hipótesis del statu quo. Mantenerlo implicaría asumir que los países, en su conjunto, no tienen oportunidades de coordinación que explotar y ello es claramente falso, sobre todo en un escenario de integración profunda dentro del bloque. Hay mucho por avanzar, por ejemplo, en cuanto a implementar políticas para reducir la volatilidad de los tipos de cambio reales bilaterales.

La dolarización de cada país por separado, tampoco sería muy productiva para el bloque. El país donde más se discutió esta idea es el nuestro. Pero una Argentina dolarizada y un Brasil con tipo de cambio flotante no cambia sustancialmente la situación actual. Desde el punto de vista de la evolución del tipo de cambio bilateral la diferencia entre dolarización y convertibilidad en la Argentina es prácticamente nula. En ambos casos, la

---

[10] Ver Fanelli, J. M."Coordinación macroeconómica en el Mercosur. Marco analítico y hechos estilizados", en *Mimeo* , (2000). CEDES, Buenos Aires.

moneda argentina flota en relación a la brasileña siguiendo al dólar. La dolarización conjunta, por otra parte, no aparece en el horizonte como probable, a excepción de un escenario de crisis muy profunda de la región.

En el módulo uno explicamos que una unión monetaria en el Mercosur implicaría fijar de manera permanente los tipos de cambio y que había una serie de condiciones que debían cumplirse. Desde ese punto de vista el obstáculo fundamental es que, como vimos, las economías brasileña y argentina están aún muy cerradas y el intercambio intrabloque es todavía bajo. Además, subsiste un importante grado de volatilidad macroeconómica en las economías de cada socio.

La alternativa más viable, por lo tanto, es tratar de avanzar gradualmente en la coordinación de las políticas y en la convergencia en el plano macroeconómico. Esta es, de hecho, la alternativa que parece estar imponiéndose luego de la reciente declaración de Buenos Aires, en la que se acordó fijar pautas para alinear los valores de las variables macroeconómicas fundamentales. En dicha declaración se alude al desequilibrio fiscal, a la deuda pública y a la tasa de inflación, y se fija marzo de 2001 como comienzo del proceso de fijación de metas y armonización. El intento de alinear las variables fundamentales implica evitar que las variables que contribuyen a determinar el valor de equilibrio de los tipos de cambio bilaterales, tomen valores muy alejados del sendero de equilibrio. Una condición a favor de este intento y, en particular, a favor del objetivo de fijar metas de inflación, es la reducción tanto del valor medio como de la volatilidad de las series de inflación, en todos los países del acuerdo en la última década. En este sentido, si bien las economías del Mercosur aún tienen poco comercio y una inflación y una volatilidad excesivas para ensayar una unión monetaria, parecen estar maduras para inducir una convergencia en la evolución de las variables macroeconómicas clave. Una armonización creciente tendría altas probabilidades de éxito si se realizara en el marco de un avance decidido y con coraje hacia la integración profunda.

Además de la macroeconomía, hay dos áreas en las que será prioritario dar respuestas rápidas a corto plazo. La primera es la relacionada con la profundización de la integración; en este sentido, se requiere avanzar en las líneas que hemos ido marcando en el texto en cuanto a construcción institucional y marco normativo (mecanismos de solución de controversias, aplicación efectiva de acuerdos, eliminación de medidas no arancelarias, progreso en cuanto a asimetrías regulatorias y perforaciones al arancel). La segunda es la negociación con otros bloques regionales y las relaciones externas del Mercosur en general. En relación con esto, el reciente anuncio por parte de los Estados Unidos sobre el comienzo de las negociaciones para un tratado de libre comercio con Chile son un llamado de atención respecto de la necesidad de dinamizar el ritmo de trabajo del Mercosur.

En suma, creemos que del análisis realizado en el libro surge que sería en gran medida ocioso pensar en la construcción de un espacio común para acelerar el crecimiento de la productividad sin integración profunda, convergencia macroeconómica y una visión compartida respecto de la estrategia de integración en la economía global. Por ello el Mercosur deberá demostrar en el corto plazo que está en condiciones de avanzar en esos tres aspectos. La experiencia reciente denota una cierta falta de creatividad en la construcción institucional y en la elaboración de una visión estratégica compartida. Renovar la creatividad y el impulso integrador demandará una apreciable cuota de sentido estratégico y de decisión política. No obstante ello, también es cierto que los beneficios del esfuerzo por construir el Mercosur de la productividad podrían ser muy significativos en términos de crecimiento y de creación de las condiciones para la convergencia.

Glosario

Acervo comunitario. En la Unión Europea se denomina "acervo comunitario" al conjunto de normas y disciplinas comunes que han acordado y aplican los países miembros.

Acuerdos de Ordenamiento de Mercados. Son acuerdos entre partes privadas para evitar situaciones de competencia que puedan producir perjuicios a alguna de ellas. La OMC los prohibe.

Admisión temporaria. Es un instrumento de política comercial que consiste en permitir la importación temporaria, sin pago de arancel, de insumos o productos que son reelaborados para su ulterior exportación.

AEC. Acuerdo Externo Común.

ALADI. Asociación Latinoamericana de Integración. Fue creada en 1980 por los países latinoamericanos en reemplazo de la Alalc. A diferencia de esta última, adoptó el objetivo menos ambicioso de proveer un marco jurídico y normativo para la liberalización.

ALALC. Asociación Latinoamericana de Libre Comercio. Creada por los países latinoamericanos en 1960, para liberalizar el comercio regional en una zona libre a crearse en doce años. En 1980 fue reemplazada por la Aladi.

Alca. Area de Libre Comercio de las Américas. Su propuesta se estableció en la cumbre presidencial de Miami en diciembre de 1994, cuando los presidentes y jefes de Estado de 34 países del hemisferio decidieron iniciar negociaciones con ese objetivo. Dichas negociaciones deberán estar concluidas el 31 de diciembre de 2004.

APEC. Son las siglas en inglés del Foro de Cooperación Asia-Pacífico, organización que reúne a países de Asia, Oceanía y América que comparten la cuenca del Pacífico. Esta organización se ha planteado el objetivo de alcanzar un área de libre comercio en el año 2010 (2020 para los países en desarrollo), pero no se han establecido compromisos ni mecanismos para lograrlo. Dentro de ella Apec hay un conflicto esencial entre las visiones predominantes con respecto al regionalismo que existen en Japón (y otros países asiáticos) y Estados Unidos.

Aranceles. Los aranceles (o tarifas) son impuestos que gravan las importaciones. Existen dos tipos principales, los "aranceles *ad valorem*" (donde el impuesto se expresa como un porcentaje del valor del producto) y los "aranceles específicos" (donde el impuesto es un valor monetario fijo por unidad física de producto).

Arancel escalonado y plano. Se refiere a una estructura arancelaria en la que existen diferentes niveles de arancel. Normalmente, el escalonamiento supone aranceles más altos para los productos con mayor valor agregado. En oposición al arancel escalonado existe un arancel único (o plano) que se aplica a todos los bienes por igual y que constituye una estructura uniforme de protección efectiva.

Arancel externo común. Es el arancel que adopta una unión aduanera para un producto determinado y que reemplaza los aranceles nacionales. El arancel externo común es un elemento clave de una unión aduanera.

Arbitraje. Conjunto de transacciones mediante las cuales un agente procura explotar en su beneficio las diferencias existentes entre los precios de un mismo producto (o los retornos de un mismo activo) en dos sitios diferentes. Como el arbitrajista compra donde es barato y vende donde es caro, su actividad hace que los precios tiendan progresivamente a igualarse.

Armonización. El principio de armonización hace referencia a la homogeneización de normas nacionales con el objetivo de llegar a regulaciones comunes.

Asimetrías regulatorias. Se refiere a las diferencias en las regulaciones que tienen un impacto sobre los flujos de comercio. Las asimetrías regulatorias pueden responder al intento de ganar ventajas en la competencia o bien a diferentes preferencias nacionales.

Autarquía. Situación en la cual una economía se encuentra aislada del resto del mundo, sin intercambiar bienes, servicios o factores con otros países.

Barreras al comercio. Factores naturales o institucionales que impiden los intercambios de bienes entre países.

Bienes no transables. Bienes que no pueden ser intercambiados internacionalmente porque las condiciones tecnológicas o institucionales no lo permiten (típicamente los servicios o los bienes con regulación proteccionista). No están sujetos a la competencia internacional, por lo cual sus precios pueden diferir significativamente entre países.

Bienes transables. Bienes que pueden ser intercambiados internacionalmente porque no enfrentan barreras que lo impidan. Están sujetos a la competencia de otros países y al arbitraje. Por ende sus precios no pueden diferir significativamente entre países.

CCM. Comisión de Comercio del Mercosur.

CEE. Comunidad Económica Europea.

Cepal. Comisión Económica para América latina y el Caribe de las Naciones Unidas.

CMC. Consejo de Mercado Común del Mercosur.

Coeficiente de apertura. Relación entre la suma de las exportaciones y las importaciones, y el producto bruto interno. Cuanto mayor sea este coeficiente, más abierta resultará la economía.

Comercio interindustrial. Hace referencia al comercio entre dos ramas de la producción diferentes, que se produce como consecuencia de la especialización de los países en función de sus ventajas comparativas.

Comercio intraindustrial. Alude a los flujos de comercio entre dos países que aun siendo de productos similares se mueven en direcciones opuestas (por ejemplo, la exportación de automóviles franceses a Alemania simultáneamente con la exportación de automóviles alemanes a Francia). El comercio intraindustrial es un fenómeno asociado a la existencia de economías de escala y a la diferenciación de productos, y tiene un impacto menos severo sobre la retribución de los factores que el comercio interindustrial.

Competitividad. Capacidad de un país para colocar sus productos en el mercado mundial desplazando a sus rivales como consecuencia de sus menores precios (por mayor productividad y/o menor costo de los insumos, por ejemplo), de sus mejores condiciones de financiamiento, de su calidad superior, etcétera.

CNC. Comisión de Negociaciones Comerciales.

CNCE. Comisión Nacional de Comercio Exterior (Argentina).

Convergencia. Fenómeno por el cual el PBI *per capita* de los países en desarrollo converge hacia el nivel de los países desarrollados. Esto implica que el ingreso de los países pobres debe crecer más rápido que el de los ricos. La razón básica es que la productividad del capital es mayor en los primeros debido a que el capital es más escaso. Para que la convergencia se produzca efectivamente en la práctica, deben darse una serie de condiciones que son estudiadas por la teoría del crecimiento.

CPC. Comisión Parlamentaria Conjunta del Mercosur.

Costos de transacción. Costos incurridos para realizar las transacciones de compra-venta en el mercado; por ejemplo, buscar información, establecer las condiciones de los contratos y supervisar su cumplimiento.

Creación de comercio. Situación en la cual un país convierte a un socio comercial en proveedor y/o comprador de distintos productos porque los acuerdos firmados favorecen la especialización de ambos, en función de sus ventajas de eficiencia.

Crisis de la deuda. Se refiere al período de alta inestabilidad macroeconómica que comenzó en América latina con la moratoria de la deuda externa mexicana en 1982. Como consecuencia de ello, los países latinoamericanos no pudieron acceder a los mercados para refinanciar sus deudas e incurrieron en atrasos. La crisis desapareció progresivamente al reestructurar los países más importantes sus deudas en el marco del Plan Brady.

Década perdida. Se conoce con este nombre al período comprendido entre 1982 y 1991, aproximadamente. Durante el mismo la tasa de crecimiento de los países latinoamericanos fue muy baja o directamente negativa, como consecuencia de la crisis de la deuda.

Derechos *antidumping*. Los derechos *antidumping* son impuestos a la importación que se aplican con el objetivo de contrarrestar el dumping, esto es, la importación de productos a un precio inferior que su valor normal. La OMC administra un acuerdo relativo a la aplicación del artículo VI del GATT 1994, que se ocupa de las medidas *antidumping*.

Derechos compensatorios. Los derechos compensatorios son impuestos a la importación que se aplican con el objetivo de contrarrestar el efecto de los subsidios a la producción o a la exportación. La OMC administra un acuerdo sobre subvenciones y medidas compensatorias, que regula el uso de dichos instrumentos.

Derechos específicos. Los derechos específicos se establecen cuando se quiere fijar un precio mínimo para las importaciones. Cuando son "móviles", los derechos o aranceles específicos se utilizan para elevar el precio de un producto importado al nivel del precio interno de sostenimiento. Se denominan "móviles" porque su valor varía de acuerdo con el precio de importación.

Desvío de comercio. Situación en la cual, debido a ventajas artificialmente creadas por un acuerdo preferencial de comercio, un país cambia a un proveedor eficiente por otro menos eficiente.

Dotación relativa de factores. Cantidades de un recurso (por ejemplo, trabajo calificado) en relación con otro (por ejemplo, recursos naturales) dentro de un país. Según Heckscher y Ohlin, los países tienden a especializarse en las ramas de producción que utilizan intensivamente los recursos cuya dotación relativa es elevada en relación al resto del mundo.

Draw back. Es un instrumento de política comercial que consiste en devolver los aranceles con que fueron gravados insumos o productos importados, reelaborados para su ulterior exportación.

Dualidad. Se dice que una economía es dual cuando un factor productivo determinado se aplica a diferentes usos con distinta productividad marginal. Así, se viola el principio de eficiencia que consiste en que la última unidad utilizada de cada factor de la producción se usa con la misma productividad en todos los usos.

Economías de escala. Situación en la cual una firma logra reducir sus costos de producción unitarios aumentando el volumen de producción. Si esa reducción se puede dar en un momento, esas economías se llaman "estáticas". Si la reducción en los costos unitarios se da por un aprendizaje a través del tiempo se llaman "dinámicas". Las economías de escala son típicas de tecnologías que implican que los costos fijos constituyen una elevada proporción del costo total.

Efecto polarización. Se refiere a los círculos viciosos de decadencia y virtuosos de expansión, que pueden resultar de las dinámicas del mercado. Dada la existencia de externalidades positivas derivadas de la aglomeración, la integración económica puede acentuar las diferencias regionales o funcionales ("polarizar") en lugar de contribuir a la convergencia.

Efecto Tequila. Se refiere a las consecuencias de la crisis mexicana de diciembre de 1994. En ese mes México devaluó su moneda infligiendo importantes pérdidas a los inversores externos que habían adquirido activos financieros denominados en pesos. El temor de los inversores a que ello desatara una ola devaluatoria en la región "contagió" con la inestabilidad financiera mexicana a otras economías que no necesariamente se encontraban en una posición financiera frágil.

Especialización. Fenómeno por el cual un país concentra su producción en ciertas ramas en las que posee mayor eficiencia y utiliza parte de la producción de esas ramas para conseguir lo que no produce mediante el comercio internacional.

Especialización intersectorial. Se refiere al patrón de especialización que responde a diferencias en la dotación de factores productivos. Es el patrón de especialización tradicional entre economías productoras de bienes intensivos en recursos naturales y economías productoras de bienes intensivos en capital físico o humano. La especialización intersectorial se contrapone al concepto de especialización intrasectorial (o intraindustrial), donde el patrón de especialización se explica por otros factores como la existencia de economías de escala o de productos diferenciados.

Estándares ambientales y laborales. Hacen referencia a estándares de protección del medio ambiente y de los derechos laborales. Su presencia creciente en la agenda del comercio internacional responde al interés de algunos países desarrollados de vincular las condiciones de acceso a los mercados con el respeto de ciertos estándares mínimos en esas materias.

Estándares técnicos. Los estándares técnicos son requisitos que deben cumplir ciertos bienes para garantizar la seguridad y la salud de los consumidores, la protección del medio ambiente, etcétera.

Estrategia de sustitución de importaciones. Es una estrategia de crecimiento que se basa en proteger la producción local para incentivar la sustitución de productos importados por los de origen nacional. Tuvo su auge en la posguerra cuando la escasez de divisas llevó a los países a tratar de ahorrarlas por todos los medios. En las dos últimas décadas fue progresivamente abandonada debido a que introducía un sesgo anticomercio en un mundo cada vez más globalizado y encarecía los bienes de inversión, con lo cual terminaba por perjudicar más que promover el crecimiento.

Fast Track. Fórmula introducida por la Ley de Comercio de 1974 en Estados Unidos con el objeto de hacer más flexibles las negociaciones de comercio que lleva a cabo el poder ejecutivo.

Fces. Foro Consultivo Económico y Social del Mercosur.

Gats. Acuerdo General sobre Comercio de Servicios.

Gatt. Acuerdo General sobre Aranceles y Comercio. El Gatt se estableció en 1947 con el objetivo de reducir y fijar (consolidar) los aranceles que gravan el comercio de bienes entre las partes contratantes, así como regular otras disciplinas que afectan el comercio de bienes. El Gatt funcionó en base a ruedas de negociaciones multilaterales periódicas que redujeron el nivel promedio de protección arancelaria y disciplinaron el uso de otros instrumentos de protección. La última de estas ruedas (la rueda Uruguay) produjo un nuevo texto (Gatt 1994) que se incorporó como parte de los acuerdos que administra la Organización Mundial de Comercio (OMC).

GMC. Grupo Mercado Común del Mercosur.

Incentivos defensivos. Además de las ganancias netas que puedan obtenerse de un acuerdo preferencial de comercio, la discriminación opera como un juego de dominó donde los que no son miembros del acuerdo pagan un precio por estar fuera del mismo. Esto da origen a incentivos "defensivos" para participar, cuya intensidad depende de variables tales como el nivel de protección de los que discriminan, el grado de preferencias que se intercambian y la intensidad previa de los vínculos comerciales con quienes quedan fuera del acuerdo.

Industria naciente. Argumento teórico a favor del proteccionismo que destaca la conveniencia de aislar de la competencia internacional a los sectores productivos que presentan economías dinámicas, para dar tiempo a que las mismas se desarrollen.

Ineficiencia X. Empleo inapropiado de los recursos productivos que impide alcanzar los niveles máximos de productividad posibles.

Joint ventures. Se trata de asociaciones entre empresas diferentes con un objetivo de negocios particular.

Licencias previas de importación. Consisten en la presentación de una solicitud u otra documentación (distinta de la necesaria a los efectos aduaneros) a un órgano competente, como condición previa para efectuar una importación. Las licencias pueden ser "automáticas" (en cuyo caso deben ser aprobadas en un máximo de diez días) o "no automáticas" (generalmente cuando se trata de administrar restricciones cuantitativas o cuotas). El uso de este instrumento está regulado por la OMC a través del Acuerdo sobre Procedimientos para el Trámite de Licencias de Importación.

Listas positivas de concesiones. El mecanismo de otorgar concesiones comerciales en base a listas positivas consiste en explicitar aquellos bienes que disfrutan del tratamiento preferencial. En contraste, el enfoque alternativo (llamado de "listas negativas") explicita aquellos bienes que se excluyen del tratamiento preferencial.

Margen de preferencia. Es la reducción porcentual en el arancel que grava las importaciones de un socio. El arancel de referencia sobre el que se aplica el margen de preferencia, corresponde al de nación más favorecida.

Mercado común. Forma de regionalismo que implica la libre movilidad de bienes, servicios y factores de la producción.

Mercantilismo. Teoría económica que se desarrolló con anterioridad al liberalismo. Sostiene, básicamente, que es beneficioso para un país mantener un superávit en la cuenta comercial con el objeto de contar con suficientes reservas internacionales. Suele aplicarse a cualquier política que artificialmente promueve las exportaciones y desincentiva las importaciones, como en el caso de la política agrícola de la Unión Europea y de otros países desarrollados.

Movilidad de factores. Desplazamiento de factores entre una economía y otra. La libertad de ese desplazamiento puede mostrar diferentes grados en relación con las condiciones legales, culturales, etcétera.

Multilateralismo. Estrategia de inserción internacional a través de acuerdos comerciales firmados con multiplicidad de países en negociaciones realizadas en foros. Esta estrategia se basa sobre el principio de reconocimiento de ventajas recíprocas.

Nación más favorecida. Principio por el cual cuando un país otorga una preferencia a un país determinado, debe hacerla extensiva al resto de los socios comerciales. Es el principio que rige las negociaciones multilaterales.

Nafta. Sigla inglesa del Tlcan.

OMC. Organización Mundial de Comercio. La OMC se estableció en 1994. Constituye el marco institucional para la aplicación, administración y funcionamiento de los Acuerdos Multilaterales sobre el Comercio de Mercancías (entre los que se encuentra el Gatt 1994), el Acuerdo General sobre Comercio de Servicios, el Acuerdo sobre los Aspectos de los Derechos de Propiedad Intelectual Relacionados con el Comercio, el Entendimiento Relativo a las Normas y Procedimientos por los que se rige la Solución de Diferencias, el Mecanismo de Revisión de las Políticas Comerciales y los Acuerdos Comerciales Plurilaterales.

Paridad del poder adquisitivo (PPP). Es un índice que se elabora para realizar comparaciones internacionales de bienestar. Cuando el PBI se mide utilizando el índice de PPP, los cálculos se hacen de tal forma que un dólar compra la misma cantidad de bienes en cualquier lugar del mundo. Para elaborar el índice se utiliza la teoría de la paridad del poder de compra o *Purchasing Power Parity*, de ahí la sigla PPP.

Patrón de comercio internacional. Se define en función de los productos comprados (importaciones) y vendidos (exportaciones) por un país en el mercado internacional.

Perforación del arancel externo común. Cuando los miembros de una unión aduanera no aplican el mismo arancel para un mismo producto, se produce una "perforación" del arancel externo común. Esto es, el producto ingresa en condiciones diferentes al territorio aduanero unificado en relación con el punto de ingreso, lo que incentiva el comercio hacia el país que aplica el arancel más bajo.

PICE. Programa de Intercambio y Cooperación Económica.

PLC. Programa de Liberalización Comercial del Tratado de Asunción.

Plurilateralización. Se refiere a la transformación de múltiples acuerdos bilaterales en un único acuerdo que vincula a todas las partes.

POP. Protocolo de Ouro Preto del Mercosur.

Principio de reciprocidad. El principio de reciprocidad es uno de los pilares de la negociación comercial internacional. Se refiere al intercambio de concesiones equivalentes como mecanismo de estímulo para la liberalización comercial.

Productividad marginal. Incremento en el volumen de producción atribuible a la última unidad del factor de producción (trabajo, recursos naturales o capital) utilizado.

Protección efectiva. Se refiere a la protección que se concede al valor agregado doméstico. El arancel nominal que se aplica a un producto no es un indicador de protección efectiva, por cuanto para conocer la protección conferida al valor agregado doméstico es necesario conocer el arancel que se aplica a los insumos. Un arancel elevado sobre los insumos y otro bajo sobre el producto final puede resultar en una protección efectiva negativa. Inversamente, un arancel elevado sobre el producto final y muy bajo (o nulo) sobre los insumos puede implicar un grado de protección efectiva sobre el valor agregado doméstico muy superior al arancel nominal.

Proteccionismo. Política comercial orientada a proteger los productores locales de la competencia internacional a través de regulaciones, barreras arancelarias, etcétera.

Reconocimiento mutuo. El principio de reconocimiento mutuo establece el reconocimiento recíproco de normas nacionales no necesariamente iguales.

Régimen cambiario. Conjunto de reglas que rigen el funcionamiento del mercado de cambios. Los dos regímenes básicos son el de "tipo de cambio fijo" (el Banco Central interviene con sus reservas a fin de que el tipo de cambio no varíe) y el de "tipo de cambio flexible" (el Banco Central no interviene y el tipo de cambio se determina libremente por la demanda y oferta de divisas).

Regímenes de compras gubernamentales. Establecen reglas y procedimientos para las compras públicas. Las regulaciones de la OMC se aplican a todo el comercio de bienes y servicios, con excepción de las compras gubernamentales. La OMC administra un acuerdo plurilateral sobre compras gubernamentales de carácter voluntario en el que participan alrededor de veinte países, la mayor parte de ellos países desarrollados.

Regionalismo. Estrategia de inserción internacional a través de acuerdos comerciales preferenciales con determinados países. Conceptualmente el término se contrapone al de "multilateralismo", aunque el carácter conflictivo o complementario de uno y otro no es una cuestión teórica sino empírica.

Regionalismo abierto. Se utiliza el término para hacer referencia a la variedad de regionalismo que predominó en la década de los noventa, cuando la proliferación de acuerdos preferenciales de comercio tuvo lugar en forma paralela a la reducción general de la protección. En América latina es impulsado por la Cepal.

Requisito (o índice) de contenido nacional. Son exigencias de contenidos mínimos de insumos domésticos para ciertos productos. Las exigencias de contenido nacional están prohibidas por la OMC. La Argentina los utiliza en su régimen automotriz debido a que en su momento denunció a la OMC la existencia de este programa, lo que le otorgó un período de gracia hasta la eliminación definitiva de la práctica.

Restricciones no arancelarias. Las restricciones no arancelarias (RNA) son medidas distintas al arancel que afectan las importaciones o las exportaciones (como los subsidios a la producción y a la exportación). Las restricciones no arancelarias son de tipo muy diverso y sus efectos no resultan siempre identificables con facilidad. En principio, toda RNA es susceptible de traducirse en un "equivalente arancelario", esto es, en el impuesto a la importación que produciría un efecto similar sobre el comercio.

Salvaguardias. Las salvaguardias son medidas de protección temporal que se aplican con el objetivo de hacer frente a un aumento súbito e imprevisto de las importaciones, que causa o amenaza con causar daño a los productores locales. La OMC administra un Acuerdo sobre Salvaguardias que regula las condiciones para la aplicación de este instrumento de política comercial.

Stand still. En las negociaciones comerciales internacionales stand still significa el compromiso de congelar una situación determinada evitando adoptar nuevas medidas que afecten el comercio.

Tasa de estadística. Es un gravamen adicional al arancel que se cobra a las importaciones para financiar servicios estadísticos vinculados al comercio exterior. De acuerdo a las regulaciones del Gatt 1994, estas cargas deben ser equivalentes al costo del servicio que se brinda. En el caso de la Argentina la aplicación de una tasa de estadística del 10% durante parte de la década del noventa fue una forma encubierta de arancel. Eventualmente la Argentina debió abandonar dicha práctica porque el mecanismo de solución de controversias de la OMC dictaminó que la tasa no guardaba relación con los servicios que supuestamente financiaba y constituía un mecanismo encubierto para aumentar los aranceles.

Tipo de cambio nominal. Precio de la moneda extranjera en términos de la moneda doméstica. Se produce una devaluación o depreciación cuando el tipo de cambio se eleva y una revaluación o apreciación cuando el mismo se reduce.

Tlcan. Tratado de Libre Comercio de América del Norte.

Transposición. La transposición es la traducción de normas acordadas internacionalmente en legislación o resoluciones administrativas nacionales para que produzcan efectos sobre los agentes y las transacciones económicas internas.

Trato nacional. Junto con el principio de nación más favorecida, es la base de la no discriminación en las negociaciones multilaterales. Según este principio, los bienes de origen local e importado deben ser tratados de igual forma una vez que las importaciones se internalizaron (lo que implica pagar el arancel correspondiente).

UE. Unión Europea.

Unilateralismo. Estrategia de inserción internacional a través de la reducción voluntaria de las barreras a los intercambios (tarifas, regulaciones, etc.).

Unión aduanera. Forma de regionalismo en la que se anulan las barreras comerciales existentes entre los países miembros y se acuerdan aranceles comunes frente a terceros países.

Unión monetaria. Forma de regionalismo en la que los países miembros acuerdan el uso de una moneda común, estableciendo un tipo de cambio fijo entre ellos para siempre y renunciando a las políticas monetarias nacionales a favor de la regional.

Valoración aduanera. Cuando aplican un arancel *ad valorem* las autoridades aduaneras deben contar con un procedimiento de valoración que les permita tener una base para el cálculo del arancel. El mecanismo tradicional de valoración es el "valor de transacción", pero esto se presta al fraude aduanero. La OMC administra un acuerdo relativo a la aplicación del artículo VII del Gatt 1994, que se ocupa del tema.

Ventajas absolutas. Situación en la cual un país tiene mejor nivel de productividad que otro en una rama determinada de la producción, es decir, utiliza menor cantidad de recursos por unidad de producto.

Ventajas comparativas o relativas. Situación en la cual un país tiene mejor nivel de productividad en una rama de producción en relación con otra rama, cuando se lo compara con otro país. Según Ricardo, los países se especializan en las ramas de producción en las que poseen ventajas comparativas.

Zona de libre comercio. Forma de regionalismo en la que se anulan las barreras comerciales entre los países miembro, pero cada país mantiene su propia estructura arancelaria frente a terceros países.

BIBLIOGRAFÍA

Achard, D.; Flores Silva, M. y González, E. (1990),"Las elites argentinas y brasileñas frente al Mercosur", en *BID-INTAL DP 485*, Publicación N° 418, Buenos Aires.

Agosin, M. (1997)."La Asociación entre Chile y el Mercosur: costos y beneficios a un año de funcionamiento", en *Informe Mercosur* N°. 3, año 2. BID-INTAL. Buenos Aires.

Barrios Barón, B. (1997). *Compras del sector público: opciones de negociación para la República Argentina*. Buenos Aires. ISEN/Nuevohacer.

BID-INTAL (2000). *Informe Mercosur. Período 1999-2000*. Año 5, N° 6, Buenos Aires. INTAL.

Bocco, H. (1989)."La cooperación nuclear Argentina-Brasil. Notas para una evaluación política", en FLACSO. *Documentos e Informes de Investigación*. N° 82.

Bouzas, R. (1995). "Integración económica e inversión extranjera: la experiencia reciente de Argentina y Brasil", en De la Balze F. A. M. (comp.) (1995). *Argentina y Brasil. Enfrentando el siglo XXI*. Buenos Aires. Asociación de Bancos de la República Argentina.

Bouzas, R. (1996). "La Agenda Económica del Mercosur: desafíos de política a corto y mediano plazo", en *Integración y Comercio*, N° 0, año 1. Buenos Aires. INTAL, enero-abril.

Bouzas, R. (1997)."Mercosur y liberalización comercial preferencial en América del Sur: resultados, temas y proyecciones", en Meller, P. y Lipsey, R. (ed.) (1997), en *NAFTA y Mercosur: un diálogo canadiense-latinoamericano*. Santiago de Chile. CIEPLAN-Dolmen Ediciones.

Bouzas, R. (1998). "Strategic Issues and Market Access Negotiations in the Americas: a Perspective from Mercosur". Documento de Trabajo Nro. 15. Departamento de Humanidades, Universidad de San Andrés. Buenos Aires, octubre.

Bouzas, R. (1999)."Regional Trade Arrangements: Lessons from Past Experiences", en Rodríguez Mendoza, M., Low, P. y Kotschwar, B. (eds.) (1999). *Trade Rules in the Making: Challenges in Regional and Multilateral Negotiations*, Washington DC: Organisation of American States/The Brookings Institution.

Bouzas, R. (1999). "Las negociaciones comerciales externas de Mercosur: administrando una agenda congestionada", en Roett, R. (comp.). *Mercosur: integración regional y mercados mundiales*. Isen-Nuevohacer. Buenos Aires.

Bouzas R. y Ros, J. (ed.) (1994). *Economic Integration in the Western Hemisphere*. Notre Dame, Ind. University of Notre Dame Press.

Bouzas, R. y Ros, J. (1994). "The North-South Variety of Economic Integration:

Issues and Prospects for Latin America", en Bouzas, R. y Ros, J. (ed.) (1994). *Economic Integration in the Western Hemisphere*. Notre Dame, Ind. University of Notre Dame Press.

Cambpell, J.; Rozenberg, R. y Svarzman, G. (1999). "Quince años de integración: muchos ruidos y muchas nueces", en Campbell, J. (ed.) (1999). *Mercosur: Entre la realidad y la utopía*, Buenos Aires. CEI-Nuevohacer.

CEPAL (1979). "ALALC: el programa de liberación comercial y su relación con la estructura y las tendencias del comercio zonal", en *Integración Latinoamericana*, año 4, N° 41, octubre.

Chudnovsky, D. y López, A. (2000). "El boom de la inversión extranjera directa en el Mercosur en los años 1990. Características, determinantes e impactos", en *Mimeo*, Buenos Aires, CENIT.

Chudnovsky, D. y Porta, F. (1989). "En torno a la integración económica argentino-brasileña", en *Revista de la* CEPAL. N° 39, diciembre.

De la Balze, F. A. M. (comp.) (1995). *Argentina y Brasil. Enfrentando el siglo XXI*. Buenos Aires, ABRA.

Fanelli, J. M., González Rozada, M, y Keifman, S. (2000). "Comercio, régimen cambiario y volatilidad. Una visión desde la Argentina de la coordinación macroeconómica en el Mercosur", en *Mimeo*, Buenos Aires, CEDES.

Fritsch, W. y Tombini, A. (1994). "The Mercosul: an overview", en Bouzas, R. y Ros, J. *Economic Integration in the Western Hemisphere*. South Bend. University of Notre Dame Press.

Grether, J. M. y Olarreaga, M. (1999). "Preferential and Non-Preferential Trade Flows in World Trade", en Rodríguez Mendoza, M., Low, P. y Kotschwar, B. (eds.). *Trade Rules in the Making: Challenges in Regional and Multilateral Negotiations*. Washington DC: Organisation of American States/The Brookongs Institution.

Herrera Vegas, J. H. (1995). "Las políticas exteriores de la Argentina y de Brasil: divergencias y convergencias", en De la Balze, F. A. M. (comp.) (1995). *Argentina y Brasil. Enfrentando el siglo XXI*. Buenos Aires. ABRA.

Heyman, D. y Navajas, F. (1998). "Coordinación de Políticas macroeconómicas en Mercosur: algunas reflexiones", en CEPAL. *Ensayos sobre la inserción regional de la Argentina*. Documento de Trabajo N° 81, Comisión Económica para América Latina y el Caribe - CEPAL, Buenos Aires.

Hirst, M. (1990). "Continuidad y cambio del programa de integración Argentina-Brasil", en FLACSO. *Documentos e Informes de Investigación*. N° 108.

Hirst, M.(1990). "Transición democrática y política exterior", en FLACSO. *Documentos e Informes de Investigación* N° 93, abril.

Hirst, M. (1993). "Avances y desafíos en la formación del Mercosur", en Bouzas, R. (ed.) (1993). *Los procesos de integración económica en América latina*. Madrid. CEDEAL.

Hufbauer, G. C. y Schott, J. (1993). *NAFTA. An Assessment*, Washington DC. Institute for International Economics.

Iturriza, J. (1981). "Cooperación comercial", en BID-INTAL. *Argentina-Brasil; la potencialidad de la cooperación bilateral*. BID-INTAL, Buenos Aires.

Knight, F. *(1921). Risk, Uncertainty and Profit.* New York. Houghton Mifflin Co.

Krugman, P. R. y Obstfeld, M. (1991). *International Economics*. New York., Harper-Collins Publishers Inc.

Laird, S. (1998),"Mercosur: objectives and achievements", *Economic Notes*. Country Department 1. Latin America and the Caribbean Region. World Bank. Washington DC.

Lavagna, R. (1991),"Integración Argentina-Brasil: origen, resultados y perspectivas", en *Mimeo*, Ariadna Grupo de Análisis sobre la Integración del Cono Sur, marzo.

Lawrence, R. Z. (1996). *Regionalism, Multilateralism and Deeper Integration*. Washington DC. The Brookings Institution.

Leibenstein, H. (1980). *Beyond Economic Man*. Cambridge. Harvard University Press.

Lucángeli, J. (1991). "Integración comercial, intercambio intraindustrial y creación y desvío de comercio: el intercambio comercial entre la Argentina y Brasil en los años recientes", en *Documento de Trabajo IE/01, Serie Int Eco*. Secretaría de Programación Económica, Proy. Arg. 91/019, Pnud.

Magariños, G. (1973)."La Alalc: la experiencia de una evolución de once años", en *Revista de la Integración* N° 12, enero.

Marx, K. (1997). *El capital*. Barcelona. Folio.

Olarreaga, M. and Soloaga, I. (1997). *Endogenous Tariff Formation: the Case of Mercosur*. Mimeo, Washington DC. The World Bank.

Porta, F. (1990). "El acuerdo de integración argentino-brasileño en el sector de bienes de capital: características y evolución reciente", en Hirst, M. (org.) (1990). *Argentina-Brasil. Perspectivas comparativas y ejes de integración*. Buenos Aires. Flacso-Editorial Tesis.

Ricardo, D. (1959). *Principios de economía política y tributación*. México. Fondo de Cultura Económica.

Roett, R. (comp.) (1999). *Mercosur: integración regional y mercados mundiales*. Buenos Aires. Editorial Nuevohacer.

Schumpeter, J. A. (1996). *Capitalismo, socialismo y democracia*. Barcelona. Folio.

Segre, M. (1990)."La cuestión de Itaipú-Corpus. El punto de inflexión en las relaciones argentino-brasileñas", en Flacso. *Documentos e Informes de Investigación*. N° 97.

Sloan, J. W. (1979)."La Asociación Latinoamericana de Libre Comercio: una evaluación de sus logros y fracasos", en *Integración Latinoamericana*, diciembre.

Smith, A. (1996). *La riqueza de las naciones*. Barcelona, Folio.

Torrent, R. (1997)."La Unión Europea: naturaleza institucional, dilemas actuales y perspectivas", en Bouzas, R. (ed.) (1997). *Regionalización e integración económica. Instituciones y procesos comparados*. Buenos Aires. Editorial Nuevohacer.

Tyson, B. B. (1975)."Brazil", en Davis H. E. y Larman, C. W. (1975). *Latin American Foreign Policy: an Analysis*. Johns Hopkins University Press.

Wallace, W. (1994). *Regional Integration: the West European Experience*. Washington DC. The Brookings Institution.

Wallace, H. (2000)."The Institutional Setting", en Wallace, H. and Wallace, W. *Policy-Making in the European Union*. Oxford. Oxford University Press.

Wonnacott, R. y Wonnacott, P., (1996)."El Tlcan y los acuerdos comerciales en las Américas", en *Las Américas: integración económica en perspectiva*. Bogotá. Departamento Nacional de Planeación-BID.

World Bank (2000). *World Development Indicators 1999.* Washington. The World Bank.

World Bank (1999). *Trade Blocs and Beyond: Political Dreams and Practical Decisions,* Washington, The World Bank.

Yeats, A. J. (1998). "Does Mercosur´s Trade Perfomance Raise Concerns about the effects of Regional Trade Arrangements?", en *The World Bank Economic Review,* vol. 12, N° 1.

Young, A. and Wallace, H. (2000). "The Single Market. A New Approach to Policy", en Wallace, H., and Wallace, W. *Policy Making in the European Union.* Oxford. Oxford University Press.

Índice

Este libro se terminó de imprimir en el mes
de abril de 2002 en los talleres gráficos
de GEA S.A. - Santa Magdalena 635
Buenos Aires - Tel: 4302-2014